Genom att välja en klimatsmart pocket från Månpocket bidrar du till vårt arbete för att göra produktionen av pocketböcker miljövänligare.

Vår vision är att ge ut böcker där man tagit hänsyn till miljön i varje steg av produktionen – och vi strävar efter att bli ännu bättre.

Vi har därför valt att trycka alla våra böcker på FSC-märkt papper. FSC står för Forest Stewardship Council och är en oberoende, internationell organisation som verkar för socialt ansvarstagande genom ett miljöanpassat och ekonomiskt livskraftigt bruk av världens skogar. FSC:s regelverk slår bland annat vakt om hotade djur och växter, om hållbart och långsiktigt bruk av jorden och om säkra och sunda villkor för dem som arbetar i skogen.

För de utsläpp som trots allt inte går att undvika i bokproduktionen klimatkompenserar vi genom Climate Friendly. Vi bidrar härigenom till utbyggnaden av hållbar utvinning av förnybar energi, såsom vindkraft.

Vill du veta mer? Besök **www.manpocket.se/klimatsmartpocket**

Håkan Nesser

LEVANDE OCH DÖDA I WINSFORD

Roman

Denna Månpocket är utgiven enligt överenskommelse med
Albert Bonniers Förlag, Stockholm

Omslag: Karin Hagen

Tryckt hos ScandBook AB, Falun 2014

ISBN 978-91-7503-281-8

”Med heden förhåller det sig på det viset, att den i allt väsentligt saknar såväl början som slut. Av övrigt som man inte finner i detta himmelska landskap vill jag nämna tre saker: återvändsgränder, undanflykter samt sist men inte minst – ord.”

Royston Jenkins (1866–1953), *värdshusvärd i Culbone*

”… den lidelsefria vattnigheten i ett öga som har velat glömma något och därför till sist glömt allt.”

Roberto Bolano: Amulett

I.

I

I förrgår bestämde jag mig för att överleva min hund. Det är jag skyldig honom. Två dagar senare, alltså idag, bestämde jag mig för att dricka ett glas rött vin i Wheddon Cross.

Det är så jag numera tar mig igenom tiden. Fattar beslut och sedan håller dem. Det är inte så svårt, men svårare än det låter och det beror förstås på omständigheterna.

Regnet hade följt mig hela vägen över heden, ända sedan jag svängde av från A358 vid Bishops Lydeard, och skymningen som föll hastigt fick gråten att tränga upp i mig som kallnad lava. En fallande rörelse, en stigande, men den där gråten som höll på att ta sig fram var möjligen ett gott tecken. Jag har gråtit för lite i mitt liv, jag ska återkomma till det.

Jag hade startat från London vid ettiden och efter att jag krånglat mig ut genom Notting Hill och Hammersmith hade färden gått över förväntan. Västerut således, längs M4 genom Hampshire, Gloucestershire och Wiltshire, åtminstone har jag för mig att det är så grevskapen heter, och ett par timmar senare söderut på M5 efter Bristol. Det känns betryggande att alla dessa vägar har sina nummer – och alla platser sina namn – men att det känns så är antagligen mindre betryggande.

Över förväntan är måhända också fel uttryck i sammanhanget men farhågorna för att köra vilse, att välja fel avfart och hamna i hopplösa motorvägsköer i galen riktning och inte komma fram i tid, hade hållit mig vaken ett gott stycke av natten. Den gamla historien om Martins systers älskare resten av natten. Jag vet inte varför hon och han dök upp men så var det. Man är så försvarslös under de tidiga morgontimmarna.

Jag är ingen van bilförare, det är så det har blivit. Jag minns att jag som ung tyckte det var förenat med en viss frihetskänsla att få sitta bakom ratten och vara herre – eller härskarinna kanske – över sitt öde och sina färdvägar. Men det har varit Martin som kört de senaste femton–tjugo åren, det är länge sedan vi ens tog upp frågan om vem som ska sitta i förarsätet vid gemensamma bilturer. Och det där med gps har han alltid fnyst åt.

Det finns väl kartor? Vad skulle det vara för fel med hederliga kartor helt plötsligt?

Vänstertrafik i det här envisa gamla landet dessutom, så risken för att det på något sätt skulle gå åt helvete var ganska hög. Men det hade klarat sig. Jag hade besegrat både Londons häxkittel av obsoleta trafiklösningar och motorvägsplågan. Lyckats tanka och betala kontant utan hinder och det var inte förrän jag kom ut på den smala berg- och dalbanevägen över Exmoor som svårmodet hann ifatt mig. Jag stannade dock aldrig på en parkeringsplats för att lyfta mitt sjunkande hjärta, vilket jag kanske hade behövt. Jag är inte säker på att jag såg till någon parkeringsplats.

Men eftersom det fortfarande är så att det mesta som finns namngivet på en karta i det här landet också har en pub, så parkerade jag strax efter klockan halv fem intill en vit skåpbil med dörrtexten ”Peter's Plumbing” på en påtagligt ödslig parkeringsplats intill en påtagligt övergiven cricketplan.

Skyndade in under tak utan att ge mig tid till ånger och eftertanke.

Wheddon Cross, alltså. Aldrig satt min fot här tidigare, aldrig hört talas om platsen.

Jo, jag funderade ett ögonblick på att gå en kort runda med Castor först, före det där vinglaset, det gjorde jag faktiskt. Men han uppskattar inte regn och han hade varit ute på vårt tankställe halvannan timme tidigare. Jag tror inte ens han lyfte på huvudet när jag öppnade och stängde bildörren. Han tycker om att vila sig, Castor, kan sova femton–sexton timmar per dygn om tillfälle bjuds.

Stället visade sig heta The Rest and Be Thankful Inn. Förutom den storbystade blonderade kvinnan i baren (min egen ålder, kanske något yngre, trots allt) befolkades det denna sena novembereftermiddag av två människor: en spröd, tedrickande gammal dam med ett korsord, samt en överviktig man i trettioårsåldern i arbetskläder och en smutsig baseballkeps. Ett lite snirkligt PP ovanför skärmen, ölsejdel fastvuxen i en kraftig hand på bordet. Jag antog att det var den kringfarande rörmokaren, men varken han eller korsordskvinnan höjde blicken när jag steg in.

Vilket emellertid Bar-Blondie gjorde. Efter att först noggrant ha torkat rent det kupade glas hon höll i handen och placerat det på en hylla framför sig visserligen – men ändå.

Jag beställde ett glas rött, hon frågade om det gick bra med merlot och jag sa att det gick alldeles utmärkt.

”Stort eller litet?”

”Stort, tack.”

Det är möjligt att såväl PP som korsordslöserskan härvid höjde ett antal ögonbryn, men det var i så fall något jag bara registrerade på samma sätt som man uppfattar en fjäril bakom sin rygg.

”Det regnar”, konstaterade Blondie medan hon hällde upp.

”Ja”, svarade jag. ”Det gör det minsann.”

”Regn, regn, regn.”

Hon sa det i ett sjungande tonfall och jag antog att det var refrängen i en gammal slagdänga. Jag vet inte varför jag väljer ordet ”slagdänga”, jag är trots allt inte mer än femtiofem. Men det finns vissa uttryck som min far brukade använda, och som jag märker att jag på senare tid börjat återvända till. Fina fisken. Brallis. Halvannan, som någon kanske noterade.

Jag fick mitt glas och slog mig ner vid ett bord där det låg en liten broschyr om vandringsleder i trakten. Jag låtsades börja studera den för att ha någonstans att göra av ögonen. Helst av allt skulle jag ha druckit ur mitt vin i tre djupa klunkar och åkt vidare, men det var inte min avsikt att lämna avgörande intryck. Kanske skulle jag komma att återvända – även om skälet till att jag stannat just här handlade om den frågan: att inte återvända. En ensam främmande kvinna i mogen ålder som kommer in och dricker ett stort glas vin om eftermiddagen lämnar utan tvivel spår i en liten by. Sådana är villkoren, inget att stånga sin panna blodig mot om man inte är poet eller konstnär. Jag är inte poet eller konstnär.

Och Wheddon Cross var inte min by. Min by heter istället Winsford och borde enligt broschyren framför mig vara belägen ett halvdussin miles söderut. Det är på den puben det är viktigt att inte trampa fel. Det är där jag möjligen kommer att bli en återkommande gäst och byta ord och tankar med min nästa. I varje fall var det en sådan uträkning jag hade gjort och efter den första klunken kunde jag glädja mig åt att den kalla lavagråten tycktes ha dragit sig tillbaka. Det finns en sammetslen sida av rött vin som skulle kunna göra mig till alkoholist, men det är inte i den riktningen jag avser att vandra.

Jag har mycket vaga uppfattningar om riktningar överhuvudtaget. Det är så det också har blivit och hur allting kommer att se ut om ett halvår är en fråga av nästan skrattretande oberäknelighetsgrad. Blott en dag och den har nog av sin egen plåga.

Så sant som det är sagt.

Skymningen hade tätnat till mörker under de tjugo minuter jag tillbringat på The Rest and Be Thankful Inn och regnet hade tillfälligt dragit sig tillbaka. Jag gav Castor en godbit – torkad lever, det är hans diskreta passion – och konsulterade kartan. Körde ut från parkeringsplatsen, gav mig iväg utefter A396 i riktning mot Dulverton, och efter några miles slingrande körning dök där upp en väg till höger och en skylt: Winsford 1. Denna nya väg löpte i en smal dalgång, antagligen längs floden Exe, som såvitt jag förstår gett namn åt hela heden, men vattendraget levde bara som en försynt aning utanför bilfönstret. Eller kanske en andning eller ett mycket måttfullt levande väsen; det var inte svårt att hemfalla åt dunkla inbillningar i detta främmande osynliga landskap, där nu också dimman börjat lägra sig, och när de första byggnaderna i utkanten av byn fångades upp av mina strålkastare kände jag en atavistisk lättnad. Jag körde förbi den lokala handelsboden, tillika postkontor, svängde till vänster och parkerade enligt de anvisningar jag fått framför ett krigsmonument över stupade i första och andra världskriget. Tog med mig Castor över en enkel träbro och ett strömmande vatten, lokaliserade ett kyrktorn mot den oroliga, blysprängda himlen, nu plötsligt rensad från dimma, och började gå uppför en bygata som hette

Ash Lane. Inte en människa i sikte. Alldeles bortom kyrkan knackade jag på en blå dörr i ett lågt pommerstenshus, och tio sekunder senare öppnades samma dörr av mr Tawking.

”Miss Anderson?”

Det var det namn jag uppgivit. Jag vet inte varför jag bestämt mig för just min mors flicknamn, kanske av den enkla anledningen att jag knappast skulle glömma bort det. Anderson med bara ett *s* dessutom, som det stavas i det här landet. Mr Tawking visade med en enkel handrörelse att jag skulle stiga in och vi slog oss ner i var sin fåtölj vid ett lågt mörkt träbord invid en artificiell gasbrasa. En tekanna, två koppar, ett fat kex, det var det hela. Samt två nycklar i en ring ovanpå ett papper, jag förstod att det var hyreskontraktet. Han hällde upp te, strök Castor över ryggen och sa åt honom att lägga sig i värmen framför eldstaden. Castor gjorde som han blivit tillsagd, det var tydligt att mr Tawking haft att göra med hundar i sitt liv. Men jag såg inte till någon för tillfället; mr Tawking var krum och gammal, säkert en bit över åttio, kanske hade han haft en fyrbent livskamrat som gått bort för något år sedan och kanske hade han känt att det var för sent att skaffa en ny. Hundar ska inte överleva sina ägare, det var ju detta jag nyligen kommit fram till.

”Sex månader räknat från igår”, sa mr Tawking. ”Första november till sista april. Ja, skyll inte på mig.”

Han försökte sig på ett leende, men musklerna hängde inte riktigt med. Kanske var det länge sedan han haft något att glädjas åt, det vilade ett ingrott tungsinne både över honom själv och över rummet där vi satt. Kanske var det inte bara en hund som lämnat honom, tänkte jag, utan också en hustru. Hustrur bör antagligen överleva sina män, men det är en fråga av helt annan art och ingenting jag hade lust att fundera över i det läge som var, sannerligen inte. Heltäckningsmattan var sliten och solkig, noterade jag istället, de stormönstrade tapeterna hade fuktfläckar och det satt en liten röd tejpremsa i övre högra hörnet på teveskärmen av någon anledning. Jag kände att jag ville komma härifrån så fort som möjligt. Mina egna skymningskänslor behövde ingen hjälp på traven, och efter mindre än en kvart hade jag skrivit under kontraktet, betalat det överenskomna priset för ett halvårs hyra, 3 000 pund kontant (plus de 600 jag satt in på hans konto två dagar tidigare) och fått nycklarna. Vi hade inte berört andra ämnen än vädret och det praktiska.

”Det ligger en instruktionsbok på diskbänken. Den är avsedd för sommargästerna förstås, men om det är nåt får du väl titta in eller ringa. Mitt nummer står där också. Var försiktig när du eldar.”

”Fungerar mobiltelefonen däruppe?”

”Beror på vilket abonnemang du har. Du kan alltid pröva på kullen på andra sidan vägen. Där brukar det höras. Där den där kvinnan ligger begravd och däromkring. Hon Elizabeth.”

Vi tog i hand, han strök Castor över manken och vi lämnade honom.

Hund och matte återvände nedför Ash Lane till monumentet och bilen. Det hade börjat blåsa upp, vinden riste och slet i lärkträden och telefonledningarna, men regnet höll sig borta. Dimman gav på sin höjd trettio meters fri sikt. Fortfarande inga levande väsen förutom vi själva. Castor hoppade in på sin plats i bilen och jag gav honom en ny levergodis. Utbytte ett par betryggande tankar med honom och försökte sudda ut frågorna i hans bekymrade ögon så gott det gick. Därefter började vi försiktigt ta oss uppför den andra vägen genom byn.

Halse Lane. Efter bara femtio meter passerade vi bypuben. Den heter The Royal Oak Inn, är belagd med ett präktigt tjockt stråtak och där glödde ett matt sken i fönstren ut mot vägen. Strax bortom, fast på motsatt sida, låg ett igenbommat hotell vid namn Karslake House med sorgfälligt mörka fönsterrektanglar.

Sedan upphörde såväl bebyggelse som gatubelysning. Vägen blev ännu trängre än tidigare, nätt och jämnt bred nog för ett ensamt fordon, men under de sju–åtta minuter det tog att komma upp till Darne Lodge, längs snäva och svårmanövrerade kurvor, mötte vi inte en enda bil. Sikten skymdes av höga, uråldriga gräs- och stenvallar dessutom – utom den sista biten då plötsligt heden bredde ut sig åt alla håll, temporärt upplyst av en fullmåne som lyckades tränga undan molnen och dimmorna för några sekunder. Landskapet såg med ens förandligat ut; som en gammal målning – Gainsborough eller Constable kanske? Eller varför inte Caspar David Friedrich?

Friedrich har alltid varit Martins favoritkonstnär, en reproduktion av *Munk vid havet* hängde på hans kontor redan när vi träffades, och en dubiös känsla av skräck och lättnad drog igenom mig när jag klev ur bilen för att skjuta upp grinden. Eller kanske hade jag umgåtts med just denna oheliga allians, mörkret och ljuset, alltsedan den där stranden utanför Międzyzdroje.

Międzyzdroje, jag kan fortfarande inte uttala det ordentligt, men stavningen är korrekt, jag har kontrollerat det. Elva dagar vid det här laget: ett svårforcerat stycke tid förvisso, men där ändå de enerverande kvävningskänslorna skingrats en smula för varje ny morgon, varje nytt beslut; det var i alla fall en inbillning jag tyckte om att hemfalla åt.

Bestämde mig för att fortsätta hemfallandet.

Och fick jag bara fart på en brasa och det elektriska i Darne Lodge, samt ett glas portvin eller två inombords, så var det ju ett hav av stiltje som låg framför mig. Sex månaders vinter och vår på heden. Utan annat sällskap än Castor, min egen åldrande kropp och min vilsegångna själ. Den ena dagen den andra lik, den ena timmen omöjlig att särskilja från den föregående eller den nästkommande, ja, i den mån jag överhuvudtaget börjat måla någon bild av det kommande halvåret, så var det väl på det viset det såg ut. Ett eremitliv av läkedom och eftertanke och gudvetvad – men både Castor och jag förstod så väl att inte göra oss bekymmer för morgondagen, och när vi en timme senare befann oss på ett fårskinn respektive i en gungstol framför eldstaden och den tveksamt sprakande brasan, föll vi helt enkelt i sömn, den ena efter den andra.

Det var den andra november, det kan vara värt att notera, vi hade tagit oss längre bort än jag någonsin kunnat drömma om och såvitt jag visste hade vi sopat igen alla spår. I denna trygga förvissning tog vi oss strax före midnatt över till den svackiga dubbelsängen i sovrummet. Jag låg vaken en kort stund och gjorde upp en del preliminära och praktiska planer för morgondagen. Lyssnade till vinden som drog över heden och till kylskåpet som brummade ute i det kombinerade köket/vardagsrummet och tänkte att de senaste månadernas händelser äntligen fått sin definitiva slutpunkt. Noga räknat de senaste årens.

Ännu noggrannare räknat: mitt liv såsom det hittills framstått.

2

”Jag kan förstå att ni behöver komma ifrån”, hade Eugen Bergman sagt och betraktat oss över kanten på sina urmodiga läsglasögon. ”Med den där galna kvinnan och allt. Och den litterära tajmingen är det ju knappast något fel på. Vad det än blir så kommer vi att kunna sälja den.”

De ska inte handla om vad som varit, dessa ostrukturerade anteckningar – mer än vad som behövs för att förstå det nuvarande. Om jag överhuvudtaget har några ambitioner så stannar det väl ungefärligen där. Man skriver – och läser – för att begripa, det har jag ofta inbillat mig. Det är mycket jag aldrig kommer att begripa, den sista tiden har visat det med mer än önskvärd tydlighet, men man kan väl få försöka kasta ett visst ljus åtminstone? Jag har börjat alldeles för sent men man ska något göra i väntan på döden, som en kollega till mig brukade säga vissa bleka måndagsförmiddagar på Aphuset. Fast nu förirrar jag mig redan, orden och tidpunkterna slinter. Åter till Sveavägen, en månad sedan ganska precis. Eugen Bergman.

”Vad det än blir?” svarade Martin, som om han inte alls uppfattat den tillmötesgående ironin i förläggarens tonfall. ”Får jag påminna dig om att jag har suttit på det här materialet i trettio år. Om inte era räknenissar begriper värdet av det, så finns det räknenissar på annat håll som gör det.”

”Jag sa ju att vi kommer att ge ut den”, avvärjde Bergman med ett av sina skeva leenden. ”Och du får ditt förskott. Vad är det med dig, min gosse? Jag kan nog lova dig sju–åtta översättningar på rak arm. I England borde det kunna bli budgivning till och med. Ge er iväg bara, för tusan, ni har min välsignelse. Och så leverans den sista april nästa år. Men jag läser gärna underhand, det vet du.”

”Skulle aldrig falla mig in”, svarade Martin och nickade åt mig. ”Ingen djävul läser ett ord förrän det är i hamn.”

Det var dags att ta avsked, jag förstod det. Vi hade inte tillbringat mer än tio minuter i rummet, men naturligtvis hade ärendet varit preparerat i förväg. Bergman har varit Martins förläggare i tjugo år och är av en gammal, uppenbarligen utdöende art. I varje fall brukade Martin hävda det. Varje nytt avtal – inte har de nu varit så många, sex eller sju stycken om jag inte räknar fel – beseglas på Bergmans kontor. Ett undertecknande, ett handslag, en tum amaro i slitna små espressoglas som han förvarar i en av skrivbordshurtsarna; det är den rutin som alltid gällt och den gällde den här fredagseftermiddagen i början av oktober också.

Den sjätte noga räknat. En brittsommardag i ordets mest fullödiga bemärkelse, åtminstone i Stockholmstrakten. Jag är inte helt säker på varför Martin hade insisterat på min närvaro, men förmodligen var det någonting som behövde markeras.

Inte svårt att förstå vad i så fall.

Att vi fortfarande hörde samman. Att turbulensen de senaste månaderna inte förmått rubba den solida grunden för vårt äktenskap. Att jag stod bakom min man, eller var nu en självständig men god hustru förväntas stå? Vid sidan av kanske?

Och jag erkänner att ”insisterat” är fel ord. Martin hade faktiskt bett om det, ingenting annat. Eugen Bergman har varit både hans och min gode vän under en lång rad av år, även om den konkreta samvaron i stort sett upphörde i och med Lydias, hans hustrus, bortgång 2007. Det var således inte första gången jag var besökare i det stökiga arbetsrummet på Sveavägen. Långt därifrån och tre av fyra gånger hade jag druckit amaro.

När vi kom ut från förlaget förklarade Martin att han hade ett par andra möten inbokade och föreslog att vi skulle ses på Sturehof klockan sex. Fast om jag ville hem kunde jag ta bilen, det var inga problem för honom att åka med pendeln. Jag sa att jag redan hade bestämt träff med den här Violetta di Parma som skulle bo i vårt hus medan vi var borta – något som han för övrigt borde ha vetat om eftersom jag nämnt det i bilen på väg in till stan på morgonen – och att det för min del passade utmärkt med Sturehof klockan sex.

Han nickade en smula frånvarande, gav mig en hastig kram och fortsatte längs Sveavägen bort mot Sergels torg. Av någon anledning blev jag stående kvar på trottoaren och såg efter honom, där han kryssade sig fram i strömmen av främmande människor, och jag minns att jag tänkte att om jag inte råkat bli gravid under den där julhelgen med hans förfärliga föräldrar för trettiotre år sedan, så skulle mitt liv inte ha blivit som det blev. Och inte hans heller.

Detta var ju en tanke lika banal som en cellulit och den skänkte varken tröst eller mening.

Jag skrev in mig på litteraturvetenskapliga institutionen höstterminen 1976. Jag var nitton år gammal och på samma gång skrev också min pojkvän och första kärlek Rolf in sig. Jag kom att studera litteratur i två terminer, möjligen skulle jag ha fortsatt om inte Rolf förolyckats följande sommar, men det är inte säkert. Tvivlet på att det var mitt rätta kall att läsa texter med trångsynt lupp hade ansatt mig med jämna mellanrum under hela året, och även om jag hade klarat tentorna utan större svårigheter – om än inte med glans – så inbillade jag mig att det fanns alternativa arenor där livet kunde få äga rum. Eller hur man nu vill uttrycka det.

Naturligtvis blev Rolfs död en avgörande faktor. Det var han som hade varit litteraturälskaren och bokmalen i vårt förhållande. Det var han som tyckt om att deklamera Rilke och Larkin om nätterna efter sex glas vin, det var han som drog iväg mig till seminarier på ABF och i litteraturföreningen Asynja – och det var han som hellre lade sina sista pengar på ett halvdussin begagnade Ahlin, Dagerman och Sandemose på Rönnells än såg till att vi hade mat för helgen. Vi hann aldrig med att ha gemensam ekonomi, och om det blivit så hade det inte varit problemfritt.

Men i mitten av augusti 1977 störtade Rolf femtio meter nedför ett bergmassiv i Schweiz så frågan blev aldrig aktuell. Jag lämnade litteraturstudierna bakom mig och efter några sorgemånader, då jag ömsom bodde hemma hos mina föräldrar, ömsom arbetade som nattportier på ett hotell på Kungsholmen, kom jag i januari in på en sorts medieutbildning på Gärdet och på den vägen blev det. Jag anställdes på Sveriges Television ett och ett halvt år senare och fram till för tre månader sedan har det varit min arbetsplats – med undantag för två barnafödslar och ett och annat projektuppdrag.

Det känns konstigt att man kan summera ett liv så pass behändigt, men om man utelämnar barndomen och allt som man trodde var väsentligt så möter det inga hinder.

Knappt ett år efter Rolfs död gick jag på en gårdsfest i Gamla stan. Det var i mitten av juni 1978; jag hade blivit motvilligt meddragen av en av mina kursare på den där medieutbildningen och det var den kvällen jag träffade Martin. Det var jag som varit motvillig, inte kursaren, och så hade det varit under hela året. Det var inte bara en död jag hade att sörja, det var två. En gammal och en ny, jag ska återkomma till det och det där med att bearbeta sorg är inget entydigt begrepp.

Fast jag hade ju stött på Martin tidigare visade det sig.

"Känner du inte igen mig?" undrade en ung man som kom fram till mig med röd bål i en stor plastmugg. Han hade långt mörkt hår och Che Guevara på bröstet. Rökte pipa.

Det gjorde jag nu inte. Kände igen honom, alltså.

"Om du tänker bort frisyren och Ernesto", lade han till. "Litt-vet för ett år sedan. Vart tog du vägen?"

Då såg jag att det var Martin Holinek. Amanuens på institutionen, åtminstone hade han varit det under det år jag gått där. Vi hade väl inte bytt många ord med varandra och han hade inte undervisat på någon av de kurser jag tagit, men visst kände jag igen honom bara myntet trillat ner. Han hade rykte om sig att vara ett ungt geni och jag tror att Rolf hade pratat en del med honom.

"Det där med din pojkvän, förstås", sa han nu. "Det var ju en förfärlig historia."

"Ja", svarade jag. "Det blev för mycket. Kunde inte fortsätta som det var tänkt."

"Jag beklagar", sa han. "Har du kommit på fötter någotsånär?"

Det var inget spörsmål jag hade lust att gå in på, även om jag uppfattade den empatiska tonen i hans röst som äkta, så jag frågade vad han hade för anknytning till gårdsfestgänget. Han förklarade att han faktiskt bodde i kvarteret och var bekant med de flesta, och så började vi prata om Gamla stan och om för- och nackdelar med olika stadsdelar i Stockholm. Förort kontra innerstad och det ena med det andra; att det var en klassfråga och ingenting annat lyckades vi gå runt på något obegripligt vis, åtminstone vill jag minnas det så. Sedan hamnade vi bredvid varandra vid långbordet och jag märkte till min förvåning att jag tyckte det var trevligt. Inte bara Martin utan hela tillställningen. Folk var glada och anspråkslösa, det drällde av barn och hundar och försommaren stod i maximalt prunk. Jag hade varit tämligen asocial sedan olyckan, suttit ensam och hållit min dysterhet stången och jag tror det var första gången sedan augusti jag skrattade spontant åt någonting. Det bör ha varit åt något som Martin sa, men jag minns inte.

Däremot minns jag förstås vad han berättade om Grekland. Redan följande vecka skulle han sätta sig på ett plan till Aten och sedan fortsätta med båt från Pireus till Samos. Västra Samos, sydsidan. Där skulle han tillbringa åtminstone en månad i en sorts författarkollektiv, han hade gjort samma sak föregående sommar och när han talade om det förstod jag att det varit en upplevelse som gick utanpå det mesta. Naturligtvis flummades det och röktes gräs av diverse slag, det erkände han villigt – där var en hel del folk med rötter i Kalifornien – men kärnan i det hela var ändå det litterära skapandet. En författarfabrik om man så ville. Vad detta betydde i klartext lyckades han väl inte riktigt reda ut den här första kvällen, men hela kolonin höll till i och runt ett stort hus som ägdes av den engelske poeten Tom Herold och hans unga amerikanska hustru Bessie Hyatt. Jag kände till detta par; Herold hade ett flertal hyllade diktsamlingar bakom sig trots att han inte kunde vara många år över trettio, och Bessie Hyatts debutroman *Innan jag störtar* var en av fjolårets mest omtalade böcker. Inte bara i USA utan runt om i världen. Att den ansågs innehålla en mängd nycklar till hennes och Herolds komplicerade förhållande gjorde inte saken sämre.

Naturligtvis var jag imponerad och naturligtvis märkte jag att Martin Holinek var stolt över att ingå i ett sådant illustert sammanhang. För en litteraturvetare måste det ju innebära att för ovanlighetens skull befinna sig vid hästens mun – istället för att behöva traggla sig igenom den mängd av diskurser, analyser och essäer som växer på varje text och varje författarskap av betydelse, likt mögel i en dåligt luftad källare. Jag visste inte vad Martins forskning på institutionen handlade om, men om han höll på med en doktorsavhandling var det väl troligare att han ägnade sig åt någonting svenskt eller åtminstone nordiskt.

Men jag frågade nog aldrig och när vi ett par år senare var gifta och bodde i vår första gemensamma lägenhet på Folkungagatan var det egentligen bara det där kollektivet på Samos som jag kunde erinra mig från vårt första samtal.

I efterhand har jag tvivlat på att vi faktiskt pratade om särskilt mycket annat.

Jag fick jobb på Sveriges Television för att jag var snygg och kunde tala rent.

En av mina manliga chefer – i slitna jeans, svart kavaj och klädsamt halvskägg – sammanfattade anställningsproceduren med de orden några månader senare. Det var i samband med en efterfest på någon av Stockholms krogar, jag minns inte vilken, och eftersom han haft ett finger med i sagda procedur tyckte han att vi lika gärna kunde gå hem till hans femrumslägenhet på Östermalm och lyssna en stund på hans unika Coltraneinspelningar. Jag avböjde med motiveringen att jag var lyckligt gift och dessutom gravid, men om jag inte misstar mig fylldes min plats av en rödhårig och glad kollega som antagligen fått sitt kontrakt på samma grundmurade meriter som jag.

Hursomhelst blev Aphuset min arbetsplats. Det var Martins och min privata beteckning för SVT under alla år – hans universitet gick ömsom under namnet Långvården, ömsom Sandlådan. Jag läste nyheter några år, var soffvärdinna några år i diverse omistliga program och övergick strax efter millennieskiftet till att verka som producent. Jag kunde visserligen fortfarande tala rent, men min skönhet hade vid det laget undergått den speciella mognad som inte längre trivdes i rutan. Vilket en annan manlig chef i klädsamt halvskägg upplyste mig om på förekommen anledning.

Under hela mitt vuxna liv har jag dock varit van vid att fullkomligt okända människor hälsar på mig. I livsmedelsbutiken, ute på stan, i tunnelbanan. Halva Sverige känner igen mig, det är den bistra sanningen, och även om det var Martin som var huvudperson på de där löpsedlarna i maj och juni, det vill jag på intet vis ta ifrån honom, så spelade mitt namn och mitt ansikte utan tvekan en viss roll för nyhetsvärderingen.

Men jag sade alltså inte upp mig från Aphuset. Jag nöjde mig med att begära ett års tjänstledighet – en ansökan som beviljades på två minuter utan några särskilda kommentarer från Alexander Skarman, den semestertillförordnade beviljaren. Det var i mitten av juli och varmare än det borde vara i ett hus för namnkunniga primater; han luktade riesling efter lunchen och kommer från en lång och trogen mediafamilj utan att på något vis vara mogul eller särskilt begåvad. Han hade utanpåskjorta i linne och kortbyxor. Tiderna har förändrats. Sandaler och skitiga fötter.

Jag hade inte lämnat någon motivering till varför jag ville vara ledig, och det behövdes inte i det läge som var.

”Från och med första september?” noterade han bara.

”Jag har semester i augusti”, noterade jag tillbaka.
”Du är ett tungt namn, det vet du.”
Jag svarade inte. Han dolde en rapning och skrev på.

Våra barn, Gunvald och Synn, ringde några gånger under sommaren – inte *upprepade*, bara *några* – men det dröjde till en bit in i augusti innan någon av dem kom och besökte oss. Det var Synn som flög in på ett tredagarsstopp från New York. ”Kommer du att lämna pappa nu?” var det första hon frågade mig och i den hämmade härva av känslor som fanns i hennes röst var det hennes förväntan jag hörde tydligast. Hon och Martin har aldrig haft någon bra relation, jag antar att hon såg det som hänt som en rejäl skvätt vatten på den kvarn hon murat på sedan hon gick in i puberteten.

Men jag dementerade. Försökte i och för sig inte låta särskilt övertygande, sa någonting om att tiden måste få ha sin gång först, och sedan fick man väl se. Jag tror hon accepterade det. Om något privat samtal mellan far och dotter kom till stånd under det dygn hon tillbringade i huset vet jag inte. Martin nämnde ingenting om det i varje fall och jag är säker på att han tyckte det var skönt att hon inte stannade längre.

Gunvald har jag inte sett sedan i julas; det var tänkt att vi skulle göra ett stopp i Köpenhamn på väg söderut och hälsa på honom, men eftersom det här med Polen dök upp blev det inget av med den saken. Eller också var det inte alls tänkt; kanske fanns där en överenskommelse mellan Martin och Gunvald, ibland inbillar jag mig det. Ett gentlemen's agreement om att inte träffas öga mot öga, och det är säkert ingen dum idé; det känns som om vi för tillfället gör våra barn den största tjänsten genom att låta dem vara i fred.

Jag skriver *vi* men jag antar att jag borde skriva ner det till ett *jag*.

Kanske i fred för alltid, förresten, jag erkänner att det är en fråga som blivit tyngre under hösten. Men det är många frågor som betett sig på det viset. Skillnaden mellan en dag, ett år och ett liv har krympt högst avsevärt.

3

Den första morgonen var grå och råkall.

Åtminstone var det råkallt inomhus. Lukten av hemtamt mögel kändes tydligt i sovrummet, men jag tänkte att jag kommer att lära mig leva med det. Huset har bara två rum, men ganska stora, och fönstren i båda vetter åt samma håll: söderut. Där tar heden vid, på andra sidan en ojämn och mossbelupen stenmur som innesluter tomten i tre väderstreck. Ute på heden faller sedan terrängen i en långsträckt svacka ner mot en dalgång som jag gissar löper vidare ner till byn – men den tjocka valk av dimma som lagt sig till rätta därute gjorde topografin svårbedömd denna morgon.

I synnerhet från huvudkudden, det var inte mer än tidig gryning och varken jag eller Castor hade någon större lust att dra av oss täcket och lämna den relativa sängvärme vi ändå åstadkommit tillsammans under natten.

Förr eller senare behöver man dock uträtta sina behov, den här morgonen var inget undantag. Castor brukar i och för sig kunna hålla sig i oändlighet, men jag släppte ändå ut honom medan jag själv satt och huttrade på den iskalla toalettringen. Han stod och väntade utanför dörren när jag var klar och såg lätt förebrående ut, som han brukar göra i tid och otid. Jag torkade rent hans tassar och hällde upp mat och vatten åt honom i de två pastellfärgade plastskålar jag hittat föregående kväll under diskbänken. Hans ordinarie låg fortfarande kvar i bilen, jag hade inte brytt mig om att packa ur i mörkret.

Så satte jag på tevatten och lyckades få fart på en brasa; oron som legat och bubblat bakom pannbenet skingrades så småningom av värmen och den diskreta känsla av trevnad som ändå försökte infinna sig. En sanning långt bortom förment civilisation och moderna irrbloss presenterade sig: håller man elden vid liv, håller man också livet vid liv.

Huset är annars lika renons på charm som dess ägare. Här finns en rudimentär nödtorft, inte mer. Kylskåp och spis. En soffa, en fåtölj, ett bord med tre stolar samt ett gammaldags skrivbord framför fönstret. Gungstolen. Allt är omaka. En ganska stor tavla med några hästar på heden hänger snett över soffan. En mindre broderad bonad med sex skeva träd, det ser ut som ett barnarbete.

Och en fungerande eldstad, som sagt. Tack och lov. Castor sträckte ut sig på fårfällen framför brasan som den naturligaste sak i världen. Jag antar att han fortfarande undrar vart Martin tagit vägen, men han ger inget sken av det. Inte det minsta.

I den inbyggda garderoben i sovrummet hittade jag de två elektriska elementen – som jag måste betala extra för till mr Tawking när jag använder – och pluggade in ett i vartdera rummet. Drog upp bägge två till max i förhoppningen att det skulle gå att åstadkomma en anständig temperatur i huset utan hjälp av elden. Kanske också jaga lite mögel på flykten.

Jag drack mitt te utan socker och mjölk, åt ett halvdussin skorpor och ett äpple, det enda som återstod av reseprovianten. Därefter genomförde jag en enkel besiktning av köksutensilierna i skåp och lådor och började skriva en lista på vad jag behövde handla. Till exempel ett rivjärn, till exempel en stekpanna och en pastakastrull, till exempel en ordentlig brödkniv, och när klockan hunnit bli halv tio – vi hade vaknat strax efter sju – hade jag också burit in allt från bilen till huset. Stuvat in i garderob och lådor.

Det fungerar, dristade jag mig att tänka. Jag gör en sak i taget och det fungerar. Castor låg fortfarande utsträckt framför brasan, i godan ro såvitt jag kunde bedöma, och jag tänkte att det skulle vara så intressant att få titta in i hans huvud en kort stund. Så intressant att få vara hund istället för människa om så bara för några ögonblick.

Det är förstås också tänkbart att det skulle innebära en utomordentligt skrämmande upplevelse.

När inpackandet och det praktiska var klart stod jag en stund ute på gårdsplanen och försökte bedöma läget. Dimman hade inte lättat mycket trots att en frisk vind svepte in från de högre liggande delarna av heden i norr. Sikten var inte mer än hundra meter åt något håll och istället för att ge oss ut på vandring, som jag först hade tänkt, satte vi oss i bilen för att åka ner till byn och proviantera.

Bara en bråkdel av vad jag ansåg mig behöva stod att finna i den lokala butiken – Winsford Stores. Innehavarinnan, en rundhyllt dam i sextiofemårsåldern, var dock mycket tillmötesgående och förklarade att om jag bara begav mig till Dulverton, skulle jag säkert hitta det mesta. Hon bar möjligen på en outtalad fråga om vem jag var och vad jag hade för ärende i hennes lilla Winsford; jag bar på ett lika outtalat svar, men det kom aldrig längre den här första morgonen. Istället fick jag noggranna färdanvisningar; det fanns två vägar att välja mellan, dels A396 längs Exe, över Bridgetown och Chilly Bridge, dels B3223 uppe på heden och ner mot

Dulverton längs Barle, det andra större vattendraget över Exmoor. Vi konsulterade en karta, som jag också köpte, och enades om att det vore en god idé att välja den förra vägen dit, den senare tillbaka. I synnerhet om man till exempel var bosatt uppe på heden, vilket jag dock av oklara anledningar inte riktigt erkände att jag var. Jag betalade för de varor jag fått ihop, bland annat ett dussin spräckliga ägg, som kommit in från Fowley Farm ett stenkast bort nu på morgonen och som enligt alla sansade bedömare var de godaste och näringsrikaste i hela konungariket. Tackade för hjälpen och önskade henne en god dag. Hon önskade mig detsamma och jag bar hennes värme och välvilja med mig ett gott stycke på vägen mot Dulverton.

En halvtimme senare parkerade jag utanför The Bridge Inn intill en gammal stenbro över Barle. Dulverton är utan tvekan en marknadsstad som tillhandahåller allt vad en modern – eller omodern för all del – människa kan tänkas behöva. Under en tio minuters rundvandring – gråvit himmel, dimman försvunnen, solen möjligen på väg att bryta igenom – kunde jag och Castor konstatera att här fanns såväl restauranger som polisstation och brandkår, apotek, bibliotek, diverse affärer, pub och teservering. Ett gammalt antikvariat till och med, där vi inte kunde låta bli att slinka in eftersom det satt en skylt på den rankiga dörren som omtalade att fyrfota vänner var extra välkomna.

I maklig takt provianterade vi, gick ett kortare strövtåg utefter en muntert strömmande Barle – å, vad jag gläder mig åt att få skriva "muntert strömmande", jag tror det rör sig om något slags upprättelse – och jag hade svårt att begripa var allt vattnet egentligen kommer ifrån. Till slut åt vi en hjortpaj med en sky av gröna ärter på The Bridge Inn.

Nåja, Castor fick nöja sig med en handfull hundgodisar, vilka beredvilligt plockades fram ur ett förråd under bardisken.

Jag noterade att det är en avsevärd skillnad mellan att vara en ensamstående medelålders kvinna och en ensamstående medelålders kvinna med hund. Castors sällskap, där han ligger utsträckt under mitt bord på puben, skänker mig en sorts självklar värdighet och ett berättigande som jag inte riktigt kan förklara. Som en nåd att oförtjänt avnjuta bara. Jag skulle inte stå ut med den situation jag hamnat i om jag inte hade hans trygga närvaro att luta mig emot, förvisso inte. Ändå är jag förstås högst osäker på om det kommer att sluta lyckligt, vad som nu kan menas med denna klyscha, ens med denne formidable livskamrat vid min sida, men jag kommer åtminstone att kunna hantera de korta tidsavsnitten hjälpligt. Minuterna, timmarna, kanske till och med dagarna. Det är antagligen också i dessa segment en hund tänker och tar sig fram i tillvaron. Bit för bit, de har en klar fördel där.

Ändå var han från början Martins. Det var han som insisterade på att vi behövde ett husdjur när barnen lämnat oss, och med husdjur menade han naturligtvis hund och inget annat. Han är uppväxt med en hel mängd jyckar, i min egen välorganiserade barndom fanns inte plats för sådana extravaganser, jag vet egentligen inte varför. Jag fick nöja mig med opålitliga katter och en handfull snabbt döende akvariefiskar, det var det hela. Ja, en bror också. Och så en lillasyster, jag skulle vilja skriva mig runt henne, i en stor vid omväg, men jag inser att det inte kommer att fungera.

Han är sju år, på det åttonde, Castor. En rhodesian ridgeback, jag hade aldrig hört talas om rasen när Martin kom hem med honom. Jag tror han bar på en vag dröm om att hunden skulle ligga vid hans fötter i hans arbetsrum på universitetet, kanske också beledsaga honom när han stod i föreläsningssalen. Men så blev det förstås aldrig. Det blev jag som tog Castor till kurser och till veterinären. Det blev jag som ordnade med allt det praktiska som det ändå innebär att ha hund och det var jag som tog två långa promenader om dagen med honom.

Eftersom det var jag som hade tid.

Eller tog mig tid rätteligen, men det kom aldrig till debatt om saken. Jag tyckte om det, helt enkelt. Att få vandra i skog och mark ett par timmar om dagen med en tyst och trogen följeslagare, utan annat mål än att göra just detta – gå i naturen och vara tyst – ja, det var en sysselsättning som bara efter några veckor kom att kännas som det viktigaste och mest meningsfulla i mitt liv.

Kanske säger det något om detta liv.

När jag körde tillbaka mot Darne Lodge – på den högländta vägen över heden – hade dimman lättat helt och utsikten var milsvid. Jag vevade ner sidorutan och tyckte att jag anade havet på avstånd, eller Bristol Channel åtminstone, och känslan av att vara mycket ensam, fullständigt betydelselös och utlämnad kom starkt över mig. Det är på många sätt lättare att leva utan horisonter, i dimman och i det trånga, jag förstår i varje fall att jag måste hålla fast vid de enkla och praktiska sysslorna: fatta beslut och verkställa dem, som sagt, annars riskerar det att brista. När allting, varje steg och handling och företag, saknar vidare mening, när man lika gärna kunde ha gjort någonting helt annat än det man just gör och man inte kan låta bli att påminna sig om det – och när det enda som möjligen har någon betydelse tycks ligga i de misstag och illdåd man gjort i det förgångna – ja, då lurar vansinnet runt hörnet.

Att leva på heden innebär en skön och livsfarlig frihet, jag börjar redan förstå det. Vid en liten parkeringsplats stannade jag och lät Castor flytta över från skuffen till framsätet. Han gillar det, han lägger nosen över luftintaget och skaffar sig på så vis en överjordiskt stor dos av luktintryck.

Eller hänger med hela huvudet ut genom fönstret, så som hundar ute på landsbygden brukar göra. Det finns ingen människa i världen som vet att vi befinner oss här.

Jag upprepar: det finns ingen människa som vet att vi befinner oss här.

4

Tidigt på morgonen den tionde april våldtog min man en ung kvinna på ett hotell i Göteborg. Hon hette Magdalena Svensson, var tjugotre år gammal och hade varit anställd på hotellet sedan årsskiftet. Hon lämnade in sin anmälan till polisen efter ungefär tre veckors betänketid, den andra maj.

Eller också våldtog han henne inte. Jag vet inte säkert, för jag var inte där.

Martin togs in för förhör, satt en natt och en dag hos polisen innan han släpptes i väntan på rättegång.

Drygt två veckor senare, den artonde maj, hade en kvällstidning fått fatt i nyheten – att den kände debattören, författaren och litteraturprofessorn Martin Holinek stod anklagad för våldtäkt – och den påföljande veckan var händelsen var mans egendom. Magdalena Svensson berättade om det som hänt den där natten i ett stort antal media och under fem dagar stod det på löpsedeln hos både Aftonbladet och Expressen. Min man vägrade uttala sig, han blev sjukskriven från sitt arbete, det debatterades i radio, teve och tidningar. Men framförallt i de sociala medierna: på en blogg uppgav till exempel en annan kvinna att hon också blivit våldtagen av ”den där snuskige professorn” – på ett annat hotell i Umeå för knappt ett år sedan. Han hade ”varit kåt som en jävla schimpans" – en formulering hon uppenbarligen lånat från ett tidigare fall med en känd fransk bankman och politiker – men hon hade aldrig brytt sig om att anmäla det inträffade eftersom hon känt sig rädd. Två andra kvinnor skrev på sina bloggar att de blivit våldtagna av helt andra professorer. Kommentarerna var som Egyptens gräshoppor.

Som grädde på moset erbjöd en av reklamtevekanalerna mig och Martin 50 000 kronor för att vi skulle sitta tillsammans alla tre i deras kvällssoffa. Med "alla tre" avsågs: den våldtagna, gärningsmannen, gärningsmannens hustru. Det ansågs ha stort allmänintresse. Vi tackade nej, huruvida Magdalena Svensson accepterat eller ej kom aldrig till vår kännedom. I varje fall inte till min.

Den tionde juni drog fröken Svensson tillbaka sin anmälan och under några dagar fick händelsen ny vind i seglen i media. Det förekom spekulationer om olaga hot, om att våldsverkaren köpt sig fri enligt hävdvunnen patriarkal sed, samt en del annat av liknande natur. En demonstration mot män som hatar kvinnor samlade tvåtusen människor på Sergels torg. Någon stoppade en kondom fylld med bajs i vår brevlåda.

I rättvisans namn: en handfull röster höjdes till Martins försvar, de vanliga rösterna. Han höll dock fast vid linjen att inte uttala sig. Så gjorde också hans advokat, trots att han tillhör landets ledande i skrået och vanligtvis aldrig håller tyst.

Förundersökningen lades ner, ärendet avskrevs.

Inte heller jag hade mycket att säga i saken, men när det var som värst räknade jag till mer än tjugo fotografer och journalister utanför vårt hus i Nynäshamn. En sen kväll sköt Martin två skott med sin älgstudsare ut genom fönstret. Han siktade rakt upp i himlen över skogen; hela gänget fick något att rapportera om, gav sig av in till Stockholm och lämnade oss temporärt i fred. Att vara stjärnreporter och behöva stå och hänga utanför ett hus i Nynäshamn är ingen sinekur.

Jag minns att Martin försökte se nöjd ut när han ställt undan vapnet. ”Sådärja”, sa han. ”Ska vi inte ta oss ett glas vin?”

Men han lät allt annat än kavat och jag avböjde förslaget. Av någon anledning blev han aldrig anmäld för att ha skjutit med gevär inom tättbebyggt område.

Vi pratade om det inträffade – det möjligen inträffade – en gång, sedan aldrig mer. Det var mitt val, både det ena och det andra.

”Låg du med den där kvinnan?” frågade jag.

”Jag låg med henne”, sa Martin.

”Våldtog du henne?”

”Aldrig i livet”, sa Martin.

Det var samma dag som det stått om det i tidningen för första gången, jag hade inte förmått mig tidigare trots att jag känt till det. Inget av våra barn hörde av sig den kvällen. Ingen annan bekant heller, jag minns att det var märkvärdigt stumt på våra telefoner.

Frånsett uppringningarna från okända nummer förstås, men dessa besvarade vi inte.

”Den där kvinnan uppe i Umeå?” frågade jag ändå några dagar senare när detta hamnat på tapeten.

”Du menar inte att du tror på henne?” sa Martin.

Till de saker som kändes märkliga under hela sommaren – i högre grad märklig än svår, det bör betonas – var att jag inte kunde göra klart för mig var sanningen låg någonstans. Jag antar att alltihop på något vis hamnade utanför min räckvidd, det föreföll inte riktigt fattbart och det man inte begriper kan man heller inte bedöma sanningsvärdet i. Jag inbillar mig åtminstone att det låg till så; jag brukade vakna upp om morgnarna och efter de första blanka sekunderna erinra vari det nya läget bestod. Hitta svaret på varför jag kände mig så trött och tungsint – och medan jag tog mig ut till toaletten på ovilliga fötter tänkte jag att jag var en skådespelerska som hamnat i fel film. Alldeles fel film och tjugofem år för sent.

Både Martin och jag hade var sin otrohetshistoria bakom oss, bägge gångerna hade vi lyckats hålla ihop vårt äktenskap. Först var det han, sedan jag, som en sorts hämnd. Det var medan barnen fortfarande bodde hemma och det är möjligt att vi hade kommit till andra beslut om de varit utflugna. Men jag vet inte, det är svårt att spekulera i det; i varje fall skulle ingen av oss ha fortsatt förhållandet med den aktuella extrapartnern om en sådan möjlighet hade öppnat sig. Det har vi intalat både oss själva och varandra under de år som gått sedan det brände till. Sexton respektive fjorton om man vill vara noggrann. Herregud, under skammens rodnad inser jag att jag var fyrtioett när gick i säng med den där unge inspelningsteknikern. Han kunde ha varit en kamrat till Gunvald, om nu Gunvald hållit sig med sådana.

Efter att den värsta tiden var över, från och med mitten av juli ungefär, började jag dock märka att jag faktiskt ville veta vad det var som hänt. Exakt vad min man haft för sig med den där servitrisen på det där hotellet.

Den där natten.

Problemet var att det var för sent att fråga Martin. En osynlig gräns hade passerats, en sorts stillestånd hade proklamerats, jag kände inte att jag hade rätt att riva upp det. Jag är inte särskilt road av sex längre, jag hade en smula slappt förutsatt att det var nog för Martin att runka i duschen till någon inbillad het famn, men fullt så enkelt låg det alltså inte till.

Begära skilsmässa? Naturligtvis, det var jag i min fulla rätt till. Men det tilltalade mig inte. Det fanns något utstuderat banalt i en sådan reaktion; vi hade ändå varit gifta i trettio års tid, vi hade länge levt parallella liv i en sorts behagligt samförstånd och vi hade gravplats bokad på Skogskyrkogården.

Så till slut ringde jag upp henne. Magdalena Svensson. Jag hittade henne på Eniro, hon befann sig i sitt hem på Guldheden i Göteborg och svarade på sin mobil.

Vi träffades tre dagar senare, den tjugonde augusti, på ett café i stadsdelen Haga. Det var en oerhört varm dag, jag hade tagit ett morgontåg från Stockholm. Eftersom jag anlänt en smula tidigt valde jag att promenera hela vägen från centralstationen och jag kände mig obehagligt svettig när jag kom fram. Ett dunkelt äckel hade också ackumulerats inom mig, jag tvivlade på det kloka i företaget och bara ett kvarter före Haga var det nära att jag hade vänt om. Jag hade min mobil i handen, tänkte slå hennes nummer och förklara att jag ångrat mig. Att jag inte ville prata med henne och att vi gjorde bäst i att glömma hela historien bägge två.

Så blev det dock inte. Jag samlade ihop mig.

Hon satt vid ett bord under ett parasoll och väntade på mig. Hon bar en ljusgrön klänning och en tunn vit linnescarf och även om jag kände igen henne från bilder i tidningen, så var det som om det rörde sig om en helt annan människa. Hon var ung och söt men inte särskilt sexig. Såg blyg och orolig ut och med tanke på omständigheterna var det kanske inte så konstigt.

Hon hade rest sig när hon fick syn på mig. Tillhörde uppenbarligen den hälft av det svenska folket som känner igen mig. Jag nickade åt henne för att bekräfta att jag identifierat henne och inte förrän vi tog i hand och hälsade drabbades jag av den paradoxala hopplösheten i situationen. Antingen hade den här försiktiga lilla varelsen blivit våldtagen av den man jag levt samman med i hela mitt vuxna liv, och då var det synd om henne. Eller också hade hon frivilligt gått med på att ha sex med honom, och då var det inte ett dugg synd om henne.

”Jag är så ledsen”, sa hon.

Det var det första hon yttrade, jag trodde hon skulle fortsätta men där kom ingenting. Jag tänkte att om hon nu suttit och väntat på mig – den trettio år äldre och bedragna kvinnan – så borde hon haft tid att fundera ut någonting mer pregnant att säga än att hon var ledsen. Den där tevesoffan som aldrig kom till stånd skulle ha blivit en besvärlig historia.

”Det är jag också”, sa jag. ”Men jag har inte kommit för att berätta hur jag mår.”

Hon log osäkert utan att riktigt möta mig med blicken.

”Och inte för att ta reda på hur du mår heller, jag skulle bara vilja att du berättade vad det var som hände.”

Vi satte oss.

”Om du inte har någonting emot det”, lade jag till.

Hon sög in underläppen i munnen och jag märkte att hon hade nära till gråten. Det var inte svårt att räkna ut hur alla de där uttalandena i tidningarna kommit till. Journalisterna hade ringt upp och hon hade inte haft förstånd att lägga på luren.

”Jag är så ledsen”, upprepade hon. ”Det måste ju vara förfärligt för dig. Jag tänkte inte på det.”

När då? tänkte jag. När var det du inte tänkte på det?

”Hur gammal är du?” frågade jag fast jag visste svaret.

”Tjugotre. Jag fyller tjugofyra i nästa vecka. Varför frågar du det?”

”Jag har en dotter som är fem år äldre än du.”

”Jaha?”

Hon tycktes inte förstå min poäng och det gjorde för all del inte jag heller. En servitris kom fram till vårt bord. Jag beställde en espresso, Magdalena Svensson bad om en kopp te till.

”Jag förstår att det här är svårt för dig”, sa jag. ”Det är svårt för oss båda. Men det skulle underlätta för mig om jag fick veta vad det var som hände mellan dig och min man.”

Hon satt tyst en stund medan hon kliade sig på underarmarna och kämpade med gråten. Läppen i munnen igen, det var nästan omöjligt att inte tycka synd om henne. Det var så, tänkte jag. Han våldtog henne.

”Det var min syster”, sa hon.

”Din syster?”

”Ja. Det var hon som fick mig att gå till polisen. Jag ångrar att jag gjorde det. Ingenting har blivit bättre. Jag har mått så dåligt hela sommaren att jag inte vet hur det ska bli.”

Jag nickade. ”Samma här”, sa jag.

”Hon blev själv våldtagen, min syster”, fortsatte Magdalena Svensson och snöt sig i en pappersnäsduk. ”Det var för fem år sedan, vi har det gemensamt. Fast hon anmälde aldrig han som gjorde det. Det var därför hon uppmanade mig att göra det.”

Hon lät som en skolflicka plötsligt. En högstadieelev som blivit ertappad med att snatta eller skolka. För en sekund dök bilden av hennes och Martins nakna kroppar i en hotellsäng upp för mitt inre öga; det såg så absurt ut att jag hade svårt att ta det på allvar.

Gick sådant här att ta på allvar? Vad betyder *allvar*?

”Hon sa att man alltid måste anmäla förövaren, annars kommer kvinnor aldrig att bli fria. Aldrig få upprättelse… eller någonting sådant. Och då gjorde jag det. Hon följde med mig till polisstationen. Hon heter Maria förresten, likadant som du.”

Jag nickade igen. ”Så du och din syster har det här gemensamt?”

”Ja.”

”Maria och Magdalena?”

”Ja, vad är det med det?”

Jag viftade undan tanken. ”Men du tog tillbaka din anmälan sedan?”

”Ja. Jag gjorde ju det.”

”Varför då?”

”Det blev för mycket.”

”För mycket?”

”Ja, med tidningarna och allt.”

Vårt kaffe och te anlände och vi satt tysta en stund.

”Ursäkta mig”, sa jag, och nu kände jag mig verkligen som en amper rektor som satt och förhörde en elev på sitt läroverk för flickor av någorlunda börd. ”Ursäkta mig, men jag förstår inte riktigt. Säger du alltså att du faktiskt blev våldtagen av min man?”

Hon tänkte efter ett ögonblick. ”Jag blev drogad”, sa hon sedan.

”Drogad?”

”Ja. Det måste ha varit så. Jag var helt borta. Och efteråt kom jag nästan inte ihåg någonting.”

”Kom inte ihåg? Men påstod du inte att…?”

”Jag vaknade ju i hans säng”, förtydligade Magdalena Svensson. ”Och jag hade hans sperma på magen.”

Jag drack ur min espresso i en enda klunk. Fäste blicken

på bakhjulet till en cykel som stod lite slarvigt parkerad mot en grön vägg, och kände att jag inte skulle haft något emot att få spy en smula.

”Det måste ha varit i en drink... den där drogen.”

Jag tecknade åt henne att fortsätta.

”Jag slutade klockan nio den kvällen, men vi var några stycken som stannade kvar i restaurangen. Det var en jobbarkompis, en annan tjej, hon fyllde år och vi hade planerat det som en överraskning för henne...”

Hon tystnade och fick fram en ny pappersnäsduk. Jag tänkte att de här detaljerna säkerligen hade cirkulerat i media, jag hade bara inte tagit del av det.

”Menar du att min man skulle ha förgiftat din drink och sedan lurat med dig till sitt rum, och... ja?”

”Någon måste ha gjort det”, sa Magdalena Svensson. ”De satt vid bordet intill vårat. Och vi började prata med dom... liksom.”

”Ni började prata med dem?”

”Ja.”

”De var ett sällskap, alltså?”

”Det var några män och kvinnor”, förklarade Magdalena Svensson. ”I din ålder.”

Jag funderade på vilka de andra kunde ha varit. Kolleger till Martin med största sannolikhet, några akademiker han träffat på konferensen. Men det kvittade, det mesta kvittade.

”Det var inte helt enkelt så att du blev för full?” frågade jag.

Då började Magdalena Svensson att gråta. Vi satt kvar i ytterligare tio minuter på caféet men jag fick inte ett vettigt ord till ur henne.

På tåget tillbaka upp till Stockholm var det egentligen bara en sak hon sagt som vägrade lämna mig i fred.

Jag hade hans sperma på magen.

Det var när jag sent om kvällen efter samtalet med Magdalena Svensson kom tillbaka till huset i Nynäshamn som Martin presenterade sin plan för vintern för mig. Jag kände mig litegrann som en utomjording och hade inte mycket att invända. Jag berättade heller inte vad jag sysslat med under dagen.

5

Vid tretiden på eftermiddagen, innan det tvekande dagsljuset hunnit sjunka för lågt, startade vi den första lite längre vandringen över heden.

Med ”lite längre” avser jag i detta sammanhang knappt två timmar. Jag hade inhandlat diverse kartor och beskrivningar av vandringsleder på antikvariatet i Dulverton men gav mig inte tid att studera någon särskild rutt den här dagen. Det kändes bara viktigt att få bekanta sig en smula med heden innan mörkret föll – och Castor var uppenbarligen av samma mening för han tog omedelbart täten, ett tecken på att han tyckte företaget var intressant och meningsfullt.

Vi startade från Darne Lodge. Klättrade respektive hoppade över stenmuren och följde sedan en av många upptrampade stigar västerut. Den var rejält lerig på sina ställen men jag hade skrudat mig i mina präktiga vandringskängor, inköpta på Queensway i Bayswater för tre dagar sedan, och Castor bryr sig föga om att underlaget är en smula kladdigt. Det är det hårda och det vassa han inte tål, här liknar vi varandra fast i överförd bemärkelse.

Redan efter några hundra meter kom vi fram till en kartangiven sevärdhet, det så kallade Caratacusmonumentet: en liten öppen byggnad över en minnessten från romersk tid.

Inskriptionen är oläslig för en lekman, men stenen anses uppsatt för att hedra en lokal hövding som gjorde tappert motstånd mot den ockuperande övermakten för tvåtusen år sedan.

Vi fortsatte åt söder, parallellt med Dulvertonvägen, även om vi bara kunde skymta den då och då. Jag tänkte en smula liknöjt över begreppet motstånd, då som nu. Övermakter och underlydande, manligt och kvinnligt, men jag släppte snart tråden, den hör inte hemma i det här landskapet. Jag vet ännu inte vad som hör hit och inte hör hit; det vilar en stark ödslighet och en särskild tystnad över heden, så mycket vågar jag säga. Utom när man skrämmer upp en eller ett par fasaner, det finns hundratals av dem, och åtminstone de pråliga hannarna verkar inte kunna flyga utan att samtidigt skräna högljutt. Efter en stund stötte vi också på en liten grupp av de omtalade vilda hedhästarna. De såg både raggiga och motståndskraftiga ut – och mycket respektingivande. Jag har läst att de strövar omkring häruppe året runt, lever sina liv från födsel till död i denna sparsamma omgivning, och de brydde sig föga om vår närvaro. Castor nöjde sig å sin sida med att betrakta dem från betryggande avstånd, och så fortsatte vi vår vandring i sakta mak. För ett otränat öga som mitt är heden sig själv nog, det är det överväldigande intrycket; den är karg och enahanda, kanske en smula hemlighetsfull, och böljar mjukt och stilla som ett torrlagt hav. Enbart låg buskvegetation orkar sträva upp ur den näringsfattiga marken; ljung, ormbunkar och gult ärttörne, en del alltjämt i blom. Här och var är landskapet genomskuret av dalgångar, under århundradena framgröpta av mindre vattendrag som söker sig ner mot Exe eller Barle. I dessa svackor är växtligheten i gengäld ymnig, vi befann oss snart i ett sådant fuktdrypande veck; bok och ek, al och hassel, jag är inte säker på arterna och bestämde mig för att skaffa en ordentlig flora så snart som möjligt. Järnek, mossa och murgröna känner jag igen, de klär sorgfälligt och metodiskt in stammar och grenar; stillsamma rännilar porlar under täta rhododendronsnår och doften av förmultning är påtaglig.

Jag gjorde alla dessa iakttagelser under de första trettio–fyrtio minuterna och medan vi tog oss ner utefter en av dessa slänter – på en mycket lerig stig, nyligen trampad av både får och hästar, som det verkade, och antagligen identisk med den nedfart vi observerat från vårt sovrum på morgonen. Och mycket riktigt: enligt en av de glest uppsatta vägvisarna leder stigen ända fram till Winsford. I höjd med en gård vid namn Halse Farm, och som således måste ha gett namn åt vägen upp till Darne Lodge, bestämde vi oss dock för att vända om. Klockan var fyra och skymningen påtagligt på väg, utan tvekan är det bäst att anträda en fotvandring ner till byn om morgonen eller förmiddagen. Varken jag eller Castor skulle tycka om att bli överraskade av mörkret i detta storslagna, ruvande landskap. Ordet *ruvande* känns verkligen som en alldeles korrekt beskrivning.

Återkomna till Darne Lodge ägnade vi ett par timmar åt husliga bestyr. På nytt erfar jag en språklig kluvenhet inför pronominet *vi*. Det var förvisso bara jag själv som tände stearinljus och brasa, som hackade grönsaker och lök och lammkött till den gryta jag senare avåt i min ensamhet. Det var jag som diskade, som torkade rent i diverse skåp och lådor, och som packade in mina kläder i garderoben och byrån i sovrummet. Castor bidrog endast genom att äta sin kvällsmat – Royal Canin Maxi för hundar över tjugosex kilo – samt dricka ett femtiotal ljudliga slurpar vatten ur sin ordinarie metallskål. I övrigt tillbringade han seneftermiddagen och kvällen på fårskinnet framför elden.

Mitt behov av att ändå hålla fast vid en pluralform är förstås inte särskilt svårbegripligt. Jag har levt under samma tak som en man i mer än trettio år och det har satt spår djupt nere i grammatiken. Möjligen är jag helt enkelt rädd. Ett *vi* väger så mycket tyngre än ett *jag*, även när det bara är en hund som berättigar till det. Och det är Självständighetens äldre tvillingsyster Ensamhet – hon med den dåliga hållningen, den skorviga huden och den sura andedräkten, som jag måste slå ihjäl och begrava. Om och om igen, sånt är livet. Det är hon som är monstret och fienden, det gäller för både Castor och mig. Jag vet inte varför jag tog upp det här, åt fanders med det, tänker jag. Åt helvete med den här typen av unken analys, jag tror på den ensamma människan. Jag *måste* tro på den ensamma människan.

Som motgift drack jag två glas av det utmärkta portvin jag köpt i Dulverton och plockade fram min dator. Martins får ligga kvar i hans svarta portfölj så länge, den med den där irriterande dekalen från Barcelona. Jag antar att jag kommer att öppna dem vad det lider, både portföljen och datorn, men den här kvällen kändes det verkligen inte angeläget. Jag konstaterade att här naturligtvis inte finns något nät, vilket jag redan visste. Om jag i framtiden känner att jag behöver koppla upp mig – av skäl som jag för närvarande inte riktigt kan göra mig en föreställning om – får jag antingen ta mig ner till Minehead ute vid kusten, där det lär finnas ett och annat internetcafé, eller till biblioteket i Dulverton. Antar jag i varje fall, kanske finns det möjligheter på närmare håll. När jag provade fick jag också bekräftat att varken min eller Martins mobil fungerar någonstans i huset, och bestämde mig för att under morgondagen kontrollera läget uppe vid den där gravplatsen som mr Tawking talade om. Under inga förhållanden kommer jag att försöka ringa till någon – eller skicka mejl eller sms – men det är ju av ett visst intresse att se om någon försöker få kontakt med oss.

Fast kanske innebär det en risk redan att aktivera sin mobil, jag vet inte hur det fungerar. Men om man börjar leta efter oss, jag menar *verkligen* leta, Interpol och spanare och det ena med det andra, så kommer man förstås förr eller senare att hitta oss. Poängen är att ingen ska komma på tanken att leta. Eftersom det inte finns någon anledning.

Efter det andra portvinsglaset och när elden börjat falna släppte jag ut Castor för kvällsbehovet. Han försvann i kolmörkret och eftersom det dröjde uppemot fem minuter innan han kom tillbaka hann jag göra mig en och annan onyttig föreställning. Den sammanlagda gårdsytan är säkert inte mer än tusen kvadratmeter, men det hade ju inte inneburit några svårigheter för honom att ta sig över den gamla stenmuren. Om så skulle vara.

Sedan gick vi till sängs. Klockan var inte mer än kvart över tio, men mörkret och själva huset – och regnet som snart började viska över skiffertaket och över de vintergröna buskarna utanför fönstret, rhododendron här också, det vågar jag fastslå – reducerade på något vis själva tidsbegreppet till en... till en högst försumbar teoretisk konstruktion. Innan jag somnade började jag också för första gången fundera över huset – över dess historia; hur gammalt det var, vilken funktion det haft, vilka människor som bott i det under årens och århundradenas lopp och varför det stod här i så ensamt majestät mitt ute på heden. Det ligger en riktig gård ett kort stycke nedåt Winsford, ovanför Halse Farm, och möjligen är Darne Lodge en avstyckning från detta hemman. Här finns en igenbommad stallbyggnad som jag ännu inte brytt mig om att undersöka, och jag tänker att jag kanske kan få reda på detaljer av mr Tawking om jag känner att jag vill ha det. Eller nere på The Royal Oak Inn, där jag ännu inte satt min fot.

I alla händelser är huset gammalt, förmodligen flera hundra år. Stenväggarna är tjocka, takhöjden låg och fönstren snålt tilltagna; här råder kärva praktiska hänsyn även om rummen är stora, och när jag väl kommit i säng märkte jag att om man bara eldat ordentligt under dagen kan man dra nytta av murstockens kvardröjande värme även inne i sovrummet. Efter en stund steg jag upp och kopplade ur bägge de elektriska elementen. Bättre att lita till elden, tänkte jag; det enkla vedförrådet på gaveln av stallbyggnaden är välfyllt, men kanske förväntar sig min hyresvärd att man lämnar det i skick som när man kom. Jag vet inte varifrån jag i så fall skulle få tag på ved, men det är nu inget problem jag behöver lösa inom överskådlig tid, och när jag kröp tillbaka ner under täcket tänkte jag återigen den där bitterljuva tanken om att ingen människa i världen faktiskt vet var vi håller hus. Castor och hans matte.

Eller hans husse för den delen.

Och de som känner till att någon bor i Darne Lodge ovanför byn Winsford i grevskapet Somerset nära gränsen till Devon – kanske ingen förutom mr Tawking ännu så länge – vet likväl ingenting om deras identiteter.

En kvinna och hennes hund, det är det hela.

En höstnatt vilken som helst.

Någon timme senare vaknade jag hastigt upp. Jag kunde omöjligt avgöra om det var något yttre eller något inre som väckt mig, men en starkt obehaglig förnimmelse bultade inuti mig och jag tog mig upp till halvsittande mot sänggaveln. Regnet hade tystnat, mörkret var kompakt. Svag doft av mögel. Det enda ljud som hördes var Castors regelbundna andhämtning nere under täcket; ändå erfor jag en ny sorts närvaro i rummet. Som om någon stod tryckt mot väggen invid garderoben och betraktade oss. Eller kanske hade dörren just slagits igen och det var det ljudet som väckt mig – men detta vore naturligtvis en ren omöjlighet. Castor skulle ha reagerat på någonting sådant. Hans hörsel är mångdubbelt bättre än min och även om hans kvaliteter som vakthund kan diskuteras så brukar han i varje fall notera och markera när ett nytt främmande väsen dyker upp i vår omedelbara närhet.

Men mitt hjärta rusade och det tog en stund innan jag lyckats lugna ner mig. Jag tänkte att jag borde skaffa en liten cd-spelare. En trygg röst eller en saxofon som kunde mjuka upp mörkret och tystnaden vore utan tvekan på sin plats. Dexter Gordon kanske? Eller Chet Baker? Skulle det vara möjligt att hitta Chet Baker i en musikaffär i Minehead eller Dulverton? Eller måste jag bege mig ner till Exeter? Det är den enda större staden i dessa avkrokar, och om jag läst kartan rätt kan det inte röra sig om mer än en och en halv eller två timmar om man vill ta sig dit i bil.

Så småningom somnade jag in och började omedelbart drömma om den gråvita stranden utanför Międzyzdroje. Vandringen i motvinden österut, och den besynnerliga vandringen tillbaka.

Den besynnerliga vandringen tillbaka.

6

Martin tillbringade sammanlagt tre somrar på Samos. 1977, 1978 och 1979. Det litterära kollektivet fortlevde ytterligare ett halvt decennium, men Tom Herold och Bessie Hyatt lämnade både sitt hus och sin Medelhavsö i september 1979. Bessie Hyatts andra roman – *Mannens blodomlopp* – utkom en månad senare samma höst och då hade paret slagit ner sina bopålar utanför Taza i Marocko, där de också blev kvar fram till Bessies självmord i april 1981.

Under ett par veckor i juli–augusti 1980 var Martin gäst hos dem i deras nya hem i Marocko – medan jag gick hemma i Stockholm och väntade Gunvald. Vi hade flyttat in i vår första gemensamma lägenhet, en trerummare på Folkungagatan, i maj. Jag vet inte exakt vad som inträffade under de där veckorna i Taza, men någonting var det. När Martin kom tillbaka till Sverige var han förändrad på ett sätt som jag antagligen inte förstod förrän flera år senare. Även om vi stod i begrepp att bli föräldrar hade vi inte känt varandra särskilt länge, min graviditet var en smula komplicerad och jag hade min uppmärksamhet inriktad på vad som hände med min egen kropp: de inre förändringarna, inte de yttre.

Hursomhelst talade vi inte mycket om Taza. Inte före Bessie Hyatts självmord, inte efter. Det skrevs ju en hel del om

Herold och Hyatt de där åren, ett engelskt bolag började till och med spela in en film om deras liv – med två relativt framstående skådespelare i huvudrollerna – men projektet strandade så småningom av okänd anledning. Möjligen pengabrist, möjligen ett hot om stämning från Tom Herolds advokater.

Men Martin publicerade aldrig någonting, inte en rad, och när jag långt senare frågade honom – mera av en tillfällighet än av reellt intresse – svarade han bara att han var bunden av vissa löften. Nej, han *svarade* inte så, han *antydde* – när jag tänker tillbaka vet jag med bestämdhet att det var så.

Tom Herold behöll både sitt liv och sin berömmelse. Han bodde kvar i Marocko – men inte i Taza – fram till början av 2000-talet, då han flyttade hem till England. Han kom att utge mer än tjugo diktsamlingar, tre romaner samt en sorts memoarer, vilka kom ut postumt ett halvår efter hans död 2009. Dessutom regisserade och producerade han två egensinniga långfilmer under 1990-talet – men för en bredare, ickelitterär allmänhet nådde hans berömmelse sitt zenit i maj 2003, när han i sitt hem i Dorset dekapiterade en ung inbrottstjuv med hjälp av en tusen år gammal arabisk kroksabel. Eftersom tjuven varit beväpnad med både kniv och skjutvapen frikändes Tom Herold helt vid den efterföljande rättegången.

Han hann också med ytterligare ett kort äktenskap – mellan 1990 och 1995 ungefär. Kvinnan ifråga var en ung marockanska, hennes namn var Fatima, men inte heller denna gång belönades förbindelsen med några barn.

Under hela sitt liv var Tom Herold en mycket omskriven person, trots att han konsekvent skydde offentligheten. Han ställde aldrig upp för intervjuer, inte ens när han periodvis ansattes hårt av journalister och skribenter ur alla möjliga läger. I synnerhet efter Bessie Hyatts självmord bedrevs något som måste beskrivas som en hetsjakt på honom. Han anklagades i flera olika sammanhang för att vara skyldig till sin unga hustrus död och det förekom spekulationer om drogmissbruk och diverse ockulta ritualer. Herold kommenterade dock aldrig sitt och sin döda hustrus förhållande med så mycket som ett ord. När hans postuma memoarer publicerades nästan trettio år efter Bessie Hyatts död var förväntningarna följaktligen ordentligt uppskruvade. Det var också oklart om han gett sitt tillstånd till utgivningen innan han dog, eller om det var hans förläggare som tagit saken i egna händer. Herold efterlämnade inga arvingar överhuvudtaget och han hade inte skrivit något testamente. Det var en elakartad koloncancer som tog hans liv och enligt hans fåtaliga vänner hade de sista åren varit präglade av smärtor och svårmod.

I alla händelser blev *Dagarnas summa* en missräkning, såväl litterärt som kommersiellt. Recensionerna var genomgående kyliga och de som hade hoppats på självutlämnande skildringar, särskilt vad gällde åren med Bessie Hyatt, blev grundligt dragna vid näsan. De så kallade memoarerna visade sig till allra största delen bestå av en sorts distanserade naturiakttagelser utan påtaglig skärpa eller finess; de enda lite mer personliga kapitlen handlade om några somrar i barndomen som Herold tillbringat tillsammans med en kvinnlig kusin på en bondgård i Wales. Bessie Hyatt nämndes vid namn två gånger i hela texten och det sägenomsusade äktenskapet ägnades sammanlagt ungefär tre och en halv sida. Dessutom tyckte de flesta att boken var illa redigerad och trots att Herold varit ett så känt namn i stora delar av världen blev det aldrig fråga om någon internationell lansering.

Bessie Hyatts bägge romaner – *Innan jag störtar* och *Mannens blodomlopp* – hade trettio år efter hennes död sålt i mer än tjugofem miljoner exemplar världen över. Grovt räknat överträffar detta Herolds försäljning tio gånger om.

”Jag förstår”, hade Eugen Bergman sagt den där oktobereftermiddagen på Sveavägen. ”Och hur stort är ditt material på ett ungefär?”

”Tusen sidor”, konstaterade Martin med en lätt axelryckning. ”Plus minus hundra. Och det behövs ett halvår för att få ordning på det. Kanske mer, men ett halvår till att börja med.”

”Hm”, sa Eugen Bergman.

”Marocko”, fortsatte Martin och gav mig ett ögonkast som betydde samförstånd. Att vi diskuterat saken och att vi satt eniga i samma båt. Samma äktenskapliga, oomkullrunkeliga flateka i grov sjö. Bilderna var legio och jag kände plötsligt att jag mådde illa.

”Jag har ju kvar en del kontakter därnere och det är alltid en fördel att vara på rätt plats.”

”Hm”, upprepade Bergman och masade sig upp ur skrivbordsstolen. Ställde sig vid fönstret och blickade ut mot Adolf Fredriks kyrka en stund. Vägde på hälar och tår på ett vis som ändå måste kallas karakteristiskt. Händerna knäppta bakom ryggen. Håret på ända. Det var en vacker höstdag därute. Martin tecknade åt mig att hålla tyst. Jag såg mig om efter en lämplig plats om jag verkligen skulle behöva kräkas. Bestämde mig för papperskorgen vid sidan av skrivbordet.

”Och Bessie Hyatt? De där åren?” Han muttrade det med låg röst, nästan som i förbigående, och utan att vända sig om.

”Naturligtvis”, svarade Martin med sitt mångförslagna, lågmälda tonfall. ”Det är ju det alltihop handlar om, eller hur?”

Likaväl kunde det ha rört sig om hur man botar halsbränna eller vilken typ av takbeläggning man bör välja för sitt utedass. Mitt illamående började dra sig tillbaka. Bergman gjorde detsamma, återvände till skrivbordet och satte på sig sina läsglasögon. Sköt ut dem på nästippen och betraktade oss som om vi vore en rebus han just höll på att hitta lösningen till. Eller vadsomhelst.

”Jo, jag förstår ju att ni behöver komma ifrån. Med den där galna kvinnan och allt.”

Konstaterade alltså Eugen Bergman, förläggare, patafysiker och gammal god vän sedan ett halvt liv.

Och fortsättning enligt tidigare.

Det var ju en enkel plan; när vi träffade Bergman hade det gått mer än en månad sedan Martin presenterade den, och jag hade gått med på saken utan särskilt mycket eftertanke. Kanske var det fel av mig, ja, det var det naturligtvis – inte att jag inte tänkte efter, utan att jag sa ja överhuvudtaget. Eftertankar av det ena eller andra slaget skulle inte ha tjänat någonting till, det var ett läge för magkänsla och intuition, inte för logiskt eller emotionellt kalkylerande.

Och möjligen valde jag alltså fel. Alldeles åt helvete fel.

Men jag hade mötet med Magdalena Svensson i färskt minne, jag får skylla på det.

”Låt oss försvinna ett halvår på riktigt”, sa Martin. ”Låt oss faktiskt unna oss den lyxen.”

”Exakt hur menar du?”

Han låtsades tänka efter en stund medan han betraktade mig med den där nakna blicken som varit ett trumfkort i många år men som inte längre var det. ”Jag menar… jag menar bara att vi ger oss iväg i sex månader utan att tala om för en jävel vart vi åker.”

”Jaha?”

”Mer än möjligen att vi ska till Marocko… för vissa åtminstone. Vi kan eftersända posten till Marrakesh eller Agadir. Poste restante, det fungerar fortfarande, vi hämtar den när vi har lust. Behöver vi ha kontakt med yttervärlden kan vi alltid leta upp ett internetcafé. Inga mobiltelefoner, jag är så förbannat trött på mobiltelefoner. Bara du och jag... eftertanke och läkedom och vad du vill."

"Har du något speciellt ställe i åtanke?" frågade jag. "Ett hus eller så?"

Han hade varit tillbaka i Marocko en gång i modern tid. Slutet av nittiotalet, om jag inte minns fel rörde det sig om ett uppdrag från universitetet, ett par sufiska poeter eller någonting sådant, och han hade förlängt det med en privat semestervecka. Kanske hade han träffat Herold, kanske inte. Vi hade aldrig pratat om exakt vad han haft för sig, jag vet inte riktigt varför. Kanske var det kris på Aphuset i samma veva. Eller i Sandlådan, bägge två har haft för vana att implodera ett par gånger om året.

"Det finns några alternativ", sa han. "Jag har ju kvar ett par namn därnere."

"Och tusen sidor?" frågade jag, för det hade han berättat för mig också.

"Javisst."

"Och du tänker skriva historien om dom? Om Herold och Hyatt?"

"Varför inte?" sa Martin och satte på sig sin verkningslösa min igen.

Jag tänkte på det där antydda tysthetslöftet, mer än trettio år gammalt vid det här laget, och antog att döden hade röjt undan det. Herolds död. Och jag tog inte upp det.

"Vad hade du tänkt vi skulle göra med huset?" sa jag istället. "Och Castor?"

"Vi hyr ut kåken", sa Martin. "Eller låter den stå, vilket du vill. Och Castor tar vi med. Han har ju sitt pass, att få in honom i Marocko är inga problem och jag tror det går att få ut honom också. Om inte, får vi smuggla litegrann. Det har ju gått bra förr.”

Han hade redan tänkt ut alla svar.

”Säkert att du inte våldtog henne?” frågade jag. ”Säkert att hon var med på det?”

Han hade svar på det också. Jag sa ingenting om att jag varit nere i Göteborg och pratat med offret.

”Okej”, sa jag. ”Det är kanske inte någon dum idé.”

”När det blåser hårt får man huka sig”, sa Martin.

Och så hade vi bestämt oss. Jag minns att den enda känsla jag lyckades uppamma var att det kvittade.

7

Vi vaknade sent. Åtminstone jag, Castor är inte den som lämnar en säng bara för att han råkar slå upp ögonen.

Jag tog en medioker dusch. Det trånga badrummet är kallt och fuktigt. Har en märklig lukt dessutom som jag plötsligt mindes från ett par gamla gummistövlar i min barndom (de stod alltid i det där utrymmet mellan verandan och köket hemma hos min klasskamrat Vera, under ett år eller två tillbringade jag ungefär fyra dagar i veckan i deras hus; de måste ha tillhört hennes pappa, stövlarna, en stor, stornäst och allmänt osund människa). Varmvattnet värms upp av en gaslåga allteftersom det rinner genom röret; det fungerar dåligt men jag antar att det är bättre än ingenting. Kanske behöver jag inte duscha varje morgon som jag gjort i hela mitt liv. I alla händelser verkar det vettigare att åstadkomma en brasa först och få upp lite värme i resten av huset. Jag lär mig; kyla och fukt föder sorg och hopplöshet.

Vi åt frukost och planerade. Jag släppte ut Castor på en tre minuters pinkrunda. Stod i dörren och betraktade honom. Han gick ett par oengagerade varv runt gårdsplanen. Här finns inte mycket att lukta på tydligen, inte ens soptunnan borta vid stallet var värt besväret den här morgonen. Han pinkade på bägge sidorna av det enda trädet, en stor och snedväxt lärk; det är det rätta stället tydligen, han har gjort så varje gång sedan vi kom hit. Jag undrar vad som rör sig i hans huvud.

Nordlig vind. Gråblek himmel. Jag bestämde mig för att skaffa en termometer. Om inte för annat så för att kunna göra någotsånär adekvata väderobservationer varje morgon. Brasa–dusch–frukost–vädret, det känns som rimliga krokar att hänga upp tillvaron på.

Jag gissade på åtta grader den här dagen och antecknade det. Den fjärde november. Jag antecknade också att jag var femtiofem år gammal, tre månader och fyra dagar.

Sedan en vandring naturligtvis. Hundar är gjorda för att röra sig, åtminstone afrikanska lejonhundar. Mitt val föll på Tarr Steps, det är en plats som omnämns i alla guideböcker jag hittills bläddrat i och den ligger bara tio minuters bilväg härifrån. Åt Withypoolhållet; det rör sig om en gammal klivstenskonstruktion över Barle, enligt vad jag förstått medeltida eller äldre ändå. Vandringsleder på båda sidorna om floden och ett café som möjligen kunde vara öppet.

Därefter proviantering. Därefter middag på puben nere i byn framåt kvällen. En bra plan. A day in the life.

Eller tvärtom, det kommer en annan sorts sanning på spåren. *A life in a day*. Såsom du kan leva en dag kan du också leva alla andra dagar. Intill din tids ände. Är det därför jag är här? Den enkla planen? Jag måste sluta ställa den typen av frågor

Tarr Steps visade sig ligga vindskyddat men i gengäld kom regnet; oväntat som ett dödsbud under Melodikrysset. Fast inte med en gång; vi hade hunnit ett stycke längs floden mött två äldre kvinnor med var sin retriever, hundarna hälsade artigt, kvinnorna och jag också, och jag hade börjat fundera på att ta mig ända till Withypool. Det ligger knappt två timmars vandringsväg från Tarr Steps och där finns en pub.

Nederbörden fick oss dock att slå till reträtt. Vi tog oss över ett vadställe, började återvända på andra sidan det strömmande vattnet och efter sammanlagt två och en halv timme var vi tillbaka vid utgångspunkten. Caféet höll öppet men jag kände mig alltför våt och lerig för att gå in. I bilen satte jag på min mobil och kontrollerade läget: ingen täckning. Jag stängde av. Kanske borde jag försöka hitta en plats där den fungerar och sedan sätta på den en stund varannan dag. På sin höjd. Kanske räcker det med en gång i veckan, man måste väl ändå använda den, ringa någonstans eller svara, för att den ska bli spårbar? Men jag vet inte.

Martins också. Jag borde naturligtvis förmå mig till detta, ju förr desto bättre, antagligen. Våra datorer inte att förglömma. För det är ju så det är, trots allt; jag måste kommunicera en smula, ta itu med världen, skicka ett och annat mejl, förmedla ett sken. Våra barn, Eugen Bergman. Min bror. Christa... ja, naturligtvis, jag kommer att se till det. Låtsas att vi fortfarande existerar i gammal god mening och att det inte längre går någon nöd på oss.

Kanske Christa i första hand, det verkade logiskt.

Men jag beslöt att skjuta upp det till morgondagen. Ännu är det ingen brådska; det tar tid att komma till Marocko. Jag startade bilen och började köra tillbaka upp mot Darne Lodge.

Repeterade och preciserade planen: En eftermiddag framför brasan. Te och en smörgås. En tjock bok, jag köpte en gammal Dickens på det där antikvariatet. *Bleak House*, niohundra sidor, det låter lagom.

Sedan, inemot kvällen, ner till The Royal Oak Inn.

Beslut och handling. Intill tidens ände.

Men de är svåra de där stunderna när man sitter i bilen och ännu inte avgjort vart man ska åka. Dulverton, Exford eller Withypool. Eller ut till havet.

Eller vart fan som helst, som sagt. Allt är lika meningsfullt och meningslöst. Och egalt, fullständigt egalt. Kanske skulle det vara lättare om man satt inspärrad, jag fick för mig det den här ogästvänliga förmiddagen. Om man fick tätare horisonter och om någon tog hand om en? Vi behöver en riktning, tänkte jag, både jag och min hund, en vandringsled som räcker hela vintern.

Eller ett pussel om femtusen bitar, varför inte?

Jag hade förutsett de här bleka stunderna, det hade jag naturligtvis; under hela den virriga färden genom Europa hade jag förstått att de skulle komma, men vad tjänar det till att förutse? Vi skall en dag dö, det vet vi, på vilket vis är vi behjälpta av den kunskapen?

För övrigt måste jag sluta upp med att dra Castor över min egen usla kam. Det rör sig säkerligen om en skillnad som jag inte kan göra mig en föreställning om. Eller också är det precis sådant här som hundar går omkring och grubblar på hela tiden.

Muddy Paws Welcome.

Castor stannade upp och nosade på skylten. Klockan var kvart över sju. Det hördes röster inifrån puben, en man och en kvinna; lite släpiga, lite energifattiga, som ett gammalt par som talat med varandra under en lång rad av år. Vi steg in och såg oss omkring. Kvinnorösten härrörde från barmadamen, en kopia eller kanske syster till henne jag träffat i handelsboden föregående dag, rosig och trygg som en grytlapp. Mannen, också i sextioårsåldern, satt med en ångande maträtt och ett glas öl framför sig vid ett av fönsterborden.

Rutig flanellskjorta. Tunnhårig och magerlagd, adamsäpple som en fågelnäbb. Ansiktets mest framträdande egenskap var hans glasögon.

”Se en främling”, sa han.

”Välkommen in”, sa barkvinnan. ”Bägge två. Det är lite ruggigt därute.”

Jag kände en hastigt uppflammande tacksamhet. Över att de började tala med mig. Men man gör ju det i det här landet och utan vidare fick jag min existens bekräftad. Castors också. Han viftade ett par slag med svansen och gick fram och nosade på mannen, som strök honom vänligt över huvudet. På det där riktiga viset, inga kraftiga klappar, det märktes att han haft att göra med hundar förr. Jag kände en tacksamhet över det också.

”Min Winston dog i våras”, förklarade han. ”Har inte kommit mig för att skaffa en ny.”

”Man måste sakna dem färdigt först”, påpekade kvinnan. ”De är värda den respekten.”

”Alldeles riktigt”, sa mannen.

”Alldeles riktigt”, sa jag. Bilden av Martin på stranden dök upp för ett ögonblick, men jag skuffade undan honom.

”Du är på genomresa, antar jag?” sa kvinnan.

”Inte riktigt”, sa jag. ”Jag hyr ett hus utanför byn över vintern. Darne Lodge, om ni känner till det?”

Mannen skakade på huvudet men kvinnan nickade. ”Däruppe?” sa hon. ”Ovanför Halse Farm, eller hur?”

”Ja, just det.”

”Över vintern?”

”Ja.”

”Är det inte gamle mr Tawking som har hand om det?”

”Mr Tawking, ja, det är riktigt.”

”Och du tänker bo här över vintern?”

”Ja, det är min plan. Jag har en del skrivarbete att syssla med.”

Hon skrattade till. ”Ja, om det är ensamhet du behöver har du kommit till rätt ställe. Men förlåt mig. Vad vill du ha att dricka? Ibland glömmer jag bort att jag arbetar i en pub.”

”Du lär dig nog vad det lider”, sa mannen. ”Du har ju bara stått där i trettio år.”

”Trettiotvå”, sa kvinnan. ”Vi har en riktigt god shepherd’s pie om du tänker äta. Eller hur, Robert?”

”Hyfsad, det ska erkännas”, svarade Robert och betraktade med allvarlig min sin portion som han ännu inte mer än börjat på. ”Jag har ätit värre. Nu minns jag ju inte riktigt när och var, men jag tror det kan ha varit i…”

Han avbröts i och med att ytterligare en person kom in genom dörren.

”Godkväll, Henry”, hälsade kvinnan. ”Ruggigt väder där-ute.”

Robert ryckte på axlarna och började äta. Den nyanlände – en kortvuxen och spenslig man i trettiofemårsåldern – nickade försiktigt åt oss alla tre och när han upptäckte Castor, som redan hunnit sträcka ut sig på golvet intill elementet, log han. ”Fin hund. Ja, det börjar bli vinter.”

”Ett ögonblick, Henry”, sa kvinnan. ”Jag ska bara ta hand om vår nya gäst först. Ville du prova pajen, alltså? Det finns steak och kidney också, förstås. Och lite annat.”

”Shepherd’s pie låter gott”, sa jag. ”Och ett glas rött vin tror jag.”

”Utmärkt”, sa kvinnan. ”Jag heter Rosie, förresten. Det är alltid trevligt med ett nytt ansikte.”

”Vad är det för fel på våra ansikten?” undrade Robert mitt i en tugga. Henry, som faktiskt såg ut att kunna vara hans yngre bror, eller till och med son, tog av sig sin jacka och hängde den på en krok på väggen. Jag fick mitt vinglas och slog mig ner vid ett av de fyra lediga borden i lokalen. Castor lyfte på huvudet och övervägde om han skulle flytta lite närmare mig, men bestämde sig för att det var skönare under elementet.

”Jaha ja”, sa han som hette Henry, och som föreföll lite blygare, en smula mer inåtvänd, än de bägge andra, Robert och Rosie. ”Mrs Simmons kom iväg till sjukhuset i alla fall.”

”Tack och lov”, sa Rosie.

”Inte en dag för tidigt om ni frågar mig”, sa Robert.

”Det är ingen som frågar dig”, sa Rosie. ”Hur mår George?” lade hon till.

”Jag vet inte riktigt”, sa Henry. ”Han sa att han skulle passa på och slänga ut den där soffan åtminstone.”

”Alltid något”, sa Robert. ”Katten har pissat i den i tio år.”

”George är den snällaste man jag någonsin stött på”, sa Rosie och började tappa upp öl åt Henry.

”Utom när han tittar på fotboll”, konstaterade Robert. ”Då är han som en gorillahanne med tandvärk.”

Henry satte sig på en av barstolarna. De fortsatte att prata om mrs Simmons och George, soffan och katten en stund. Hela tiden undvek de mrs Simmons förnamn, vilket det nu kunde ha varit, och jag undrade varför. Men jag frågade inte. Smuttade på mitt vin och började bläddra i min guidebok över Exmoor. Tänkte att om jag verkligen stannade kvar här hela vintern så skulle jag komma att förstå en hel mängd av samband och sammanhang, som jag ännu så länge inte hade en aning om. Kanske hade Robert och Rosie och Henry tillbringat hela sina liv i den här byn. Mrs Simmons och George också. Katten och soffan. Under några minuter verkade ingen av de andra bry sig om att jag satt här, och jag funderade på om det ankom på mig att ta upp någon sorts tråd. Höra efter om den ena eller andra omständigheten, men innan jag kom så långt dök en ung flicka upp med min mat. Hon var mörk och vacker, på sin höjd tjugofem, och det var på något vis tydligt att hon inte riktigt hörde hemma här.

”Du kan ta ut de där flaskorna om du är klar med det andra”, sa Rosie. Flickan neg och försvann tillbaka in i de inre regionerna.

”Det är svårt att hitta bra folk”, sa Rosie till ingen särskild.

Robert harklade sig och såg ut att vilja säga något, men där kom ingenting. Rosie satte på teven som hängde uppe i ett hörn under taket. Vi stirrade alla fyra – inte Castor, han hade somnat – på ett frågesportprogram i en halv minut, sedan stängde Rosie av.

”Smakar det bra?”

Jag hade inte hunnit ta mer än två tuggor men förklarade att det smakade alldeles förträffligt.

”Hon är duktig i köket i alla fall”, sa Robert.

”Inte bara där tyvärr”, sa Rosie och jag förstod att hon hade fler sidor än den rosiga.

Jag blev kvar på The Royal Oak i knappt två timmar och drack ett glas rött vin till. Medan jag satt där kom ytterligare tre gäster in. Ett ungt par som bara stannade kvar medan de drack var sin drink av okänd beskaffenhet, samt strax efteråt en man av svårbestämbar ålder. Han var lång och gänglig, hade mörkt, lite ovårdat hår, och han slog sig ner vid bordet bredvid mitt med en pint ale och en portion torsk med kokt potatis.

Efter en stund var vi inbegripna i ett samtal.

8

Jag hade en gång en barndom.

En mamma och en pappa, som var tandsköterska och tandläkare. En äldre bror som hette Göran och fortfarande heter så, och en yngre syster som hette Gun. Vi bodde i en liten mellansvensk stad full av småföretagare, frikyrkor och bortklemade ungdomar som hade det bra men ville ut i världen. Vårt hus hade en trädgård med vinbärsbuskar, mossig gräsmatta, gamla äppelträd och en gunga som ingen längre gungade på efter att Gunsan blivit överkörd och dött.

En sandlåda som växte igen och en katt som kom och gick. Det var förresten inte bara en katt, det var olika. Men bara en åt gången. Den hette alltid Napoleon även när det var en honkatt och fick ungar som vi sedan sålde eller gav bort.

Hon var sladdis, Gunsan, hon var bara åtta när hon levt färdigt och både jag och Göran gick på gymnasiet. Han i tredje ring, jag i första. Vissa familjer klarar en katastrof, andra gör det inte. Vår gjorde det inte.

Busschauffören som körde över Gunsan klarade sig heller inte. Han blev tokig på kuppen över att ha backat ihjäl ett litet barn mitt på parkeringen utanför simhallen, hans fru lämnade honom efter ett år och något senare hängde han sig ute i en skog i en helt annan del av Sverige. Han hette

Bengt-Olov och långt tidigare i sitt liv, innan han bildade familj och började köra buss, hade han varit den bästa center vi någonsin haft i vårt lokala fotbollslag. Stor och tung men ändå snabb och oberäknelig. Han spelade till och med två juniorlandskamper. I slutet av fyrtiotalet tror jag att det var.

Göran tog studenten och flyttade, och två år senare gjorde jag samma sak. Mamma och pappa blev ensamma med sin tandläkarmottagning, sitt vackra gamla hus och varandra. Fast då hade mamma redan slutat arbeta som tandsköterska, hon orkade inte med det.

Men innan Gunsan dog – och innan hon var född – det var då jag hade en barndom. Det är den jag har försökt glömma under många år. Den är också duktig på att försvinna så fort den dyker upp; den var så obestridlig på något vis, så förhoppningsfull och ljus att jag blir bländad. Ja, ofta har jag blivit bländad och lite illamående av det där särskilda skimret som bara visar sig en stund och sedan slinker undan.

Och när jag plötsligt, långt senare i livet, råkar stöta ihop med den där Klasse och den där Britt-Inger – eller den där Anton för den delen, han som var den förste jag kysste och gnuggade mitt underliv mot i en folkpark som inte längre finns, då, då sticker det alltid till i halsen på mig, jag vill vända om och springa därifrån. Vad blev det av dig? tänker jag. Jag tål inte se dig. Inte kan väl du vara Anton Antonsson med det underbara skrattet och de mjuka varma händerna, vart har det tagit vägen? Var kommer den här generade dystre medelåldringen med stelnat ansikte och putmage ifrån? Och så dyker Gunsan upp i skallen på mig, när jag ligger i hennes säng under snedtaket och läser Mio min Mio för henne och då tänker jag – har alltid tänkt – att jag inte vill ha den där jävla barndomen, det där jävla skimret, jag vill inte minnas hennes pliriga ögon och hennes armar om min hals när jag bär henne upp från badbryggan nere vid sjön och hon visksjunger *Vem kan segla förutan vind* i mitt öra.

Eller mammas eller pappas begravningar, jag kan vara utan dem också, det var bara ett drygt år mellan dem och jag vet att man kan skaffa sig cancer bara man vill. Det var det mamma ägnade sig åt när hon satt hemma i sorgehuset, hon tänkte fram cancern i sin egen kropp, det tog sju år men det gick. Och efter att pappa kom i jorden – dödsorsak: brustet hjärta – har jag nästan inte besökt den där mellansvenska staden. Men när jag någon enstaka gång ändå gjort det har jag alltid fått andnöd och tänkt att det är som att äta frukost på kvällen fast man inte vill.

Vi startade strax efter midnatt. Det var Martins idé att vi skulle börja med en nattkörning. Nå fram till ett favorithotell i Kristianstad, äta frukost där och sedan ta färjan från Ystad. Så blev det också, i varje fall ur ett geografiskt perspektiv, men hur det nu var så började vi prata om Gunvald.

”Det är en sak som jag aldrig har berättat”, sa Martin.

Vi hade just tankat på den där evigt öppna macken i närheten av Järna. Fyrtio mil av övergiven E4 låg framför oss, sedan snett ner genom Småland och norra Skåne längs ett annat vägnummer. Det var natt mellan en torsdag och en fredag i oktober, gryningen låg ljusår bort, vi kunde ha varit en rymdkapsel på väg mot en död stjärna. Aniara.

”Vad då? Vad är det du aldrig berättat?”

”Jag trodde inte han var min. I början kunde jag faktiskt inte tro det.”

Jag förstod inte.

”Gunvald”, förtydligade Martin. ”Jag gick och inbillade mig att det måste vara någon annan som var far till honom.”

”Vad i helvete menar du?” sa jag.

Han skrattade på det där godmodiga viset han tränat på sedan han fyllde fyrtio. ”Tja, som hos Strindberg, vet du. *Fadren*... det är förstås en sådan där tanke som dyker upp i skallen hos alla män. Tänk om. Tänk om det är någon annan? Hur ska man kunna veta? Och man kan ju knappast fråga, eller hur?”

Han försökte skrocka. Jag hade ingen kommentar. Tänkte att det var bäst att låta honom fortsätta. Började leka med en alldeles speciell tanke men det var för tidigt att ventilera den än. Vi hade ju hela natten på oss, ett helt halvår kanske, det var ingen brådska. Ingen brådska med någonting.

Men som det blev tog jag aldrig upp den, den där tanken.

”Ja, missförstå mig nu inte, så är jag tacksam”, fortsatte han efter några sekunders tystnad och lätt trummande med fingrarna på ratten. ”Det var ju ingenting annat än en sorts tvångstanke, men det är märkvärdigt hur de kan bita sig fast. Och så var han inte ett dugg lik mig heller, det måste du väl ändå hålla med om? Folk kommenterade det faktiskt, kommer du ihåg det? Din brorsa till exempel.”

”Om det finns någon människa som liknar sin far, så är det Gunvald”, sa jag. ”Inte till utseendet kanske, men om du tittar inuti honom så måste du väl upptäcka att du... att du tittar in i en spegel?”

Martin begrundade detta under en kilometer ödslig motorväg. Jag förstod att jag hade sårat honom. Att han egentligen inte tyckte det var lönt att föra en vettig diskussion med mig. Som vanligt, att han inte lärt sig. Han var en sansad och omdömesgill man, en optimistisk människa som faktiskt trodde på att språket kunde vara ett verktyg istället för ett vapen; jag var en kvinna som simmade och ibland drunknade i ett ovidkommande hav av känslor. Ja, just *ovidkommande*.

Eller också är jag orättvis mot honom, det är ingen omöjlighet och jag tar mig rätten att vara det.

Men jag kunde alltså inte begripa vad det var han fiskade efter. Ville han att jag skulle hålla med honom? Bekräfta att det var högst rimligt att han hyst misstankar när vårt första barn kom till världen? Att det var en ny och intressant inblick i hur det var att vara man? Att det kanske på något vis hängde samman med behovet av att våldta – eller åtminstone ligga med och spruta sperma på – en okänd servitris på ett hotell i Göteborg många år senare.

”Jag är ganska säker på att han är din”, sa jag.

”Va?” sa Martin.

Bilen krängde till.

”Jag sa att han är din”, sa jag.

”Det sa du inte alls”, sa Martin. ”Du sa någonting helt annat.”

”Jag fattar inte vad du är ute efter”, sa jag. ”Hur var det med Synn, var det likadant där kanske?”

Martin skakade på huvudet. ”Inte alls. Det var bara när det gällde Gunvald. Jag har faktiskt snackat med ett par vänner om det här. Eller jag gjorde det för flera år sedan, de erkände att de hade haft samma tankar.”

”När de fick sina söner?”

”Ja.”

”Men inte döttrarna?”

”Lägg av”, sa Martin. ”Ingen av dom har några döttrar, för övrigt. Men om du inte vill prata om det här så skiter vi i det. Jag tyckte bara det kunde vara värt att nämna.”

”Var de akademiker?” frågade jag.

”Vilka då?”

”De där andra som också hade problem med faderskapet. Var det universitetsfolk?”

”Varför undrar du det?”

”Därför att det krävs den sortens huvuden för att krysta fram något så jävla dumt. Hursomhelst är han din, jag hade inga andra karlar på den tiden.”

Det var inte min mening att skjuta så skarpt och det fick tyst på Martin i flera minuter. Flera nya mörka kilometer E4. Längre ut mot den slocknade stjärnan, av någon anledning hade jag svårt att skaka av mig bilden.

”Hur tror du det är med honom?” frågade han i ett lite normalare tonfall när vi passerat första avfarten till Nyköping. Klockan var några minuter över ett.

Jag tänkte att det åtminstone var en berättigad fråga. Gunvald har aldrig mått bra, inte sedan han kom in i puberteten åtminstone. Han hade svårt med kamrater och började gå hos olika psykologer och terapeuter redan på högstadiet. Vi misstänker att han försökt ta livet av sig två gånger men det har aldrig blivit riktigt klarlagt. Han var myndig bägge gångerna och det betyder sekretess. Om patienten vill kan han naturligtvis lätta på den, men det ville aldrig Gunvald. Han låg där i sin sjukhussäng, glodde urskuldande på oss och låtsades att han ramlat ut från en balkong på femte våningen. Vad skulle vi säga?

Vid det andra tillfället låg han också på sjukhus men då hade han redan flyttat till Köpenhamn, det var när Kirsten hade gått ifrån honom. Det hette matförgiftning den gången och han ville inte ha besök.

Tagit barnen med sig – mina barnbarn – och flyttat hem till sina föräldrar i Horsens, hade Kirsten gjort. Dessutom förklarat att om Gunvald reste några anspråk skulle hon polisanmäla honom. Hon skrev det i ett mejl till mig.

Jag vet inte vad hon tänkte anmäla honom för, hon berättade aldrig det när jag pratade med henne några dagar senare

Det gjorde inte Gunvald heller, naturligtvis inte.

När vi nu satt här på vår nattliga resa hade det gått ganska precis två år sedan dess och Gunvald hade flyttat till en egen lägenhet på Nørrebro. Fått tag på den genom en kollega på universitetet tydligen. Martin hade besökt honom två gånger i Köpenhamn och jag hade träffat honom en gång i Stockholm när han höll en föreläsning på Södertörn. Det var det hela. Jag tänkte att om nu Martin inbillade sig att han inte var hans far, så kunde jag lika gärna inbilla mig att jag inte var hans mor.

Mina barnbarn, tvillingflickorna, hade jag träffat en gång efter matförgiftningen. Jag åkte dit, till Horsens på Jylland, och stannade i tre dagar. Jag pratade betydligt mer med Kirstens föräldrar än med Kirsten; de var trevliga, jag fick ett intryck av att vi förstod varandra. Men för all del, jag har inget ont att säga om Kirsten heller.

Vilket ju gör att ekvationen blir en smula problematisk.

"Han kanske håller på att få ordning på sitt liv, trots allt", sa Martin. "Det är inte vår sak att bedöma det."

Jag visste att de hade en viss kontakt på mejl och telefon, men Martin berättade aldrig vad de pratade om. Jobbet antagligen. Den akademiska ankdammen, här och där. Stockholm och Köpenhamn. Knappast som far och son; två kolleger snarare, en ung och strävande, en gammal och erfaren. En humanistisk lektor och en humanistisk professor. Lingvistik versus litteraturvetenskap, ja, jag är rätt säker på att de höll till på den säkra spelplanen.

För egen del låg jag vaken så många nätter för Gunvalds skull, från puberteten och tio år framåt ungefär, att det nästan gjorde mig tokig. Det var nog där jag tappade mitt utseende, det där som först dög och sedan inte dög i teverutan. Med tiden hade jag också utvecklat en sårskorpa, hård och präktig, och jag tänkte inte börja pilla bort den. Sannerligen inte. Den dagen Gunvald självmant kommer och ber om det kanske, men inte av egen kraft. En moders maktlösa, missriktade urkraft, inte en gång till.

Men jag undrade ju fortfarande vad det var Martin varit ute efter, och kunde inte låta bli att salta lite.

”Har du någonsin antytt det för honom?” frågade jag.

”Vilket då?”

”Att du inte trodde du var hans far.”

”Fan också!” utbrast Martin och slog handflatan i instrumentpanelen. ”Är du inte klok? Det är klart att jag inte har. Jag tog upp det som en kuriositet, bara. Vi glömmer det.”

”En kuriositet?”

Han svarade inte. Vad tusan skulle han ha svarat?

Och jag hade ingenting att tillägga. Jag lutade ryggstödet bakåt, blåste upp min reskudde och förklarade att jag tänkte försöka sova. Han petade in en skiva med Thelonious Monk i cd-spelaren och sedan sa vi inte mer till varandra på flera timmar.

Men jag sov inte. Blundade bara, medan jag tänkte att det var rätt egendomligt att vi faktiskt satt här i samma bil på väg söderut. Efter alla dessa år. Efter alla dessa tillkortakommanden och alla dessa navigeringar. Att vi ändå hållit ihop. Och att livet kommit till den punkt då jag inte längre längtade efter någonting annat än att få vara i fred, det tänkte jag också. Kanske var det priset av att ha varit den jag varit. Att vi varit de vi varit. Allsvenskan, som min bror Göran sagt en gång. *Allsvenskan?* minns jag att jag undrat. Vad menar du med det? Klart som fan, sa Göran. En litteraturkoloss och ett teveankare, ni spelar i allsvenskan, ni får faktiskt skylla er själva.

Själv spelar han i division tre. Han förklarade det också. Han är högstadielärare i en mellansvensk småstad och då står man mitt i verkligheten. Inte den stad vi växte upp i, givetvis inte, och det där om divisionerna hade han fått från en kollega, visade det sig. Martin tyckte inte om det, för han har stått på sossarnas lista vid två tillfällen – inte på valbar plats men ändå – och då ska man inte vara elit.

Det var långt innan det där hotellet i Göteborg. Martin slutade vara sosse någon gång runt millennieskiftet, lite oklart när.

Fast våra liv har till stor del utspelat sig i det som kallas offentlighetens ljus, det hade min bror förstås rätt i den där gången. Vi har stått på scenen, var sin scen som regel men ibland samma, och när man står på en scen försöker man föreställa någonting. Vara snygg och tala rent, som sagt. Så länge det varar, tills någon säger åt en att kliva ner. Och när Gunvald den där enda gången kom hem full och talade om sanningen för mig så använde han ungefär samma analys, han gjorde faktiskt det.

”Du är totalt jävla utbytbar, fattar du det? En sminkad klippdocka, det är vad man fick till morsa, tack ska du ha. Men du behöver inte skämmas, för det har jag gjort åt dig i alla år.”

Han var sjutton den gången. Ett år senare var han myndig och ramlade från den där balkongen.

Jag makade kudden till rätta mot sidofönstret och började tänka på Synn.

9

”Mark”, sa han. ”Jag heter Mark Britton. Jag ser att du har en skugga över dig.”

Det var det första han yttrade och jag var inte säker på att jag hade hört rätt.

”Förlåt”, sa jag. ”Vad sa du?”

Han hade ätit upp det mesta av sin mat. Nu sköt han tallriken åt sidan och vände sig åt mitt håll. Vi satt vid borden intill varandra, en meter mellan oss ungefär. Rosie hade knäppt på teven igen, men dragit ner ljudet till nästan noll. Två män i vita skjortor och svarta västar spelade biljard.

”En skugga”, upprepade han. ”Du får ursäkta mig men jag ser sådant.”

Han log och sträckte fram handen. Jag tvekade en sekund innan jag fattade den och talade om mitt namn.

”Maria.”

”Du är inte härifrån?”

”Nej.”

”På genomresa?”

”Nej, jag hyr ett hus över vintern utanför byn.”

”Över vintern?”

”Ja. Jag är författare. Man behöver ensamhet.”

Han nickade. ”Ensamhet känner jag till. Och jag läser en del.”

”Vad var det där om en skugga?”

Han log igen. Milt och vänligt som det såg ut, han gav överhuvudtaget intryck av att vara en trygg människa. Jag är inte säker på vad jag avser med det epitetet, eller hur jag värderar det, men han påminde vagt om en religionslärare jag hade på gymnasiet. Det är en reflektion jag gör nu i efterhand, medan jag skriver, ingenting jag upptäckte medan vi satt där på The Royal Oak. Jag minns inte vad han hette, den där läraren, men jag minns att han hade en dotter som satt i rullstol.

Jag funderar också på vad det var som gjorde att jag så lättvindigt började samtala med denne Mark Britton. Det var inte bara min ensamhet som skrek efter en nästa, vem som helst; där fanns en enkel rättframhet hos honom, inga spår av sådan där maskulin beräkning som det går tretton på dussinet av och som är lika svår att upptäcka som en elefant under en näsduk. Jag är trots allt medveten om att jag fortfarande kan betraktas som en attraktiv kvinna. Även om mr Britton säkert måste vara några år yngre än jag själv.

”Får jag flytta över?”

”Varsågod.”

Han tog med sitt halvtömda ölglas och slog sig ner mitt emot mig. Jag fick ett intryck av att både Rosie och Robert iakttog oss, men att de försökte ge sken av att inte göra det. Henry satt också kvar i sin hörna men var försjunken i en tidning och något som antagligen var ett galopprogram. Jag betraktade förstulet min nye bordsgranne. Han hade långt, lite ostyrigt hår men jag tyckte ändå att han såg civiliserad ut. Med civiliserad menar jag antagligen att han verkade höra hemma i en stad snarare än ute på landet på en hed. Kanske hade han bara varit och hälsat på sin gamla mamma och var på väg tillbaka till London? tänkte jag. Eller en syster och svåger, vad visste jag? Mörkröd skjorta, hursomhelst, uppknäppt i halsen, en blå pullover utanpå. Ganska lång, således, ganska mager, ganska välrakad. Djupt liggande ögon som kanske satt lite för tätt. Hans röst var mörk och behaglig, han skulle faktiskt kunna vara skådespelare eller radiopratare. Eller varför inte teve, åtminstone om han gick till en frisör? Jag log åt den sista tanken och han frågade vad jag log åt.

”Ingenting.” Jag ryckte på axlarna. ”Det var någonting som flög förbi, bara.”

Castor noterade att jag hade fått sällskap och kom över till vårt bord. Nosade försiktigt på mr Britton, gäspade och hittade en ny plats på golvet.

”Din hund?”

”Ja.”

”Vad heter han?”

”Castor.”

Han nickade och vi satt tysta några sekunder.

”Jo, det där jag påstod om en skugga”, sa han sedan, ”det var ingenting jag slängde ur mig för att verka intressant, jag hoppas du förstår det? Jag skulle ha kunnat välja aura, men folk brukar vara rädda för det ordet.”

Jag funderade ett ögonblick. Förklarade att jag inte var särskilt rädd för auror, men att jag inte trodde på dem. Frågade om folk var mindre rädda för skuggor.

”Faktiskt”, sa han. ”Jag ser en frånvarande man och hus i södern också, men det kan vi låta vara osagt. Du är nyanländ, eller hur? Jag har i varje fall inte sett dig tidigare.”

Jag märkte att min puls ryckte till och tänkte att jag behövde vinna tid. *Frånvarande man*? *Hus i södern*? Vad jag skulle med eventuellt vunnen tid till kunde jag dock inte göra klart för mig.

”Kom för ett par dagar sedan”, sa jag. ”Och du själv? Bor du här?”

”En bit utanför byn.”

”Det är vackert här.”

”Ja. Vackert och ensligt. Åtminstone den här årstiden.”

”Vissa människor föredrar ensligheten.”

Han drog hastigt på munnen. ”Ja, vi gör ju det. Har du varit i de här trakterna förr?”

”Aldrig.”

Och så började han berätta om heden. Långsamt och liksom tvekande, utan att jag bad om det. Om platser, om vandringar, om dimmorna. Om att han faktiskt föredrog just de här årstiderna, hösten och vintern, när det inte kom så många turister. Det hände att han var ute hela dagar, berättade han, från gryning till skymning, gärna utan karta och kompass, gärna utan att riktigt veta var han befann sig.

”Trout Hill”, sa han, ”ovanför Doone Valley, eller Challacombe, däruppe kan en människa lära sig mycket. Gå vilse på heden, förvisso, men om man inte går vilse kan man inte hitta sig själv.”

Han skrattade lite självironiskt och strök undan håret, som då och då föll ner och täckte halva hans ansikte. Jag var inte säker på om han ville imponera på mig med sitt prat, men det föreföll inte så. Han erbjöd heller inga tjänster, frågade inte om jag behövde en guide eller någon som kunde tipsa om platser eller vägar. Uppmanade mig bara att vara försiktig och förklarade att när dimman kom kunde till och med vildhästarna gå bort sig. Om man råkade ut för den, kunde det ofta vara bättre att bara stanna där man var och hoppas att det skulle lätta. Förutsatt att man hade ordentligt med kläder; om man frös var det alltid bättre att röra sig.

Jag frågade om han var född på Exmoor och han berättade

att han var det. Inte just här i Winsford, utan i Simonsbath, lite högre upp och mitt på heden i stort sett. Han hade flyttat härifrån när han började på universitetet, men kommit tillbaka för tio år sedan. Eftersom han jobbade med datorer spelade det ingen roll var han bodde, tjugo år av storstäder och stress räckte för hans del, poängterade han.

Han nämnde ingenting om någon familj. Berättade inte om han hade barn och ingenting som skulle kunna betecknas som "personliga förhållanden". Jag anade att han kanske var bög, han hade just den där öppenheten som heterosexuella män brukar sakna. Även om han visade påfallande lite intresse för mina omständigheter.

Jag frågade inte efter detaljer, naturligtvis inte, och medan han berättade vann jag den där tiden, trots allt. Hann bestämma mig för hur mycket av mitt eget jag var beredd att avslöja.

Inte mycket, kom jag fram till, och jag höll fast vid den linjen.

Maria Anderson, författare från Sverige. Jag tror till och med att jag lyckades få honom att tro att jag skrev under pseudonym. Bosatt ett stycke ovanför Winsford, som sagt, jag gick inte in på exakt var.

Vilken sorts böcker? ville han veta.

Romaner.

Nej, jag var inget känt namn. I synnerhet inte utomlands, men jag hankade mig fram. Hade fått en sorts stipendium på ett år, det var därför jag befann mig här.

"Och du tänker skriva om heden?"

"Jag tror det."

Sedan frågade jag vad han menat med det där om skuggan. Den frånvarande mannen och huset i södern.

"Jag kan inte hjälpa det. Jag ser genom folks pannben, det är den enkla sanningen. Det har alltid varit så."

Vi hade fått våra glas påfyllda. Han ännu en mörk öl, jag lite mera rött vin.

”Intressant”, sa jag neutralt.

”Har haft det sen jag var barn”, förklarade han. ”Jag visste att min far hade en annan kvinna långt innan min mor fick reda på det. Jag var åtta år då. Jag förstod att min skolfrökens mamma hade dött i samma stund som jag såg henne gå över skolgården den där vintermorgonen. Fem minuter innan hon kom in i klassrummet och berättade det. Och jag visste... nej, förresten. Det är bara dumt att anföra bevis. Det gör detsamma om du tror mig eller inte.”

Jag nickade. ”Jag har ingen anledning att tvivla”, sa jag.

”Och nu sitter du och undrar vad jag har att säga om mannen och huset?” konstaterade Mark Britton och drack en klunk öl.

”Har man sagt A får man säga B”, föreslog jag.

Han skrattade till. Lite nervöst, tyckte jag, det var i så fall första gången under vårt samspråk. ”Det finns inget B”, sa han. ”Jag får bara en hastig bild i huvudet och det enda jag kan göra är att berätta vad bilden föreställer. Vad den betyder är en annan sak.”

”Och vad var det du såg i mitt fall?”

Han tänkte efter ett ögonblick, inte mer. ”Det var inte särskilt mycket”, sa han. ”Jag såg först en man, sedan ett vitt hus... starkt solbelyst, det syntes att det var någonstans söderut. Medelhavet eller Nordafrika kanske. Sedan kom skuggan, den kom uppifrån och ner och jag fick ett intryck av att det var *din* skugga. Eller att den hade med dig att göra åtminstone. Och den svepte bort mannen. Men huset stod kvar. Ja, det var det hela, men det var ganska tydligt... dimma är nog ett bättre ord än skugga, förresten.”

Jag svalde. ”Hur såg mannen ut, hann du lägga märke till det?”

”Nej. Jag såg honom på ganska långt avstånd. Men lite äldre, inte direkt gammal, kanske sextio så där…?”

”Och du såg det här genom mitt pannben?”

Han gjorde en urskuldande min. ”Kanske inte riktigt, men det är när jag betraktar ett ansikte som de här bilderna kan dyka upp, och det var alltså det jag gjorde.”

”Du betraktade mitt ansikte?”

”Varje man mellan femton och nittio skulle betrakta ditt ansikte. Om han kom åt. Tycker du jag är påträngande?”

Jag funderade på om jag tyckte det. Tänkte att jag kanske skulle ha gjort det i ett annat sammanhang. Men nu befann vi oss på den lokala puben i byn Winsford i grevskapet Somerset, och om jag undantar mr Tawking så var denne Mark Britton den första människa jag pratat mer än en halv minut med på en vecka. Nej, det kändes inte påträngande och jag förklarade det också.

”Tack. Det är ensamt att vara författare?”

”Det ingår. Om man inte står ut med ensamheten kan man inte ägna sig åt skrivande.”

Han ryckte på axlarna och såg med ens lite sorgsen ut.

”Jag skulle kunna bli en stor författare. Om det är den spiken det hänger på.”

Det var naturligtvis en öppning till att ställa en fråga om hans privata omständigheter, men jag lät bli. Passade istället på att få lite praktiska upplysningar. Var jag kunde hitta en tvättomat, till exempel. Var jag kunde få tag på ved. Var det var bäst att handla mat.

Mark Britton informerade mig om dessa saker och fler därtill, och när vi bröt upp strax efter klockan nio tackade vi varandra för pratstunden. Han förklarade att han brukade besöka The Royal Oak ett par gånger i veckan, och att han såg fram emot att få träffa mig igen.

Därefter tog vi i hand och sa farväl. Han försvann uppåt Halse Lane, jag och Castor sneddade över vägen ner till bilen som jag parkerat framför krigsmonumentet. Jag insåg att jag druckit två glas vin istället för det planerade enda, men att vandra upp till Darne Lodge i mörkret var inget jag ens reflekterade över. Jag såg heller inte till Mark Britton någonstans utefter vägen, så jag drog slutsatsen att han vikit in på någon av de trånga passagerna innan man kommer upp till själva heden.

Jag hade låtit ljuset i badrummet vara tänt, men det syntes inte från vägen och inte förrän vi passerat huset med femtio meter förstod jag att jag hade missat det. Det var heller inte det enklaste att backa tillbaka längs det smala asfaltbandet, men det gick. Jag gjorde en minnesanteckning om att införskaffa något slags utomhuslykta att hänga på grindstolpen, så att jag åtminstone skulle hitta hem i fortsättningen.

Innan jag somnade in – men en god stund efter att Castor gjort det nere vid fotändan av sängen – fattade jag två beslut. Jag skulle låta det gå åtminstone en vecka innan jag på nytt satte min fot på The Royal Oak och jag skulle under morgondagen se till att öppna datorerna, både min och Martins. Sexton dagar hade gått sedan vi lämnade Stockholm, det kunde vara hög tid.

Sätta mig på ett internetcafé i Minehead, Mark Britton hade sagt att det fanns ett par stycken, och gå igenom inkorgarna på mejlen. Kanske också besvara ett eller annat pockande meddelande. På intet vis vore det särskilt lyckat om man började efterlysa oss.

På intet vis.

10

Efter Synns födelse drabbades jag av någonting som kom att diagnosticeras som förlossningsdepression.

Jag vet inte om det var den korrekta beteckningen, men om det sammanfaller i tid – förlossningen och depressionen – antar jag att det säger sig självt. I varje fall innebar det att min och min dotters relation blev störd från allra första början. Den där omtalade, viktiga kontakten mellan barnet och mamman kom inte till stånd förrän efter flera månader, och då var det redan för sent.

Det handlade inte om att jag tyckte illa om mitt barn. Det handlade om att jag inte ville leva längre. Jag såg överhuvudtaget inget ljus och ingen mening med någonting. Varje dag, under de veckor jag låg kvar på sjukhuset, bad jag personalen ta in min dotter, men så snart jag haft henne hos mig i några minuter började jag storgråta. Det var ohejdbart, och efter att jag ammat henne hjälpligt tog de ut henne igen. Jag vet att jag grät mer å Synns vägnar än å mina egna.

Jag fick stöd av olika slag, och så småningom en terapeut. Det var första gången i mitt liv jag träffade på en sådan, hon hette Gudrun Ewerts och efter bara två eller tre träffar konstaterade hon att jag borde ha fått hjälp långt tidigare.

När jag berättat min livshistoria fram till gällande datum – det var 1983, jag hade just fyllt tjugosex år – lutade Gudrun Ewerts huvudet i händerna och suckade.

”Lilla barn”, sa hon. ”Har du tänkt på vad du varit med om den senaste tioårsperioden?”

Jag tänkte efter. Frågade vad hon menade.

Hon kastade ett öga i sitt anteckningsblock. ”Om jag förstått det rätt så har följande inträffat: Din lillasyster har dött. Din pojkvän har dött. Din mor och far har dött och du har fött två barn. Stämmer det?”

Jag tänkte efter igen. ”Ja”, sa jag. ”Ja, det stämmer faktiskt. Det kanske är lite mycket.”

Gudrun Ewerts log. ”Kan man nog säga. Och jag klandrar dig inte för att du hanterat det som du gjort.”

Sedan förklarade hon att jag helt enkelt lagt locket på, och att det var detta som nu straffade sig. I och för sig kunde det vara en fungerande metod att lägga lock på saker och ting, det tillstod hon villigt, men innan man gör det måste man ha en uppfattning om vad som faktiskt finns där under.

Hon uttryckte sig gärna i bilder och det vi pratade om under alla våra samtal – för de blev många, säkert fler än hundra – hade betydligt mer med min döda lillasyster och min dödsstörtade pojkvän att göra än med lilla Synn.

Men mest handlade det om mig själv förstås.

Mitt liv var vanvårdat, fick jag veta. Jag hade inte skött det som man ska sköta ett liv, inte tagit det på allvar. Men jag passade ganska bra på teve, det var hon den första att erkänna och jag minns att vi skrattade åt det. Överhuvudtaget vore det en fördel om man kunde använda sig av tecknade nyhetsuppläsare, ansåg Gudrun Ewerts, det är inte nyttigt att glo in i en kamera och veta att en miljon anonyma människor sitter och stirrar på ens ansikte. Kväll efter kväll efter kväll.

Jag framförde också hennes förslag till en av mina chefer, men det föll som väntat inte i god jord.

Vi fortsatte att träffas regelbundet även efter att min depression planat ut och försvunnit. Närmare två och ett halvt år, den sista tiden bara en eller två gånger i månaden, och jag vet att ingen människa har betytt mer för mig när det gäller min självförståelse än denna Gudrun Ewerts.

”Du har levt på andras villkor i hela ditt liv”, sa hon. ”Åtminstone sedan din lillasysters död. Du har speglat dig, förstår du vad jag säger? Om man gräver ner sin vilja i en öken kan man inte lita på att den överlever.”

Jag vet att hon dök upp i skallen på mig där på stranden utanför Międzyzdroje, min kära gamla terapeut, när jag gick min besynnerliga vandring i vinden efter att ha stängt den tunga dörren. Det är kanske inte särskilt konstigt och jag får för mig att jag log mot henne. Eller mot minnet av henne åtminstone, hon har varit död i mer än tio år, och ett egendomligt leende måste det ha varit.

Men förhållandet mellan mig och min dotter repade sig aldrig. Hon blev ett inåtvänt barn, lärde sig alltför tidigt att sysselsätta sig själv, och vår kontakt var bristfällig. Det var som om vi spelade rollerna av mor och dotter och vi var utan tvekan skickliga skådespelerskor, både hon och jag. Och samma sak – kanske i ännu högre grad – gällde tyvärr förhållandet far–dotter. Under hela sin uppväxt tog Synn hand om sitt eget liv, hon skötte sitt skolarbete och sina kamratrelationer exemplariskt – eller i varje fall utan vår inblandning – och sina hemligheter behöll hon för sig själv. Jag har ingen aning om när hon fick mens för första gången och inte när hon begick sin sexuella debut. Två veckor efter att hon tagit studenten flyttade hon till Frankrike och jag minns att jag tänkte att jag hade varit en hotellvärdinna istället för en mor. Jag hade haft en gäst i samma rum i nitton år, nu hade hon dragit vidare.

Jag tog aldrig upp denna tanke med Martin, det skulle inte ha tjänat någonting till. Den andra hotellgästen, Gunvald, hade för övrigt flyttat ut bara ett halvår innan hans syster gjorde det.

När jag skriver om det här känns det som om det inte stämmer. Det kan inte ha varit så illa, jag sitter i själva verket och fabulerar. Jag låg ju vaken alla dessa nätter och oroade mig, visst var det så? Jag tänkte ju på dem och trodde att jag älskade dem.

Nåja, tänker jag, det finns ju de som menar att lögnerna är den enda vägen till något slags sanning.

Vi kom fram till det där hotellet i Kristianstad vid sjutiden. Det var en grådisig höstmorgon, jag hade sovit några timmar i bilen men Martin var så trött att han vindade. Han drack tre koppar kaffe, och efter vår stadiga frukost och en halvlång promenad med Castor fortsatte vi ner till Ystad, där vi rullade ombord på färjan över till Świnoujście strax före lunch.

Överfarten tog sex timmar. Martin sov i stort sett hela tiden, jag satt i vilstolen bredvid och försökte lösa korsordet i Svenska Dagbladet, eftersom det var en fredag och jag hade lyckats få tag på tidningen i en kiosk på vägen till hamnen. Castor låg utsträckt vid våra fötter. Jag minns att det var ganska glest med resenärer och att jag snart överfölls av en stark känsla av övergivenhet. Nästan identitetslöshet. Vem var jag? Vart var jag på väg? Varför?

Det är inga nyttiga frågor att ställa sig för en femtiofemårig kvinna, i varje fall inte i vissa lägen när man inte kommer i närheten av några svar. Efter en stund förstod jag att det bästa sättet att få hejd på min annalkande ångest skulle vara att ringa och byta några ord med Christa, men när denna insikt nådde mig var vi redan så långt ute till havs att det inte fanns något mobilnät.

Istället kom jag att tänka på ett tal som Martin en gång hållit och där han förklarade att när det gällde begreppet "ångest" och begreppet "en potatis", så var det ingen större skillnad. Det fanns saker som kunde tillskrivas ångesten, det fanns saker som kunde tillskrivas potatisen, vissa var gemensamma, vissa skilda åt. Så var det med det. Det var i samband med en doktorsmiddag för en av hans kolleger, en skinntorr lektor i semantik; jag kommer ihåg att jämförelsen väckte oerhörd munterhet runt bordet och att Martin var mäkta stolt över sin fyndighet. Utan att visa det med en min förstås. Personligen förstod jag inte alls vad han talade om.

Vi träffades på Aphuset för hundra år sedan, Christa och jag. Jobbade under samma tak – oftast inom samma ganska trånga innerväggar också – under flera år innan vi kom varandra riktigt nära. Närmandet skedde i slutet av nittiotalet i samband med att hon skildes från sin man, en inte helt obekant skådespelare med ett mycket stort ego. Christa for illa och mådde så dåligt att hon vissa dagar när hon kom till jobbet måste ta två sömntabletter och gå och gömma sig för att inte drabbas av det slutgiltiga sammanbrottet.

Hon brukade säga så. "Maria, nu är det slutgiltiga sammanbrottet nära, sitt och håll mig i handen medan jag somnar, är du snäll."

Och jag satt där, i ett av Aphusets små vilrum, och höll en av hennes händer mellan mina båda, medan hon grät, pratade, började sluddra och så småningom somnade in.

Det pågick ett par gånger i veckan under åtminstone tre månaders tid och hur vi lyckades hålla det undan cheferna är fortfarande en gåta.

Man lär känna varandra under sådana premisser och vi har fortsatt att känna varandra. Christa är den människa jag skulle välja att låta sprida min aska när jag en gång är död, jag har faktiskt redan valt henne – och hon mig, men jag vet inte om hon kommer ihåg det. Något år efter hennes svårartade skilsmässa åkte vi på en resa till Venedig tillsammans, bara vi två, och när vi en kväll efter ett långt och vindränkt restaurangbesök stod på en av broarna över någon ödslig kanal lovade vi varandra det. Att den som blev kvar längst skulle ta hand om den andras kvarlevor och se till att de hamnade rätt. Jag antar att vi därmed avsåg det svarta vattnet i just den stad där vi befann oss – och att vi på detta sätt skulle försäkra oss om evigt liv – men vi pratade aldrig om det efteråt. Naturligtvis var vi en smula berusade, det förstår sig.

Olyckligtvis hade jag inte Christa till hands tiden efter händelsen i Göteborg. Hon befann sig på reportageuppdrag i Sydamerika, tillsammans med sin nye man som är fotograf, och de återvände inte till Stockholm förrän i augusti. Vi hade bytt några mejl och ringt en eller två gånger, men vi träffades inte och pratade om saken öga mot öga förrän ett par dagar efter att jag varit i Göteborg och intervjuat den möjligen våldtagna. Vi åt lunch på Ulla Winbladh, satt och samtalade i nästan tre timmar, men ärligt talat kände jag mig en smula besviken när jag gick därifrån.

Ärligt talat vet jag heller inte vad jag hade förväntat mig, men vi hade inte setts på över ett halvår och om nu sanningen ska fram... ja, om den nu skulle det, så hade nog vår vänskap spätts ut en del de senaste åren. Sedan hösten 2008 är vi inte längre arbetskamrater. Vi har träffats med allt glesare mellanrum, hållit kontakten via mejl; ett par gånger i månaden, ibland tätare. Korta lägesrapporter bara, inte mer; självironiska och lite skojiga, det är ju den enklaste tonarten när det inte gäller livet. När det gäller livet, menar jag.

Just nu gällde det ju rätt mycket, jag ville åtminstone intala mig det, och om jag inte hörde av mig inom några veckor efter att jag lämnat Stockholm skulle Christa ana oråd. Trots allt. Tycka det vore konstigt åtminstone, det fanns väl internetcaféer i Marocko som på alla andra ställen i världen? Vi hade talats vid på telefon tre dagar innan Martin och jag gav oss iväg.

Jag tänkte också, medan jag satt där med mitt olösta korsord på färjan, att jag omedvetet hade distanserat mig från henne, och att det var mitt eget fel. Tanken gjorde mig sorgsen. Jag har inte lyckats bli en sådan där kvinna som alltid har ett halvdussin nära väninnor till hands, och det kan jag leva med. Men kanske hade det aldrig varit på riktigt med Christa heller? Vad som nu kunde avses med detta. *På riktigt*? Jag vet inte. Ångest eller potatis?

Det är märkligt hur geografiska förändringar kan sätta så mycket annat i rörelse. Som om allt jag varit och tänkt och trott hängt ihop med den där villan i Nynäshamn. Och med Aphuset. Gunvalds kommentar den där gången och den hemska bilden av spegeln gjorde sig i varje fall påminda, och mitt ute på Östersjön förstod jag plötsligt att det egentligen inte fanns någon som brydde sig. Inte om vad som skulle hända med mig. Inte med Martin. Vi hade levt våra liv, vi hade spelat i allsvenskan några år, dansat på löpsedlarna några månader, sedan tog vi till flykten. Vad övrigt är, är tystnad. Den stora glömskan, om man sätter Chandler framför Shakespeare. Eugen Bergman hade förstås ett intresse, men det var ju snarare av professionell än medmänsklig art. Våra barn? Pyttsan. Christa? Jag tvivlade.

Fast antagligen underskattar jag betydelsen av den akademiska vänkrets som Martin med åren kommit att omge sig med, men det är inte min sak att bedöma. Jag har underskattat saker och vägt fel i hela mitt liv.

Att jag inte såg minsta möjlighet att utbyta sådana här funderingar med mannen som snarkade vid min sida gav förstås ingen hjälp på traven. Jag minns att jag böjde mig ner och klappade Castor en god stund och att han gensvarade genom att slicka rent mitt högra öra som han har för vana.

Men att någonting vaknade inom mig under den där färjeturen över Östersjön, det vågar jag påstå. Någonting som borde ha fått sova vidare, men vill man trava på höga hästar så handlade det nog om viljan kontra ödet, om våra val och bevekelsegrunder. Jag hittar förstås inte ord att ringa in det ordentligt, mer än det jag redan sagt: att så mycket tydligen blev kvar i Aphuset och den där förbannade villan i Nynäshamn. Trettio års tillkämpade livserfarenheter, hur futtiga kan de inte te sig en klar dag ute på havet.

Det tog bara en halvtimme att köra från färjeterminalen i Świnoujście till professor Soblewskis hus. Det var en stor gammal trävilla i en bokskog nära havet. Den hade byggts under trettiotalet av någon nazistkoryfé och under kommunisttiden tjänat som sommarviste för politruker i partitoppen. Detta förklarade vår värd medan vi drack champagne ute på terrassen. Hur han själv kommit över kåken gick han inte in på. Han var i sjuttioårsåldern, verserad och tämligen charmig. Hans trettio år yngre hustru, eller möjligen sambo, hette Jelena och var dålig på både engelska och tyska, så konversationen blev en smula skev. Men det var jag van vid, två akademiska män som stod och pratade och skrockade, två hustrur som stod och försökte le.

Jag är inte helt säker på avsikten med besöket hos professor Soblewski. Kanske hade Martin berättat det för mig men jag hade lyssnat för dåligt. I alla händelser hade han tidigt förklarat att vi skulle ta den här rutten genom Europa, istället för den naturligare västliga: Rödby–Puttgarden–Hamburg–Strasbourg… och så vidare. Jag vet att Soblewski hade ingått i gruppen som vistats på Samos på sjuttiotalet, och med tanke på vad Martin hade i bagaget – och vad som var det uttalade syftet med hela vår resa – utgick jag ifrån att vårt besök hade med Herold och Hyatt att göra. På det ena eller andra sättet.

Men jag kan ha fel. Soblewski är ett stort namn inom den litteraturvetenskapliga världen och även om jag aldrig träffat honom tidigare, så har Martin haft åtskilliga kontakter med honom genom åren. Vi har ett halvdussin av hans böcker hemma i Nynäshamn, en av dem till och med i svensk översättning – *Under ordens yta*.

I alla händelser åt vi en lång och lite ansträngd middag, bara vi fyra, och det ansträngda vidlådde förstås bara damerna. Herrarna hade inga problem med att hålla konversationen igång, två karaffer rödvin och några glas vodka gjorde inte saken sämre. Jelena drack vodka men inte vin, med mig var det tvärtom. En dyster kvinna med en viss hälta serverade oss, professor Soblewski omtalade att hon var en avlägsen släkting som livet farit illa med.

Efter kaffet bad jag att få dra mig tillbaka, vilket beviljades, och medan jag låg i den voluminösa dubbelsängen på övervåningen och väntade på sömnen kunde jag genom golvet höra Martins och Soblewskis röster i åtskilliga timmar. De parlamenterade och diskuterade och lät mycket engagerade, då och då nästan upprörda, men vad de samtalade om vet jag inte. Inte då och inte nu, sjutton dagar senare. Jag tror klockan var inemot halv tre när Martin tumlade ner i sängen bredvid mig. Han omgav sig med ett moln av vodka.

11

Den femte november. Tretton grader. Dimma.

Vi tog vår morgonpromenad norrut, upp mot det som heter The Punch Bowl och Wambarrows. Wambarrows är en av de högsta punkterna på hela heden, men sikten var inte mer än trettio–fyrtio meter den här dagen och världen gömde sig. Vi följde en upptrampad stig, bitvis lerig och besvärlig att ta sig fram på, och för att inte riskera att gå bort oss vände vi om efter knappt en halvtimme och tog samma väg tillbaka. Inga vildhästar dök upp ur dimman, bara de vanliga skränande fasanerna. En och annan kråka. Jag är tacksam för att Castor saknar varje form av jaktinstinkt, med en annan sorts hund skulle det vara komplicerat att vandra på det här viset. Men han lunkar på som vanligt, tio meter efter på utvägen, tio före på hemvägen.

Stötte också på ”den där kvinnans grav”, som mr Tawking hade nämnt. I en krans av låga vindpinade träd sitter en liten metallplakett på en pinne: *Till minne av Elizabeth Williford Barrett, 1911–1961.*

Ingenting mer. Det såg inte ut som en grav. Jag tänkte att det nog bara var hennes aska som strötts ut i denna privata lilla minneslund.

Vem hon nu var? Och varför just denna karga plats? Inte

mer än hundra meter från Darne Lodge. Femtio år blev hon bara, jag kände att jag ville ta reda på mer om henne. Inte idag, men i sinom tid, hon är trots allt min närmaste granne.

Jag hade tänt en brasa innan vi gav oss iväg och huset var varmt när vi kom tillbaka. Jag åt frukost i godan ro medan jag läste de första trettio sidorna av *Bleak House*. Det är svårt att inse att skildringen av Londondimman i inledningskapitlet är hundrafemtio år gammal. Skulle lika gärna kunna vara skrivet idag. Jag har inte läst särskilt mycket Dickens, men Martin har alltid skattat honom högt. Kanske tar jag som rutin att läsa trettio sidor *Bleak House* varje morgon, det skulle i så fall räcka en månad och sedan kan jag ta mig till antikvariatet i Dulverton och skaffa en ny Dickens. Varför inte, jag måste forma min tillvaro runt praktiska ritualer; det är en tid att bygga varligt, inte riva ner.

När jag tittar ut genom fönstret och jämför min egen Exmoordimma med Dickens 1800-talsfogg, kan det kännas som om den vore ett levande väsen, precis som han påstår. En sofistikerad och intelligent fiende i färd med att omsluta, penetrera och uppsluka allt. Tålmodigt och metodiskt som ett virus, det krävs kroppar med en energimängd som solens för att kunna försvara sig i längden och det livsrum Castor och jag gör vårt bästa för att upprätthålla kommer naturligtvis en dag att ge efter. Men jag tänker att det ju egentligen bara är en variant av den gamla välkända vetskapen om naturens och dödens omutbarhet och intalar mig att inte falla till föga för tillfälliga stämningar. Överleva min hund, som sagt. Fatta beslut och fullfölja dem. Dimma eller inte dimma.

Strax efter klockan elva satte vi oss i bilen och körde bort mot Exford. Det är ett samhälle aningen större än Winsford; två pubar istället för en, postkontor och handelsbod separerade, samt gott om övernattningsmöjligheter för tillfälliga besökare. Vi köpte en tidning och fortsatte nordvästerut över höglandet, jag gissade att det var den här delen av heden som Mark Britton talat om, men sikten var fortfarande begränsad och Bristol Channel och Wales, som man lär se häruppifrån en klar dag, framträdde inte för ett ögonblick.

Därefter den brant stupande vägen ner till Porlock och sedan vidare utefter kusten till Minehead. Jag hade läst kartan ordentligt innan vi startade och jag stannade ett par gånger under färden för att orientera mig.

Minehead är en riktig stad, om sommaren tveklöst en turistort av viss dignitet, men så här års skäligen avfolkad. Vi parkerade och gick huvudgatan The Avenue ner till havet, sedan ett stycke fram och tillbaka längs strandpromenaden. Hittade så småningom en tvättomat, där jag efter visst krångel lyckades starta två maskiner, och inte långt därifrån ett öppet internetcafé. Köpte te och scones, och med Castor under bordet öppnade jag våra mejlboxar för första gången sedan vi lämnade Sverige. Min egen och Martins i tur och ordning. En viss hjärtklappning infann sig, det vill jag inte neka till. Jag hade inte tagit med våra datorer utan satt vid en av caféets sex fasta, en smula urmodiga, apparater; jag har för mig att det är så här det ska gå till, även om jag sett ungdomar med egna laptops på sentida inrättningar som Starbucks och Espresso House. Jag hade dock inte upptäckt vare sig det ena eller det andra kaffetemplet i den här sömniga staden.

Min mejlbox innehöll sammanlagt trettiosex nya meddelanden, trettioen allmänna och ointressanta, fem personliga. Till de personliga räknar jag då två invitationer till höstfester, den ena från kolleger på Aphuset, den andra från en skånsk väninna och tidigare arbetskamrat som varje år ordnar en

Mårten Gåsafton i sitt hem på Söder; jag har fått samma inbjudan varje år sedan 2003, den enda gången jag tackade ja. Eftersom kalaset redan ägt rum brydde jag mig inte om att svara. De tre återstående personliga kontaktförsöken kom från Synn, Violetta, som bor i vårt hus i Nynäshamn, samt från Christa. Inget av dem var mer än tre rader långt. Violetta hade en fråga om sopsorteringen som jag snabbt besvarade. Synn ville bara veta om allt gått väl och undrade var vi befann oss, avsändningsdatumet låg åtta dagar tillbaka i tiden. Jag skrev ett artigt och intetsägande svar om att vi mådde bra, att vi var framme i Marocko och att jag hoppades livet i New York var trevligt. Christa skrev följande:

Kära Maria. Får en känsla av att allt inte står rätt till. Har drömt om dig två nätter i rad. Du kan väl höra av dig och dementera min oro är du snäll. Var är ni? C

Jag skrev ett betryggande svar även till Christa. Resan genom Europa hade gått utmärkt, vi hyrde ett litet hus i närheten av Rabat, kunde se havet på avstånd, eller åtminstone ana det, och både Martin och jag trivdes bra. Jag märkte att det ändå gladde mig att Christa hört av sig på det här viset. Man drömmer väl inte om folk som inte betyder någonting?

Därefter gick jag över till Martins inbox. Det var första gången någonsin jag tagit mig för att läsa hans mejl, men han har haft samma lösenord i tio års tid, så det innebar inga svårigheter att öppna den. Däremot erfor jag en hastigt uppflammande – och så småningom långsamt avtagande – skamkänsla medan jag höll på. Men vem skulle sköta hans mejl i fortsättningen om inte jag?

Trettiotvå meddelanden. Jag öppnade dem allesammans, kunde omedelbart kasta en tredjedel, men det övriga tjoget läste jag noggrant igenom, vart och ett av dem. Merparten var från kolleger som jag kände till mer eller mindre, ett var från Gunvald, ett från Bergman – samt ett från någon som kallade sig G och där avsändaradressen inte gav några upplysningar. Innehållet i det sistnämnda mejlet var också en smula kryptiskt och när jag backade tillbaka i inkorgen hittade jag inga tidigare meddelanden från honom. Men eftersom jag gick via nätet så fanns ingenting bevarat som var mer än tjugo dagar gammalt. I alla händelser skrev denne G:

I fully understand your doubts. This is no ordinary cup of tea. Contact me so we can discuss the matter in closer detail. Have always felt an inkling that this would surface one day. Best, G.

Jag läste texten en gång till medan jag översatte i huvudet.

Dina tvivel? Ingen vanlig tekopp? Diskutera noggrant? En känsla av att det här skulle komma upp till ytan?

Vad var det här? Jag kände ett tydligt sting av oro och tänkte att jag måste leta igenom Martins adressbok när jag kom tillbaka till Darne Lodge, för att hitta upplysningar om signaturen G. Jag hade dock små förhoppningar, Martin har aldrig förstått hur man använder ett sådant register, har istället sparat alla gamla mejl i åratal. Men antagligen var den vägen också låst nu, eftersom vi bägge två – på förekommen anledning – skaffat oss nya adresser under sommaren.

Jag klickade bort signaturen G och började istället skriva svar till Gunvald. Gav samma information som i mina egna mejl till Christa och Synn, och bestämde mig för att anteckna vissa fakta om vår fiktiva bosättning – för eget bruk och för att kunna vara konsistent i fortsättningen.

Hus utanför Rabat. Enskilt och tryggt. Liten pool, havet på avstånd.

Förklarade också att vi i fortsättningen bara tänkte läsa av mejlen en gång i veckan och att dröjsmål med svar inte var någonting att oroa sig för. Vi hade hittat ett litet internetställe ett par kilometer från vårt hus, men ett av syftena med vår resa var ju att hålla oss en smula oanträffbara. Det fick de vara så vänliga att respektera: Bergman, Gunvald, Synn, Chris och alla andra.

Under någon minut satt jag sedan och funderade på att även besvara mejlet från G, men jag hittade inga gångbara formuleringar och beslöt att uppskjuta det. Beslöt också att vänta med att svara Bergman.

När mejlandet var avklarat började jag läsa lite nyheter från Sverige på de största tidningarnas nätupplagor, men efter bara några minuter insåg jag att det inte intresserade mig det minsta. Där fanns i varje fall inga uppgifter om att polisen letade efter en försvunnen hustru till en professor som hittats död under mystiska omständigheter vid den polska Östersjökusten, och trots att jag inte hade förväntat mig någonting sådant, märkte jag att det gjorde mig lättad. Jag tackade flickan bakom disken, betalade och förklarade att jag säkert skulle komma tillbaka.

Återvände till tvättomaten, stoppade i flera enpundsmynt i maskinerna och tryckte på nya knappar för att få igång torkningen. Tog med mig Castor tillbaka till bilen och lät honom ligga under en filt i baksätet medan jag gick runt i stan och provianterade och så småningom hämtade ut min torra tvätt.

Kände mig utan tvivel nöjd och tillfreds över att ha klarat av alla dessa praktiska göromål, som om jag vore vilken vanlig, anständig och fungerande medelålders kvinna som helst. Med hund.

Vi tog en annan rutt tillbaka över heden. Körde genom medeltidsstaden Dunster, över Timberscombe och Wheddon Cross; hela tiden samma smala, krokiga, stundom nergrävda väg. Det gäller överhuvudtaget att köra försiktigt, då och då händer det att man till och med måste stanna för mötande, men jag märker att jag vänjer mig.

Vänjer mig vid allt; vi kom tillbaka till Darne Lodge i skymningen klockan halv fem. Dimman hade bestått med oförminskad täthet hela dagen. Att ge sig ut och vandra så här dags på dagen är en omöjlighet, både jag och Castor skulle ha behövt en längre tur, men istället gick kvällstimmarna åt till att vika tvätt och till att laga en grönsakssoppa som borde kunna räcka i åtminstone tre dagar.

Det var överhuvudtaget goda och livsuppehållande sysslor, men jag märkte att mina tankar hade en benägenhet att återvända till signaturen G och hans inte riktigt specificerade oro.

12

”Vi tar en promenad på stranden först. Castor behöver röra på sig.”

Klockan var halv elva på förmiddagen. Vi hade just tagit avsked av professor Soblewski och hans Jelena, de stod fortfarande på terrassen och vinkade. Vi satt i bilen ute på den ojämna grusvägen som ledde upp till huset, redo att ge oss iväg.

Martin var tydligt bakfull och erkände att det var lite för tidigt för honom att sitta bakom ratten. Jag sa att jag höll med. En lång dag på vägarna väntade oss, det var inte bara den fyrbente som behövde frisk luft.

Det tog inte många minuter att hitta ner till havet. Vi körde ett litet stycke, fem–sex kilometer som jag uppfattade det, och stannade på en liten parkeringsplats intill ett vinterstängt café i bokskogen. En gång- och cykelväg fortsatte över brinken ner till en blekgrå sandstrand som skymtade mellan träden. Vi tog oss dit och konstaterade att den tycktes löpa hur långt som helst åt båda hållen. Det var alldeles folktomt, vädret var disigt med en ganska stark vind, nordvästlig såvitt jag kunde bedöma, och utan att diskutera saken började vi vandra österut. Castor har alltid tyckt om sandstränder och sprang för en gångs skull före med svansen i vädret. Martin var betydligt mer dämpad, höll händerna nerkörda i byxfickorna och axlarna uppskjutna. Föredrog att gå en bit ifrån mig också, det var tydligt att han inte var upplagd för att prata; jag tänkte att det var gårdagens vodka som hade honom i sitt våld, jag var inte obekant med tillståndet.

Kanske samtalet med professor Soblewski också, detta var jag däremot obekant med.

Efter en stund, när vi gått kanske femhundra meter, fortfarande utan att ha sett till en människa, kom Martin på att han glömt både plånbok och mobiltelefon i bilen. Jag frågade om han ville gå tillbaka, men han ruskade bara irriterat på huvudet.

”Det är väl knappast mitt fel”, sa jag.

”Har jag påstått det?” sa Martin.

Jag brydde mig inte om att svara. Fick fatt på en pinne och började leka med Castor istället. Han är normalt inte en hund som tycker om att jaga pinnar, men just den här dagen var han på bettet. Jag kastade, han sprang så att sanden yrde och kom till och med tillbaka med det fiktiva bytet.

”Se till så han inte blir blöt”, ropade Martin. ”Tänk på att han ska ligga och lukta i bilen hela dagen.”

Jag kommenterade inte det heller. Men trots havet och stranden och vinden började min livskänsla sjunka till en farligt låg nivå. Jag vet inte riktigt vad jag avser med det uttrycket – farligt låg nivå – men det är ord som fanns hos mig redan där och då, ingenting jag fiskat upp i efterhand, när jag försökt analysera och förstå vad det var som sedan hände. Stämningen från gårdagens färjeöverfart återvände hastigt, och de sömnlösa timmarna under natten innan Martin kom och lade sig – så snart han kommit i säng hade han satt igång att snarka, vilket gjorde att klockan blev nästan fyra innan jag somnade – och medan vi gick där på stranden, noga med att hålla oss tio–femton meter ovanför vattenbrynet där det fanns en bred remsa med hårt packad sand som var behagligt lätt att gå på, förstod jag att det trots allt inte hade med ångest att göra.

Intighet snarare. En känsla utan känsla, en likgiltighet som ändå förvånade mig, eftersom jag inte kunde minnas att jag upplevt den tidigare. Även om det kanske var den Gudrun Ewerts försökt komma på spåren under våra senare samtal. Eller är det typiska för intigheten just att man *inte* upplever den, det låter ju onekligen så? Jag tänkte att det i själva verket skulle ha kunnat vara en helt annan människa som vandrade här i vinden med sin man och sin hund – eller att någon cynisk makthavare roat sig med att stoppa in en annan hjärna och en annan minnesbank i mitt arma huvud och att det var därför som jag inte kunde orientera mig. Jag var vilse i mitt inre landskap, och det berodde helt enkelt på att det var utbytt. Eller utraderat. Jag tänkte att man i min ålder inte borde utsättas för känslor och stämningslägen som man inte kan väga och identifiera, men det var ändå just på det viset det förhöll sig. Jag var en nyfödd femtiofemårig bebis.

Jag försöker alltså sätta ord på mitt tillstånd den där dagen och jag gör det i det närmaste tre veckor efteråt. Det kan kanske verka som om jag härigenom ger uttryck för en vilja att begripa och rättfärdiga, men jag är rädd för att också detta är en förfalskning. Jag skriver för att undvika vansinnet – ensamhetens tålmodigt eroderande vansinne – och för att överleva min hund, ingenting annat.

Vi fortsatte ett stycke till. En kilometer, kanske en och en halv. Utan ett ord. Utan skymten av andra människor, det var en smula märkligt. Bara jag, Martin och Castor, på betryggande avstånd från varandra. Var och en i sin egen värld uppenbarligen. Tre varelser på en strand, sent i oktober. Castor hade slutat jaga pinnar men gick fortfarande i täten. Jag tänkte att jag inte längtade efter någonting. Jag var inte hungrig, inte törstig.

Så kom vi fram till bunkern.

Den låg halvt begravd i sanden ett gott stycke upp från vattenbrynet, alldeles nedanför brinken på vars andra sida bokskogen tog vid.

Martin stannade upp.

"Har du sett på fan."

Det var det första någon av oss yttrat sedan han uppmanade mig att hålla ordning på hunden. Jag betraktade bunkern – det fanns ingenting annat som kunde ligga till grund för hans uttalande – och frågade vad han menade.

Han skrattade till, det kom lite oväntat och jag tänkte att det där med vindens inverkan på vodkan kanske hade fungerat, trots allt.

"Jag skulle vilja titta in i den", sa han och lyckades fylla rösten med den där typen av scoutaktig entusiasm som jag så vackert böjt mig under i trettio år. "Det är väl en gammal historia från andra världskriget förmodligen. Men jag kommer ihåg..."

Och medan vi tog oss upp genom den aningen lösare och aningen mer svårforcerade sanden – och medan han började sparka undan tung sand som drivit upp framför den rostiga järndörren på baksidan av bunkern – berättade han att det fanns en roman av en ganska känd svensk författare, där just en sådan här gammal betonghistoria spelade en avgörande roll. Jag kände till författaren men hade inte läst boken, vilket Martin tydligen gjort; med stor behållning dessutom, för plötsligt var det av stor vikt att få ta en titt på insidan också. Han skyfflade undan mera sand, nu med både händer och fötter, medan han flåsande försökte förklara för mig exakt vilken roll bunkern spelade i berättelsen. Ett avgörande möte mellan två rivaler, tror jag, men jag lyssnade på sin höjd med ett halvt öra och kan i efterhand inte erinra mig några detaljer. Så småningom hade han fått bort så mycket sand att vi kunde lyfta ner regeln från dess fäste och med förenade krafter dra upp den tunga och tröga dörren. Den gled upp på skrikande gångjärn, inte mer än trettio–fyrtio centimeter, men tillräckligt mycket för att vi skulle kunna ta oss in.

Castor fann det för gott att hålla sig på tio meters avstånd och misstänksamt betrakta våra förehavanden. Ville vi gå in i en snuskig gammal bunker var det vår sak, inte hans.

Det var mörkt därinne, det enda ljusinsläppet kom genom dörren vi just fått upp på glänt samt genom två små gluggar som vette ut mot havet. De var belägna alldeles under taket och i storlek som två mindre skokartonger på högkant; jag antog att de var avsedda att hålla utkik ifrån och skjuta igenom.

Det rörde sig om ett enda rum, således, i storlek kanske fem gånger fem meter. Runt tre av väggarna löpte en nästan meterbred bänk, också den i grov, skrovlig betong. Bred nog att ligga och sova på, men också i lagom höjd för att man skulle kunna ställa sig på den och kika ut mot havet och eventuellt annalkande fiender. Och skjuta ner dem, som sagt.

Där fanns en del klotter på väggarna, namn och datum och tags av diverse slag, och lukten av instängdhet och våt betong kändes unken och påträngande. Spår av olja eller bensin och kallnad sot stack också i näsan och Martin pekade mot resterna av en utbrunnen eld nästan mitt på golvet. Dessa förkolnade vedträn samt två plåtdunkar med okänt innehåll och några glest utplacerade järnkrokar i taket var de enda föremålen i rummet.

Det var i varje fall vad jag trodde när plötsligt två stora råttor dök upp under bänken, kilade tvärs över golvet alldeles framför fötterna på oss och försvann in i ett mörkt hörn. Men för all del, råttor räknas kanske inte som föremål. Jag skrek till och Martin svor.

”Fan också!”

”Ja, vad har vi härinne att göra?”

Jag kände med ens att det var en oerhört berättigad fråga och drog mig hastigt tillbaka till dörren. Martin stannade dock kvar. Klev upp på bänken och tittade ut genom den ena gluggen. Hans huvud täckte precis öppningen och det blev ett snäpp mörkare i rummet.

”Fanimej, det är nästan exakt som i boken...”

Där fanns en upphetsning i hans röst och jag överfölls av ett starkt äckel. Märkte att mitt synfält höll på att krympa och innan jag visste ordet av hade jag backat ut genom dörren, skjutit igen den med uppbjudande av krafter jag inte visste att jag ägde, samt fått den tunga låsregeln på plats.

Castor satt kvar på samma fläck. Jag hade inte varit inne i bunkern mer än en minut. Jag hörde Martin ropa någonting därinifrån.

Mitt synfält återtog sitt normala omfång men mitt äckel bestod.

”Kom Castor”, sa jag, och så började vi vandra tillbaka längs stranden samma väg som vi kommit. Jag antog att Martin ropade på nytt men den starka vinden tog effektivt död på alla ljud.

Jag kontrollerade att jag hade min bilnyckel i jackfickan. Tänkte på det där kladdiga på Magdalena Svenssons mage.

II.

13

Under de första fem–tio milen kunde jag inte få råttorna ur huvudet.

Inte råttorna i bunkern, utan de där feta rackarna som den svenske författaren E berättar om i en av sina romaner. Det är bara en episod, men Martin skrev sin avhandling om just denne författare och jag vet att han alltid varit omåttligt förtjust i historien om mannen som i hemlighet föder upp ett gäng stora råttor i sin jordkällare. När de blivit tillräckligt feta och blodtörstiga – jag minns inte detaljerna men jag har för mig att det rör sig om ett dussintal eller fler – lämnar han dem utan mat under flera dagar, sedan riggar han en sorts fälla som går ut på att hans hustru skall göra sig besök till jordkällaren (eftersom han själv ligger sjuk i hemmet), halka på isen i trappan och glida ner i mörkret till råttorna genom dörren som automatiskt slås upp och stängs bakom henne.

Och de är en smula hungriga, råttorna.

Man får anta att allt går enligt planen för en dag är hustrun plötsligt försvunnen ur historien. Det är överhuvudtaget en episod som jag har svårt att tänka mig att en kvinnlig författare skulle komma på att skriva.

Medan jag styrde kosan söderut – mot Szczecin och Berlin –

funderade jag på om Martin just nu erinrade sig E:s berättelse.

Och på om han själv möjligen också var på väg att försvinna ur historien.

Men innan vi kommit så långt som till bilen och till Europaväg 65 hade vi en lång vandring i motvinden på stranden att ta itu med, Castor och jag, jag kan inte hoppa över den. *Den besynnerliga vandringen*; och vad vi än tänkte och vad vi än kände under detta avgörande avsnitt i våra liv, så vände vi inte tillbaka. Vi stannade inte ens upp och reflekterade, inte en enda gång. Inte jag, inte Castor, *vi såg oss inte tillbaka*. Jag skulle kunna skylla på att det redan efter mycket kort tid var för sent. Vad skulle jag ha sagt till Martin?

Men dessutom – och ånyo – var det som om min varseblivning och mina förnimmelser ägdes av någon annan. Som om jag såg och upplevde världen för första gången, orden känns trubbiga när jag försöker närma mig det i efterhand, trubbigare än någonsin, men det var sanden, det var havet, det var mina steg, ja, varje enskilt steg, det var vinden i mitt ansikte, enstaka måsars skrin, mina andetag och min hund som höll sig ovanligt tätt intill mig, han gjorde verkligen det. Allt detta omgivande och inneboende ägde en tydlighet och en skärpa, och samtidigt en samklang, en pregnans och en närvaro, som tycktes tillta och som långsamt fick min hud att hetta som under en kulminerande feberattack.

Och vi gick och vi gick. En timme tog det innan vi var tillbaka på den lilla parkeringsplatsen; vi hade inte mött en enda människa på återvägen heller och inget fordon förutom vår mörkblå Audi stod utanför det stängda caféet. Kanske fanns där ett bud om regn i luften, men när vi kröp in i bilen kände vi oss bara behagligt genomblåsta och uppfriskade, både Castor och jag. Efter att jag kontrollerat att Martins mobiltelefon, pass och plånbok verkligen låg på plats i ytterfickan till hans portfölj – och efter att jag konsulterat kartan en god stund – kunde vi ge oss iväg med fullt fokus på framtiden.

Vi nådde fram till Berlin vid sextiden på kvällen. Under vägen hade jag ringt och avbokat det hotellrum Martin redan hade beställt; jag förklarade att vi råkat ut för sjukdom och lyckades slippa ifrån straffavgiften. Istället tog Castor och jag in på Albrechtshof i Mitte för sex nätter. Jag kände att vi behövde tid att planera och vidta åtgärder i lugn och ro, och det var också detta vi ägnade de kommande dagarna åt.

Den första kvällen, bara en timme efter att vi checkat in på hotellet, inträffade en liten episod som jag efteråt har tolkat som ett tecken. Vi var ute på en promenad i de närmaste kvarteren och plötsligt kom vi fram till en polisstation. Jag måste ha drabbats av något slags chock, för jag blev stående på trottoaren utanför ingången, oförmögen att komma ur fläcken. Jag stod där med Castor vid min sida och det kändes som om de tunga huskropparna lutade sig över oss, som om hela omgivningen var på väg att falla samman. Stadens ljud förvreds i mina öron till en obegriplig kakofoni, men efter några sekunder tystnade det och istället hörde jag en röst inuti mitt huvud. *Det är ännu inte för sent*, sa den. *Han är fortfarande vid liv. Du kan gå in genom den där gröna dörren och ställa allt till rätta.*

Och utan att betänka mig gick jag uppför de tre trappstegen och sköt upp dörren, Castor i hasorna. Vi kom in i ett slags reception och omedelbart möttes vi av en stram kvinna i uniform som förklarade att jag inte fick ta med mig hunden in på stationen. Hon höll ett stetoskop i ena handen av någon anledning som jag inte kunde begripa. Poliser brukar väl inte använda stetoskop?

Jag tvekade en sekund, sedan bad jag om ursäkt, tog med mig Castor och vände om.

Fortsatte promenaden som det var tänkt och en kvart senare var vi tillbaka på hotellrummet. Jag sov drömlöst den natten och när jag vaknade tidigt på morgonen nästa dag kände jag mig som en ouvertyr.

Eller också tänkte jag bara tanken, det är kanske inte möjligt att känna sig som en ouvertyr.

Albrechtshof låg drygt en kilometer från Tiergarten och vi tillbringade åtskilliga timmar genom att ströva omkring i denna välvilliga park och fatta nödvändiga beslut. Vädret var hela tiden milt och behagligt, inte många solglimtar men heller ingen nederbörd. Det var första gången på många år jag befann mig i Berlin, och det som jag nu framförallt erinrade mig var mitt allra första besök i denna drabbade stad. Det var i maj 1973, ett halvår innan Gunsan dog, och det var vår avgudade klassföreståndare och svensklärare Stolpen som höll i taktpinnen. Hela klassen utan undantag var med, tjugoåtta femton–sextonåringar – plus Stolpen och två föräldrar. Det var tre veckor innan vi gick ut grundskolan, vi ilade runt som skållade råttor mellan museer, caféer och monument, stod förvirrat förskräckta och stirrade på muren och Checkpoint Charlie, klottrade våra namn utanför Bahnhof Zoo, shoppade på KaDeWe och försökte prata tyska till och med med varandra.

Och Tiergarten, då som nu. Femton år då, femtiofem idag. Jag tänkte att parken var sig lik. Konstaterade att livet var kort, med jämna mellanrum förklarade jag det för Castor. Livet är kort, ett hundliv ännu kortare. Vi delade en currywurst på en parkbänk. Vad ska vi göra med den tid som ändå är kvar? frågade jag min hund. Äta mera tysk korv, ansåg Castor, det såg jag på honom och på nytt tänkte jag att jag såg världen som den verkligen var. För första gången. Jag skrattade, det gick över, men det var ett ögonblick när solen bröt igenom ett moln som jag faktiskt skrattade, där på en bänk i Tiergarten.

Det första beslut jag fattade var att inte vända tillbaka till Sverige. Att återgå till något slags sammanhang, fabulera ihop en historia om att Martin hade försvunnit, styra mina sorgetyngda steg tillbaka till Aphuset... nej, det kändes som en omöjlighet, jag reflekterade inte många minuter över det alternativet.

Det andra beslutet var inte svårare det: vi skulle inte fortsätta till Marocko. Jag hade aldrig satt min fot i landet, där fanns ingen och inget som väntade oss och vad en ensam kvinna med en hund hade för utsikter att få någon sorts fotfäste där gjorde jag mig inga illusioner om.

Återstod vad? Återstod att hitta en lämplig plats i Europa att övervintra på. Ett lämpligt land. Det var naturligtvis fullt möjligt att jag skulle råka ut för ett psykiskt sammanbrott, det var jag den första att tillstå; allt skulle mycket väl kunna gå åt helvete, men i väntan på den dagen och den stunden kunde jag ju inte bara sitta på en parkbänk i Tiergarten och käka korv. Castor fick ursäkta.

Återstod en rad praktiska detaljer, således. Inte lägga ut spår, framförallt detta. Inte låta kreditkort och mobiltelefonerande avslöja färdvägar och uppehållsort. För den händelse vi skulle bli eftersökta.

Av polisen eller av en make som lyckats ta sig ur bunkern på något vis. Under dagarna i Berlin blev jag alltmer osäker på hur jag bedömde den senare möjligheten. Jag hade ingen säker uppfattning om hur länge en människa kan överleva utan mat och vatten, men jag antog att den värsta fienden borde vara kylan. Jag kom ihåg att jag läst om människor som överlevt mer än fjorton dagar utan vatten, kanske upp mot en månad, men då hade de varit instängda under vältempererade förhållanden. Hur varmt kunde det ha varit i bunkern? Knappast mer än sju–åtta grader, gissade jag, och nattetid sjönk temperaturen antagligen lägre ner ändå.

Råttornas eventuella roll försökte jag avhålla mig ifrån att tänka på, men de måste väl ändå ha något slags gång att ta sig in och ut igenom? Eller använde de gluggarna ut mot havet? Dessa var för små för en vuxen människa, det var jag övertygad om, men naturligtvis tillräckliga för en råtta.

Ja, hur var det med möjligheterna för en människa att ta sig ut?

Hur var det med sannolikheten för att en vandrare kom förbi och hörde någon ropa på hjälp?

Och det andra scenariot – att polisen började leta efter Castor och mig – hur stod det till med sannolikheten där? Om någon hittade en död kropp i en bunker vid den polska Östersjökusten, hur skulle man bära sig åt för att ta reda på vem det var?

Inga identitetshandlingar. Ingen mobiltelefon. Hade Martin någonting i byxfickorna som kunde peka mot Sverige? Jag visste inte. Den femtionioårige litteraturkolossen Martin Holinek från Sverige var i alla händelser inte rapporterad som försvunnen och hans fingeravtryck eller dna fanns inte i några register. Eller hade polisen tagit hans avtryck under det där dygnet när han förhördes för våldtäkten? Jag visste inte det heller. Hur skulle jag kunna veta? Skulle en misstanke kunna dyka upp i huvudet på professor Soblewski om han i sin lokala tidning fick läsa om ett makabert strandfynd? Det fanns det väl ändå ingen anledning att befara? Eller?

Bra frågor måhända. Men redan på den tredje dagen i Berlin beslöt jag mig för att betrakta dem som irrelevanta.

Svaren på dem hade ingenting att göra med mina strategier för framtiden, jag måste planera och handla som om allt var under kontroll. Vad som skedde bortom min horisont inverkade inte på förutsättningarna – Castors och mina förutsättningar och omständigheter. Göra det bästa av situationen, det var det hela, fortsätta framåt.

Jag tyckte också rätt snart att jag kunde berömma mig av ett logiskt och kallt huvud, och jag förstod att det till stor del berodde på att jag inte hade bråttom. Jag var trots allt inte jagad, inte under stress. Det fanns tid att analysera och vidta alla mått och steg, och om jag ansåg att det behövdes mer tid var det ingenting som hindrade att jag förlängde vistelsen på vårt hotell några dagar. I alla händelser skulle Berlin bli den sista plats där jag lämnade spår efter mig, det bestämde jag. Den sista plats där jag använde något av våra kreditkort och den plats där jag slutgiltigt stängde av våra mobiltelefoner. Dessa så lättspårade moderniteter.

Att jag skulle vara tvungen att använda vår bil även i fortsättningen var möjligen en komplikation, men att stjäla ett annat fordon eller försöka byta registreringsskyltar, ja, det föll helt enkelt utanför det möjligas ramar. Om jag hade mördat en president eller en statsminister hade jag sannolikt övervägt alternativet, men till sådana övergrepp var jag trots allt inte skyldig.

Inom överskådlig tid skulle ingen med rimligt begränsade resurser hitta oss, det var den grundtanke jag måste bita mig fast i.

Och det gjorde jag.

När vi lämnade Albrechtshof, tidigt på morgonen den tjugoåttonde oktober, hade jag på olika banker och i automater lyckats ta ut sammanlagt 45 000 euro, vilket tillsammans med de 10 000 amerikanska dollar och de 12 000 euro vi sedan tidigare hade i reskassan borde vara tillräckligt mycket kontanter för att hålla oss flytande i åtminstone ett halvår. Om vi levde snålt – åtskilligt längre.

Och under de dimmiga förmiddagstimmarna på motorvägen mellan Berlin och Magdeburg bestämde jag mig alltså för England. Jag hade lekt med tanken både på Spanien och Provence – Italien och Grekland också, det ska erkännas – men till syvende och sist var det inte klimatfrågorna som fällde avgörandet. Jag ville att Castor och jag skulle dra oss undan till ett land där jag åtminstone behärskade språket, där jag obehindrat kunde läsa en dagstidning och följa med i nyhetssändningarna på teve och radio. Jag är inte helt klar över varför denna faktor kändes så väsentlig, men gudarna ska veta att det inte var det enda jag var oklar över.

Följande natt bodde vi på ett litet hotell i staden Münster, alldeles i skuggan av den stora katedralen. När vi checkade in förklarade jag att vi blivit bestulna på både pass och kreditkort och bad att få betala kontant i förskott. Det mötte inga hinder. Det är överhuvudtaget en fördel att vara en femtiofemårig någotsånär välvårdad kvinna. Man blir trodd, helt enkelt, vad man än säger.

Det mötte heller inga hinder att få med Castor under Engelska kanalen – men det skulle det ha gjort om jag inte bluffat mig igenom tullen. Jag blev varse de gällande brittiska djurbestämmelserna först vid tunnelterminalen i Calais och efter att ha övervägt saken noga beslöt jag att ta en chans. Jag stuvade om i packningen och täckte över Castor med en filt, bad till Gud att man inte skulle upptäcka honom, och det klarade sig. Jag blev naturligtvis tvungen att visa mitt eget pass, men jag såg aldrig att man drog det genom någon scanner, så jag är inte säker på om min ankomst till Storbritannien faktiskt registrerades.

Hursomhelst tänker jag inte undersöka saken. Och om jag givit mig tid att tänka efter, hade jag kanske inte alls valt Storbritannien. Gränsen mellan Frankrike och detta örike är ju i stort sett den enda bevakade övergången mellan två länder i Västeuropa. Men jag reflekterade alltså inte tillräckligt över den saken och det blev som det blev. Medan jag satt och vilade i bilen på tåget tänkte jag att man måste våga lita till ödet och makterna också, man måste faktiskt det.

Vi körde av tunneltåget och möttes av ett smutsgrått gammalt imperium. Att ta sig med bil från Folkestone in till centrala London var en sannskyldig prövning. Hela vägen bar jag på en känsla av att jag skulle krocka och att jag och Castor skulle få tillbringa kvällen hos polisen. Och att allt därmed skulle vara förlorat. Jag försökte hålla mig kvar vid tanken om ödet och makterna men det var inte lätt. Under de två och en halv timmar det tog oss att nå fram till Marble Arch var jag istället uppfylld av ett rusande hjärta och en undertryckt panik, och när jag äntligen kunde parkera på en liten sidogata till Queensway i Bayswater upplevde jag en lättnad som fick mig att knäppa händerna och tacka Gud.

Klockan var halv sju och det regnade. Ingångarna till Kensington Gardens och Hyde Park var sorgfälligt stängda eftersom det var mörkt, så det blev en kvällsvandring bortåt Notting Hill istället. Regnet var verkligen tunt, en sådan där nederbörd som bara finns i London, någonting som lojt drev omkring i luften utan att egentligen falla; jag har i varje fall aldrig upplevt det någon annanstans. Vi började fråga efter husrum och så småningom hittade vi ett enkelt hotell vid Leinster Square som accepterade att härbärgera både mig och min hund för tre–fyra nätter framåt. Ett trångt rum med utsikt mot en brandvägg, bara, men det var gott nog att ha tak över huvudet, det menade både Castor och jag. Vi återvände till bilen, exakt i tid för att undvika parkeringsvakten, som faktiskt log och vinkade åt oss när vi körde iväg. Jag uppfattade detta som en fredlig hälsning från makterna, och efter att ha lastat av en del bagage samt en påse hundmat vid hotellet, och efter en stunds letande, hittade jag ett parkeringsgarage bortåt Paddington där man kunde köra in och ställa bilen utan att behöva betala i förväg. Jag tänkte att jag skulle låta den stå kvar tills det var tid att lämna London, och att jag så dags säkert kunde förklara för någon vakt att jag förlorat mitt kontokort och ville betala kontant. Medelålders, välvårdad kvinna ljuger inte i det här landet heller.

Så skedde också så småningom. Det är inte alldeles enkelt att hålla sig inkognito i världen i våra dagar, men jag kände att jag började få en viss rutin på de här sakerna.

14

Tolv grader. Lättande dimma och vind från sydväst. Den sjätte november.

Brasa, en kortare vandring åt Dulvertonhållet, frukost, trettio sidor *Bleak House*. Förmiddagarna är enkla. Vi har bara sovit i huset i fyra nätter, det kunde lika gärna varit fyrtio. Så som du lever en dag, kan du också leva alla dina resterande dagar; det är en återkommande tanke men jag kan inte riktigt värdera den.

En grupp vildhästar kom och hälsade på oss, kunde man tillägga. Raggiga och vänligt sinnade som vi uppfattade det. Lerigt och vått, kunde man också tillägga, jag funderar på att skaffa ett par vanliga gummistövlar istället för kängorna.

Vid tolvtiden började solen bryta igenom på allvar och vi gav oss iväg en smula på måfå i bilen. Körde norrut och stannade så småningom på en liten parkeringsplats mellan Exford och Porlock. Häruppe är heden just så vidsträckt och ödslig som Mark Britton beskrev den. Man ser kilometervis åt alla håll, för att inte säga miltals, och inte så mycket som en byggnad. Inga tecken på mänsklig verksamhet överhuvudtaget, knappt ett träd ens; bara ljung, ärttörne och ormbunkar. Strävt gräs, mossa och lera. Himlen kommer oerhört nära i sådana landskap. Vi följde en sorts stig i nordostlig riktning, jag antar att det är vildhästarna som trampat upp den; den tycktes försvinna och komma tillbaka, på sina ställen var det för blött och vi fick lov att forcera den grova ljungen, bokstavligen tränga oss igenom den, men Castor uppfattade det hela som en stimulerande utmaning och jag märkte att hans inställning smittade av sig på matte. En förunderlig känsla av frihet snuddade vid mig, av någonting ursprungligt och vilt. *Så som du lever en dag*... Vi rörde oss i naturliga slingor runt de mest vattensjuka sänkorna, hela tiden med blickar tillbaka för att inte tappa orienteringen, hela tiden respektfulla gäster i detta karga, orörda landskap. Man behöver inte bestämma sig för det, känslan infinner sig med bjudande självklarhet. Man är oerhört liten.

Och plötsligt var himlen alldeles öppen och klarblå. Jag tänkte att blotta vetskapen om att sådana här dagar är möjliga, att de finns och står lagrade i tiden och almanackan, gör tillvaron uthärdlig på ett sätt som jag haft alltför lätt att glömma bort. Efter en stund upptäckte vi en större grupp hästar på avstånd, kanske tjugofem–trettio stycken, de stod alla och betade gräs i en solig sluttning, och kanske var det så, inbillade jag mig med ens, att de skulle ha stått där, på precis samma plats, alldeles oberoende av om världskrigen, romarrikets nedgång och fall och uppfinningen av hjulet verkligen hade ägt rum eller ej. I denna solbelysta sluttning i detta England som alltså var den moderna tidens vagga.

Om fem–sex timmar skulle de vara insvepta i dimma och mörker och ingenting kunde bekymra dem mindre.

Medan vi långsamt drog oss tillbaka mot bilen funderade jag på om sådana här reflektioner var någonting jag skulle ha försökt få på pränt, om jag nu varit den författare jag utgav mig för att vara – eller kanske borde få på pränt i alla händelser – men jag bestämde mig för att det vore fåfängt.

Varför dra ytterligare strån till den skräphög av vilsna naturiakttagelser som… som den vite mannen krystat fram ur sitt existentiella armod sedan civilisationens gryning? Ord, ord, tänkte jag och jag kände en glad och obestridlig tacksamhet över att mitt skrivande bara är en täckmantel.

På återvägen stannade vi till i Exford, provianterade en smula och köpte en dagstidning. Jag hade knappt läst en tidning sedan jag satt med Svenska Dagbladet på färjan mellan Ystad och Polen, och när vi var tillbaka i Darne Lodge, och så snart jag fått fart på en ny brasa, låg jag verkligen i soffan med Castor ihoprullad under benen och tog mig igenom The Independent, målmedvetet från den första sidan till den sista. Det var mera en gest mot verkligheten och civilisationen som sådan, tror jag, jag hittade ingenting som berörde mig eller fick mig att längta ut i världen. Så småningom somnade jag förstås, och när jag vaknade var det mörkt i rummet och elden hade falnat till en nätt och jämnt levande glödhög.

Jag tände de två stearinljusen på bordet. Låg kvar en stund och funderade. Lyssnade till det viskande ljudet från rhododendrongrenarna mot fönsterblecket och till vinden. Det hade börjat blåsa upp. Det finns inga gardiner i vardagsrummet. Om en människa eller ett djur stod två meter utanför huset och tittade in skulle jag inte upptäcka det. Jag steg upp och antecknade *ficklampa* på min inköpslista; enligt mr Tawkings inventarieförteckning som sitter i pärmen ska det finnas två stycken, men jag har inte hittat någon av dem.

Kommen så långt genom denna obemärkta novemberdag bestämde jag mig för att ta en första kontakt med Martins material från Samos och Marocko.

15

Det fanns ingen internetuppkoppling i mitt rum på Simmons Hotel, men väl en dator för gästernas bruk nere i lobbyn. Här tillbringade jag, till vissa andra yngre gästers förtret, närmare två timmar den första förmiddagen i London. Så lång tid tog det för mig att hitta The Darne Lodge utanför byn Winsford i grevskapet Somerset. Säkert granskade jag över hundra hyresobjekt i sydvästra England; att jag bestämt mig för just denna landsända hängde ihop med att vi en gång för många år sedan hyrde ett hus utanför Truro i Cornwall – jag, Martin och barnen. Vi stannade en hel månad och som jag också minns det var det den mest lyckade semester vi någonsin genomförde under alla våra år tillsammans. Gunvald och Synn var i tidiga tonår men det fungerade ändå, och jag vet att jag, när vi åt våra middagar i det trånga köket i vårt lilla stenhus efter dagens utflykter, kände en sorts gemenskap och en tillhörighet som jag aldrig känt tidigare. Kanske var det en inbillning men sådant går ju inte att avgöra. Dessutom kommer jag ihåg att Martin och jag faktiskt hade ett riktigt bra sexliv där i Cornwall. Det var för övrigt sommaren före den vinter då Martin hade sin otrohetsaffär.

Och jag kan inte svära på att den inte hade inletts redan före den där sommaren.

Exakt vad jag trodde att denna gamla vistelse skulle ha för betydelse för det nuvarande läget vet jag inte, men kanske var jag ute efter ett slags återkoppling till något förgånget med goda förtecken. Det hade i varje fall mera med känsla än med tanke att göra, men jag insåg att jag haft bilden av ett litet hus i sydvästra England i huvudet redan när vi lämnade Berlin.

I beskrivningen av Darne Lodge fanns inga kontaktuppgifter via nätet. Bara ett telefonnummer. Jag lånade telefonen av den sömnige ungraren i receptionen och mr Tawking svarade efter en halv signal. Som om han suttit och väntat på att jag skulle ringa. Efter fem minuter hade vi kommit överens om priset för ett halvår och saken var klar under förutsättning att jag förde över en handpenning till hans bankkonto under dagen.

Under dagen? undrade jag.

Under dagen, svarade mr Tawking. Folk brukar stå i kö för att få bo i mitt hus.

Det tvivlade jag på, både då och senare, men jag accepterade. Castor och jag tog en promenad genom parken ner mot Kensington och hittade så småningom ett bankkontor, där vi efter visst parlamenterande lyckades ombesörja betalningen till mr Tawking utan att vare sig kreditkort eller personuppgifter behövde komma i dagen. Jo, jag uppgav mitt nya namn, Maria Anderson, samt en fiktiv adress i Köpenhamn.

Jag växlade också till mig 1 500 pund, tänkte att jag skulle växla in ytterligare i några av de små kontoren längs Queensway innan vi gav oss iväg västerut; lämpligt fördelat på lagom stora summor som inte skulle väcka uppseende.

Men inga spår. Inkognito; när vi kom ut i solskenet på den myllrande Kensington High Street greps jag av en plötslig och överraskande optimism. Jag fattade beslut och jag genomförde dem. Jag stötte på problem och löste dem. Jag gav Castor en levergodis och lovade honom att jag skulle hålla mig vid liv åtminstone så länge som han gjorde det.

Min optimism förvandlades till sin motsats cirka tjugo minuter senare nedanför Peter Panstatyn i Kensington Gardens.

”Maria?”

Jag såg omedelbart vem det var. Katarina Wunsch. Numera på radion i Luleå, men vi hade varit kolleger på Aphuset fram till början av 2000-talet. Inte alldeles nära men vi hade båda hållit på i åtskilliga år. Hon hade sin man i sällskap, jag mindes inte vad han hette i förnamn, men jag hade träffat honom några gånger.

Och nu var de tillsammans i London. En kortsemester eller kanske arbete, vad visste jag. Jag hade en halv sekund på mig att bestämma mig.

”I'm sorry?”

”Men...?”

Hennes förvåning var total. Hon stirrade på mig, kastade sedan en blick på sin make för att få bekräftelse.

Bekräftelse på att kvinnan med hunden som de just nästan kolliderat med i Kensington Gardens verkligen var Maria Holinek, som... som de hade känt i många år. Visserligen hade de nog inte setts sedan 2005 eller någonting sådant, men ändå? Det kunde väl inte finnas några tvivel, hon var ju inget okänt ansikte precis och de hade till och med hört talas om hunden. De hade förstås läst om det där förfärliga under försommaren, de som alla andra människor, men kunde det verkligen...?

Ja, jag vet förstås inte vilka tankar som gick runt i huvudet på Katarina Wunsch och hennes make, vad han nu hette, men det var inte svårt att spekulera. Och i min egen skalle kändes det som om någonting höll på att brista.

”Are you not…?”

”I'm sorry. There seems to be a mistake here.”

Jag fick verkligen ur mig denna mening. Jag log verkligen. Jag svimmade inte och jag sjönk inte genom jorden. Herr Wunsch harklade sig generat och tog sin hustru under armen.

”I apologize. We thought you were somebody else.”

Jag nickade.

”Somebody we used to know. So sorry.”

Så presterade de var sitt stelt leende och gick vidare.

”No worries”, sa jag till deras ryggar men de vände sig inte om. Jag satte på Castor kopplet och skyndade ut på Bayswater Road.

Satt sedan på ett utecafé på Westbourne Grove och försökte lugna ner mig. Försökte analysera vad det var som hade hänt, och gissa vad makarna Wunsch sa till varandra efter vårt överraskande möte.

Visst var det hon?

Ingen tvekan?

Vad i hela friden var det med henne?

Kan det vara… kan det var det där med maken? Det där vi läste om i somras? Våldtäkt, ja, herregud, så lite man känner till om andra människor!

Jag vet inte. Jag kom inte fram till någonting. Kanske hade jag ändå klarat mig? Det fanns en minimal chans. Det existerar trots allt kopior och dubbelgångare i världen, folk som liknar varandra nästan på pricken trots att de inte är tvillingar. Kanske kom paret Wunsch fram till att de tagit miste och att kvinnan de stött på måste ha varit en helt annan person?

En sak blev jag dock snart klar över: om den svenska polisen någon gång fick en död kropp tillhörande den kände litteraturprofessorn Martin Holinek på sitt bord, och det kom ut till pressen – vilket det givetvis skulle göra – så skulle paret Wunsch med lätthet erinra sig mötet med den där kvinnan i Kensington Gardens. Hon som de känt igen så väl men som förnekat att hon var den hon var.

Vilket i efterhand alltså fick en mycket naturlig förklaring.

Jag insåg också att jag borde passa mig när känslor av oförblommerad optimism började ansätta mig. Jag måste höja garden, vara försiktig. Kanske borde jag klippa mig och färga håret, men det var så dags nu.

Jag lämnade caféet, uppmanade Castor att hålla sig tätt intill mig och vandrade bort till hotellet under ett moln av irritation och missröstan.

Vi tillbringade ytterligare en dag i London. Jag klippte verkligen mitt hår men lät bli att färga det. Försökte förstå hur jag kunnat vara så enfaldig att jag trott att jag, med ett utseende som halva svenska folket känner till, skulle kunna ströva omkring obehindrat i en stad som London, som dagligen besöks av... ja, inte vet jag? Tiotusen svenska turister? Förutom de hundratusen som redan bor här.

Denna den sista dagen i storstadsmiljö var gråmulen med samma karakteristiskt drivande regn, men jag köpte ändå två par solglasögon som var för sig täckte halva mitt ansikte.

Samt en bredbrättad hatt och en yvig schal. Jag tänkte antagligen på det där fotot av Jacqueline Kennedy Onassis som jag sett en gång, där hon sitter och dricker kaffe på ett konditori i Uppsala. Det är i varje fall vad en litteraturdocent

Uppsala vill tro och har berättat för Martin och mig vid
tminstone två tillfällen.

Jag köpte engelska pund för mina euro på ett antal små
äxlingskontor precis som jag hade planerat, och fick ihop
ver 8 000 utan att behöva visa legitimation. Det borde
äcka några månader; vad jag än tänkte ha för mig borta på
xmoor, så inte tänkte jag vara slösaktig, och det gick väl att
äxla pengar på andra ställen i detta örike än i huvudstaden.

Men natten innan vi skulle anträda färden västerut sov
ag knappt en blund. All möjlig gammal bråte flöt upp ur
ninnets slammiga brunn, jag var utan tvivel utsatt för en
ttack från ett liv jag just höll på att ta avsked ifrån. Eller
edan hade tagit avsked ifrån, rätteligen; som om alla dessa
ågkomster och alla dessa år försökte dra mig tillbaka till
latser och omständigheter och sammanhang där jag inte
ängre hörde hemma. Fast var jag numera hörde hemma,
ärmare bestämt och noga räknat, var också det en fråga jag
nte utan vidare kunde somna bort ifrån. Och hur jag skulle
lara av att köra oss helskinnade ut ur London följande dag,
tan åtminstone ett par timmars sömn i kroppen… ja, det
ar mångahanda som kändes mer och mer svårhanterligt för
arje sömnlös minut som tickade iväg.

Till slut – någon gång efter klockan fyra – var det en episod
om trängde undan allt annat och vägrade lämna mig i fred:
iviannes älskare. Jag förstod inte varför.

ivianne var Martins äldre syster. Jag skriver *var*, eftersom
on är död sedan många år. Hon kastade sig ut från sex-
onde våningen på ett hotell i Singapore, eventuellt blev
on knuffad, eventuellt var det en olyckshändelse. Det var
en tjugoåttonde februari 1998. Hon hade rätt så mycket
lkohol i blodet, något som inte var alldeles ovanligt under

de sista åren av hennes liv, och om jag förstått det rätt lades polisutredningen ner efter ett par veckor eftersom det inte förelåg några misstankar om brott.

Men historien med hennes hemlige älskare inträffade tolv år tidigare, ungefär en månad före mordet på Olof Palme.

16

Tusen sidor, hade han sagt.

Det tog ett tag att få en någorlunda överblick, men jag var nog ändå benägen att krympa Martins uppskattning till drygt hälften. Fast det berodde förstås på hur man räknade. En handskriven sida, låt vara i A4-format, motsvarar inte en maskinskriven eller en tryckt sida, och en rätt stor del av det som jag uppfattade som "materialet" var alltså handskrivet.

Det handskrivna fanns samlat i fyra tjocka anteckningsböcker, av en sort som jag minns att Martin varit väldigt förtjust i när vi träffades och flera år efteråt. Tjocka svarta vaxdukspärmar, hundrafyrtio blad i varje bok, jag tror han skickade efter dem från en firma i Tyskland. På det olinjerade försättsbladet till varje bok hade han noggrant angivit plats och tidsomfattning: *Samos, juli–augusti 1977. Samos, juni–juli 1978. Samos, juli 1979. Taza, juli–augusti 1980.*

De två första böckerna var i det närmaste fullskrivna. Den tredje till lite drygt hälften, den fjärde, den från Marocko, till ungefär en tredjedel. Men bara högersidorna, nota bene, Martin har aldrig tyckt om att texten från den föregående sidan lyser igenom. Ett tomt blad skall vara ett tomt blad. Jag visste att han haft med en reseskrivmaskin både under den sista resan till Samos och till Taza året därpå, och antog att han delvis använt denna för den sorts dagboksanteckningar som det verkade vara fråga om även från dessa senare resor.

Men detta var ännu så länge oklart; innan jag överhuvudtaget började ta del av innehållet försökte jag uppskatta omfattningen. Om jag nu faktiskt hade för avsikt att sätta mig in i projektet i dess helhet fanns det säkert anledning att vara lite metodisk.

Kanske hade jag också Eugen Bergman i bakhuvudet, jag skulle tro det. Det kunde ju trots allt uppkomma ett läge där det gällde att vara en smula insatt, även om jag var tacksam för Martins envisa vägran att diskutera innehåll under arbetets gång. Så har det varit under hela den tid han och Bergman samarbetat, förläggaren skulle inte tycka det var det minsta anmärkningsvärt om han inte fick några närmare upplysningar om hur arbetet fortlöpte nere i Nordafrika.

Men att jag skulle bli tvingad att sköta en viss mejlkorrespondens i min makes namn föreföll mer eller mindre oundvikligt.

Till Bergman och till andra.

Till G? Det kändes bisarrt och jag beslöt att inte tänka vidare på det.

I arbetskofferten – den stora bruna resväskan som enbart innehöll böcker, skriftställning och skrivbordsutensilier – hittade jag en bunt om knappt trehundra maskinskrivna sidor i en mapp märkt *Skriftställning*. Detta material var dock inte noggrannare daterat, i varje fall inte på något systematiskt vis, och jag fick uppfattningen att det bestod både av renskrivna dagboksanteckningar och av originaltexter. Ingenting var paginerat, men när jag bläddrade såg jag att det förekom rubriker och strödda datum, här och var också ändringar och tillägg gjorda för hand med blyertspenna. Dessutom fanns det på några ställen kopierade foton, uppenbarligen framställda i vanlig kopiator på ordinärt maskinskrivningspapper. Jag betraktade som hastigast ett par av dem, kvaliteten var urusel och bägge två föreställde en liten grupp människor som satt i stolar runt ett bord. Martin var en av dem i båda fallen. Möjligen föreställde en lång kvinna som stod mot en vit vägg i bakgrunden på det ena fotot Bessie Hyatt. Stort hår, vit vid tunika och bara ben, ja, jag bestämde mig för att det var hon.

Förutom det handskrivna och det maskinskrivna upptäckte jag så småningom en fil i Martins dator, märkt *Taza*, och eftersom jag visste att han inte börjat använda dator förrän i början av nittiotalet drog jag – utan att öppna filen – slutsatsen att vi här hade att göra med någonting renskrivet eller något som han komponerat i efterhand. Något övrigt dokument som verkade handla om de där somrarna fann jag dock inte och jag brydde mig inte om att titta närmare på detta enda.

När jag nu skaffat mig en viss överblick över materialet började jag genast känna en stark skepsis mot företaget. Vad skulle det tjäna till? Vad skulle jag få ut av det? Vad skulle *någon* få ut av det? Vore det inte bättre att jag ägnade mig åt Dickens helt och hållet? Eller vadsomhelst, Bergman kunde jag väl hantera på något annat sätt i sinom tid? I den mån det alls var någon poäng med att föreställa sig en framtid. Jag släppte ut Castor på kvällens sista pinkrunda och hällde upp ett glas portvin för att hjälpa beslutet på traven.

Till slut bestämde jag mig för att ta med den första dagboken som sänglektyr. På prov, utan att lova mig själv någon fortsättning men för att ändå ge det en chans. Möjligen tänkte jag att jag på något sätt var skyldig honom det, att det hade med den där kvinnliga, sjukliga duktigheten att göra, men jag är säker på att det i så fall knappast är en sanningsenlig beskrivning av mina motiv. Man ljuger framförallt för sin egen själsfrids skull.

Det första uppenbara problemet jag stötte på var Martins handstil. Jag hade över trettio års vana vid den, men ibland hjälpte det inte. Jag vet också att han själv kunde ha svårt att förstå vad han hade skrivit, särskilt om det var något han bara kastat ner i hast i ett anteckningsblock eller på en lös papperslapp. I dagboken från Samosvistelsen 1977 kunde man märka att han ansträngt sig att skriva om inte prydligt så åtminstone läsligt i början, men redan efter några sidor var vissa ord omöjliga att tyda, även när man tog hänsyn till sammanhanget.

Dessutom var det skäligen ointressant, jag kunde inte låta bli att tycka det. Datum, uppstigning, frukost, väder, samtal med den eller den. Vandring, bad, försök till naturbeskrivning. Namedropping, ja, det luktade av den varan även om det inte var några människor jag kände till – förutom Hyatt och Herold, men dem pratade han tydligen sällan med, i varje fall under den inledande veckan. Han talar om dem på avstånd bara. ”Bessie satt under platanen och skrev på förmiddagen.” ”Tom stack ut med båten på morgonen och sågs inte till på hela dagen. Kom tillbaka i skymningen med ett dussin rödaktiga fiskar.” Det märks att han beundrar dem, i synnerhet honom. Sommaren 1977 hade ju Bessie Hyatts sensationella debutroman ännu inte kommit ut – om jag minns rätt i alla fall, jag tror den kom under hösten eller vintern – men Tom Herold var redan en sorts ikon. Jämförelser med Byron var inte ovanliga; lite skämtsamt (får man förmoda åtminstone) skriver Martin om honom som ”Vår tids Childe Herold” och det är nog inte bara namnlikheten han syftar på.

Vidare beskrivs det praktiska livet i kollektivet. Man sover på enkla madrasser direkt på golvet i en stor byggnad med ett dussintal mindre rum, det stämmer med vad Martin berättade när vi träffades första gången. Gemensamt duschrum, gemensamma toaletter, han tror att byggnaden tidigare använts både av militären och som något slags barnhem eller kollo. Huset som Herold och Hyatt bor i ska ha tjänat som bostad för personal eller folk med olika ledningsfunktioner. Det ligger lite avsides uppe på en höjd och det berömda paret håller sig uppenbarligen också en smula avsides, det talas ännu inte om att man gör några besök hos dem. För alla övriga finns ett stort gemensamt kök men också en taverna på tvåhundra meters håll utefter vägen ner till stranden. Han nämner avgiften, tydligen betalar man till Hyatt och Herold via någon som heter Bruno, ett par hundra drachmer i veckan för att få bo på stället. En spottstyver, konstaterar Martin.

Han nämner också att Finn ännu inte har anlänt trots att han lovat att vara på plats hela sommaren. Jag vet att Finn är identisk med Finn Halvorsen, en norsk god vän till Martin och den som berättat för honom om – och inviterat honom till – det famösa kollektivet.

Men det är ont om reflektioner i början av dagboken, åtminstone pregnanta reflektioner. Medan jag läser får jag intrycket av att Martin är överväldigad på något vis, trots att han lägger sig noga vinn om att inte verka det. Av själva miljön: det blå Medelhavet, den vita stranden, cypresserna, doften av timjan – men kanske framförallt av människorna runtomkring honom: fritänkande hippies och världsmedborgare, unga män och kvinnor som tycks leva ett självvalt och självklart bohemliv i den klassiska grekiska övärlden utan att tycka att det är det minsta märkvärdigt. Att de tycker sig *ha rätt* till det.

Och alla är författare av något slag. Eller fria konstnärer åtminstone. Två kvinnor, han bedömer att de är ett lesbiskt par men talar aldrig om vad de heter, står uppe i bergsluttningen och målar hela förmiddagarna. ”Ända tills middagshettan tvingar ner dem till havet eller in under tak. De är halvnakna hela tiden.”

Erotiken? tänker jag. Det måste ha ångat av erotik på ett sådant där ställe.

Men Martin ägnar sig hellre åt samtalen. ”Satt och samtalade med Hernot och Della i ett par timmar”, skriver han. ”Om hermeneutik och Sartre. Bons kom och lade sig i, han är nog den gladaste nietzschean jag någonsin stött på, men han hade rökt på lite för mycket och tuppade så småningom av.”

Den gladaste nietzschean jag stött på? Det är inte svårt att få intrycket att han skriver för att imponera på någon. Sig själv antagligen, eller någon framtida kvinna som tänks råka kasta ett öga i boken som han låtit ligga framme som av en händelse vid deras första date. Jag erinrade mig att jag sommaren 1977 ännu inte hade träffat Martin på den där gårdsfesten i Gamla stan. Sommaren 1977 var den sommar då Rolf störtade nedför en klippvägg ovanför Flüeli i Schweiz och dog.

På ett annat ställe, det är den femtonde juli, har han befunnit sig på Samos lite drygt en vecka och skriver: ”Kom två nya medlemmar till kollektivet idag. En tysk och en ryss märkligt nog. Tysken är poet och heter Klinzenegger (osäker på stavningen här, vi får se om han dyker upp senare i materialet), ryssen heter Gusov men är noga med att poängtera att det bara är hans pseudonym. Vi åt lunch tillsammans på tavernan – Elly och Barbara också – bara den vanliga grekiska salladen och några glas retsina, förstås, och det framkom att Gusov bott i Grekland till och ifrån under flera år och att han bland annat varit mycket aktiv i kampen mot militärjuntan. Påstod att han suttit i fängelse några månader för den sakens skull, men att han slapp ut när det var över 1974. Jag tror han betraktar sig som en sorts grekisk hedersmedborgare i kraft av sina insatser. Pratar också ganska flytande grekiska med Manolis medan denne serverar oss. Men tyvärr lite stöddig. Burdus på det hela taget. Och en jävla massa skägg som det anstår en revolutionär och motståndsman. Försökte prata om Majakovskij och Mandelstam med honom, men han verkade inte intresserad. Hade antagligen inte mycket att komma med."

Jag gäspade och tittade på klockan. Den var kvart i ett. Jag insåg att även om det nu bara rörde sig om femhundra sidor, så hade jag så här långt tagit mig igenom ungefär tre procent av materialet. Jag kände en överväldigande trötthet, lade ifrån mig boken och släckte sänglampan.

Castor låg på golvet bredvid sängen istället för i den av någon anledning. Och innan jag somnade hörde jag att regnet började trumma mot taket och vinden tog ny fart.

17

Det var den tjugofjärde januari 1986.

Om förmiddagen, jag hade lämnat av ungarna och höll på att förbereda mig för att åka till Aphuset. Jag hade tidiga kvällsnyheterna och behövde inte vara på plats förrän klockan ett.

Telefonen ringde. Det var Martin.

”Vi har ett problem”, sa han.

”Jaså?” sa jag.

”Min syster. Hon har ställt till det igen. Hon kommer över ikväll.”

”Jag trodde hon var i Spanien?”

”Trodde jag också. Men hon har varit hemma i Sverige sedan i julas tydligen.”

”Jaha. Och vad är problemet den här gången?”

Vivianne var Martins enda syskon och om hon nu hade problem så var det inte första gången. Hon hade tre skilsmässor bakom sig, men inga barn tack och lov, och hon hade levt sitt liv så här långt i filmvärldens utkanter. I januari 1986 var hon trettioåtta, fem år äldre än sin bror. Det hade börjat tidigt, hon medverkade i två spelfilmer i Sverige på sextiotalet innan hon ännu fyllt tjugo; åtminstone den ena ansågs som en utmärkt exponent för den nya svenska sexvågen och den såldes till ett antal länder. I samband med detta träffade Vivianne en rik amerikansk producent, gifte sig med honom och flyttade till Hollywood. Gjorde ett par filmer, träffade en italiensk regissör, skilde sig, gifte sig och flyttade till Rom. Gjorde ett par nya filmer… och så vidare.

Hon hade ungefär fem nervsammanbrott och fem halvskandaler bakom sig när hon någon gång runt 1980 stötte på den spanske filmmannen Eduard Castel och en sorts stabilitet inträdde i hennes liv. Det var i varje fall vad hon påstod och vad vi inbillade oss. Hon gjorde till och med en film som höll på att ta sig till Cannes, hon spelade en kvinna som slets mellan kärleken och friheten, Martin och jag såg den i Stockholm och erkände båda två efteråt att hennes rollprestation varit strålande.

Vi hade överhuvudtaget mycket lite kontakt med Vivianne; egentligen var det bara när hon drabbades av den ena eller den andra krisen som hon brukade erinra sig att hon faktiskt hade en bror. Martin brukade sammanfatta henne med tre *m*: en manipulativ, manodepressiv mytoman.

Och nu var det tydligen dags igen. Jag tänkte efter och kom fram till att jag inte hade träffat henne på över två år. Hon hade hälsat på hos oss några dagar när hon var på tillfälligt besök i Sverige efter skilsmässan från Castel. Synn hade varit under året och jag höll på att ta mig ur min depression. Men min depression var en sommarbris i jämförelse med Viviannes tillstånd. Naturligtvis; vi hade suttit uppe och tröstat henne med rödvin och samtal tre nätter i rad.

”Jag vet inte riktigt hur det ligger till”, sa Martin nu, den här svinkalla dagen i januari 1986. ”Hon var ganska förtegen. Men hon påstod att det är delikat och hon kommer hem till oss ikväll. Om jag fattade det rätt så är hon inte ensam.”

”Inte ensam?”

”Nej, men jag vet inte. Hon bad att få sova över.”

”Menar du att Vivianne bad?”

”Ja, hon gjorde faktiskt det. Vad är det som är så märkvärdigt med det?”

”Ingenting. Men hon brukar inte be.”

Det var fånigt av mig och Martin hatade rollen som beskyddare av sin syster. Han tyckte lika illa om henne som jag och vi hade båda lika svårt att säga nej till henne. Han satt tyst i luren en stund och jag bad om ursäkt.

”Okej, det löser sig. När kommer hon?”

”Jag vet inte riktigt”, sa Martin. ”Hon skulle ringa igen.”

Jag var klar på Aphuset strax efter halv nio, och eftersom jag inte hört av Martin på hela dagen ringde jag hem för att informera mig om läget.

”Jag tror hon har fått snurren”, sa han. ”Jag har aldrig sett henne så här förr. Jag har fått ungarna i säng i alla fall.”

Han lät trött och sliten och jag kunde inte låta bli att känna tacksamhet över att det inte varit min hemmakväll. Han måste ha handlat, hämtat barnen, lagat mat, läst sagor, diskat undan... med sin galna syster hängande i hasorna. Att faster skulle vara till någon hjälp med sina brorsbarn var inte att tänka på. Jag frågade vad saken gällde, närmare bestämt.

Martin suckade. ”Hon går och väntar på att hennes älskare ska komma. Ja, man kan nog säga att det är det saken gäller.”

”Och vem är hennes älskare den här gången? Varför måste hon visa upp honom för oss förresten?”

”Jag tvivlar på att hon vill visa upp honom”, sa Martin. ”Det är snarare tvärtom.”

”Tvärtom?”

”Ja. Det är just för att han inte ska synas som han kommer hem till oss.”

”Jag förstår inte riktigt.”

”Ja, fan vet”, sa Martin. ”Det hon påstår är i varje fall att han är en rikskändis. En högt uppsatt politiker, en minister rentav, och att de haft ett förhållande sedan i julas. Det är hemligt utav bara helvete och det får inte komma ut. De kan… ja, de kan inte träffas på hotell till exempel, det är för riskabelt.”

Jag tänkte efter en stund. ”Tror du på det här?”

”Har ingen aning”, sa Martin. ”Hon går omkring här som en äggsjuk höna i alla fall. Han skulle dyka upp runt åtta, efter ett regeringssammanträde, men han har inte kommit än.”

”Kommer hon ihåg att jag är nyhetsankare på teve?” frågade jag.

”Hon litar på vår diskretion”, sa Martin. ”Och jag har lovat henne.”

”Men vi kommer att få träffa honom, alltså?”

”Ingen aning”, upprepade Martin. ”Men jag antar det.”

Så blev det nu inte. Inte alls, för när den förmente älskaren och rikskändisen anlände till vårt hem i Nynäshamn – klockan var nästan tio, jag hade varit hemma en dryg halvtimme – hade säkerhetsläget skärpts till klass tre röd. Martin och jag stod i vårt vardagsrumsfönster och betraktade deras ankomst; Vivianne hade gått ut och mött honom där han parkerat bilen två kvarter bort, precis som de gjort upp om i telefon en stund tidigare. Det var en ganska spenslig man, något kortare än Vivianne; han var klädd i mörka kläder och lågskor trots att det var mer än tio grader kallt, men mycket mer än så kunde vi inte lägga märke till eftersom han gick och tittade ner i marken, tätt intill Vivianne, och med något slags schal eller tröja över huvudet. Den skymde hela hans ansikte och jag tänkte att det såg ut ungefär som när polisen för in en åtalad i rättegångssalen för att fotograferna inte ska komma åt honom.

Ett par meter från dörren upptäckte Vivianne att vi stod i fönstret och tittade. Hon stannade upp och viftade irriterat med handen åt oss, det var uppenbart att vi skulle hålla oss borta. Vi såg på varandra, ryckte på axlarna och gick och satte oss i köket. Jag minns att jag tyckte att det var något av det mest absurda jag varit med om, och det var nära att jag gick ut och gav mig till känna medan jag hörde dem hänga av ytterkläder i hallen. Martin såg det på mig, tror jag, han skakade på huvudet och lade handen på min arm.

”Vi låter henne vara. Det blir bara värre om vi lägger oss i.”

”Det här är inte klokt, Martin.”

”Jag vet. Men nu är det som det är.”

Vi hörde dem ta trappan upp till gästrummet på övervåningen, stänga dörren och låsa.

Ja, de låste faktiskt dörren. När Martin och jag tassade förbi en stund senare, på väg till vårt eget sovrum, kunde vi höra deras röster därinifrån. Bara svagt. Allvarligt, konspiratoriskt samtal lät det som.

Han måste ha gett sig iväg någon gång under natten, för Vivianne kom ner ensam till frukost följande dag. Det var en lördag, både Martin och jag var lediga, Vivianne såg trött och omskakad ut och till en början hade hon ingenting att säga om gårdagskvällen. Åtminstone jag hoppades att vi skulle slippa höra någonting alls och att hon skulle lämna oss utan vidare förklaringar, men efter en kopp kaffe hade hon tydligen bestämt sig för att lätta en smula på förlåten.

”Det är en oerhört delikat situation”, sa hon. ”Mycket står på spel och åtskilligt kan gå fel.”

Det var ingen ovanlig replik för att komma från Vivianne

Holinek. Hennes liv skulle kantas av drama och livsavgörande situationer, annars var det inget liv.

”Du har ihop det med en toppolitiker och du är rädd för att hans fru ska få reda på det?” föreslog jag och fick ett ögonkast av min man.

”Jag kan inte gå in på några detaljer”, sa Vivianne. ”Men det är betydligt mer komplicerat än så. Och jag måste bära ansvaret själv. Det var kanske inte rätt att blanda in er, men läget var sådant att jag inte hade något val.”

”Vem är han egentligen?” frågade Martin. ”Jag tyckte han såg ut som…”

”Tyst!” avbröt hans syster. ”Inga namn. Gör inte saken värre än den redan är.”

”Alright”, sa jag. ”Jag hoppas ni hade ett lyckat möte i alla fall.”

”Det är inte som du tror”, sa Vivianne.

Hon lämnade oss en timme senare med ett hot om att komma tillbaka. Avslöjade inte mer än att hon befann sig i en mycket prekär situation, men att hon i det läge som var inte främst hade sin egen säkerhet att tänka på. Det gällde viktigare saker än så. Det gällde saker på högsta topphemliga politiska nivå. Folks liv kunde vara hotade.

Vi hörde inte av henne förrän en månad senare. Eller rättare sagt var det bara Martin som hörde av henne. Hon ringde från ett hotell i Köpenhamn och enligt Martin var hon fullkomligt hysterisk. Han pratade med henne i tio minuter, jag hörde inte vad de sa eftersom jag befann mig i ett annat rum, men jag hörde att han gjorde sitt bästa för att lugna ner henne. När samtalet var över frågade jag vad det var som stod på den här gången.

”Hon är inte klok”, sa Martin. ”Jag tror hon är färdig för

psyket. Hon påstod att någon kommer att bli dödad.”

”Dödad?”

”Ja, och att hon inte kan göra någonting åt saken. Ja, jag tror verkligen det har spårat ur den här gången.”

Fyra dagar senare mördades Olof Palme på Sveavägen. Redan samma dag frågade jag Martin om vi inte borde höra av oss till polisen.

”Aldrig i livet”, svarade Martin. ”Tror du inte de har nog av galningar som ringer in tips? Du tror väl inte på allvar att min syster skulle ha något att göra med mordet på Sveriges statsminister?”

Det trodde jag naturligtvis inte, och i och med att vi inte sa någonting från början, så gjorde vi det inte i fortsättningen heller. Det dröjde också över ett år innan vi på nytt hörde någonting ifrån Vivianne. Hon levde nu i Österrike tillsammans med en professionell skidlärare, och om jag räknar rätt tror jag bara vi träffade henne två gånger till innan hon dog.

Att hennes dödsdag faktiskt sammanföll med Palmes dödsdag var en sak vi diskuterade i all korthet, Martin och jag. Vi enades om att det var en slump. Om det varit tioårsdagen hade vi kanske fäst en viss betydelse vid det, men det hade alltså gått tolv.

Men då och då har jag tänkt på den där spenslige mannen med tröjan över huvudet som kommer gående uppför vår trädgårdsgång, det erkänner jag villigt.

18

Den åttonde november. Klart men blåsigt och kallt. Bara tre grader klockan åtta på morgonen.

Vi tillbringade hela gårdagen inomhus på grund av riktigt uselt väder. Regn och hård blåst från morgon till kväll; eller kanske var det inte regn, kanske var det i själva verket det översta lagret av havet som blåste in över land. Det föreföll nästan så och det kom från det hållet. Castor fick gå tre korta rundor på gården bara. Det var en svår dag på det hela taget, den värsta sedan jag kom hit. Jag förstår att jag måste komma ut en stund varje dag, oavsett väder och vind; att tillbringa trettiosex timmar i sträck i ett hus som Darne Lodge är inget att sträva efter, sannerligen inte.

Kanske hade jag inbillat mig att Martins anteckningar skulle hålla mig sysselsatt, men bara efter några sidor kom där ett motstånd i mig som jag varken vill eller kan förklara. Jag stoppade undan hela materialet och ägnade dagen åt Dickens och åt att lägga patiens istället. Det senare har jag nog inte gjort sedan jag var i tonåren, men jag hittade två nästan oanvända kortlekar i en låda och efter en stund hade jag erinrat mig fyra olika varianter. Idioten förstås, och Den sjusträngade harpan, de andra två minns jag inte namnet på. Jag är säker på att jag lärt mig alla fyra av min far, förmodligen innan jag ens var skolmogen, och när jag insåg detta började jag tänka på honom och sedan gick det inte att hålla honom borta. Han var en människa som alltid ville – och gjorde – alla gott, men de sista åren av hans liv, efter att Gunsan dött och min mor gått in i dimman, ja, vad tog han med sig för tankar när han summerade sin vandring på jorden? När han låg där på sjukhuset och dog av sorg. Vad blev det kvar?

Jag tänkte på Gudrun Ewerts också och på hennes prat om vikten av att gråta. Om hon såg mig igår uppifrån sin himmel hade hon all anledning att nicka belåtet. För grät gjorde jag.

Men det var gårdagen. Idag är idag och visa av skadan gav vi oss iväg till fots omedelbart efter frukost och Dickens. Vi siktade söderut till en början, Dulvertonhållet, och efter en stund kom vi fram till den där enkla vägvisaren som pekar ner mot byn. Efter att ha betraktat varandra och funderat några ögonblick slog vi in på stigen. Det var lerigt och en smula svårforcerat den första biten, men efter några hundra meter kom vi ner till en smal väg där man kunde vandra tämligen obehindrat. Den var inte bred nog för ett fyrhjuligt fordon, jag förstod inte riktigt hur den uppstått eller vilken funktion den kunde tänkas fylla, men det är mycket med heden som jag inte begriper. Hela tiden bar det nerför och växtligheten var ymnig; gröna lövträd trots att vi befinner oss ett gott stycke in i november; mossa och murgröna, järnek och björnbär. Vägen följde ett porlande vattendrag, fasaner och allehanda andra fåglar tumlade och väsnades i buskagen, och här och var, på andra sidan de täta snåren, hördes bräkande får. Jag tänkte att växtkraften måste vara enorm, om man lade sig ner och sov i tolv timmar skulle man säkert vara omslingrad av revor när man vaknade, det kändes lite som en gammal ond saga. En flicka och hennes hund som går in i skogen och aldrig kommer tillbaka till byn. Jag skakade det av mig.

Så kom vi fram till ett hus. Vi hade varit på väg i ungefär en halvtimme och det dök upp lika oväntat som en advokat i himlen. Ännu ett av min fars uttryck, för övrigt, jag antar att det var gårdagens patiensläggande som hängde kvar i mig. I varje fall var det ett mörkt stenhus som låg så inbäddat i växtligheten att det nästan inte syntes – på andra sidan av det vattendrag som vi följt hela tiden och som just här planade ut från en ganska strid ström till ett stillastående sel. En mossbelupen stenbro löpte över till huset. Vi stannade upp och såg på det; det var i två våningar, väggarna täckta av murgröna och andra klängväxter, ett par av fönstren gick knappt att urskilja.

Och det var när jag höjde blicken upp mot den översta våningen, ja, jag insåg nu att det faktiskt rörde sig om tre plan, för det fanns ett smalt fönster alldeles uppe under takvinkeln också... när jag såg upp mot detta fönster, alltså, som jag upptäckte ansiktet.

Det var blekt, nästintill vitt, och det tillhörde en ung man som uppenbarligen stod däruppe och betraktade oss. Han måste ha stått tätt intill fönstret, för inget ljus var tänt och ändå avtecknade sig hans anletsdrag alldeles tydlig genom glasrutan. Ett färglöst och magert anlete var det, svart hår i snedbena, tydligt markerade ögonbryn och en lång spetsig näsa. Munnen allvarlig, sammanbiten till ett streck.

Och absolut orörlig, för ett ögonblick fick jag för mig att det faktiskt rörde sig om en docka.

Men det var ingen docka. När vi stått och tittat på varandra i kanske tio sekunder höjde han långsamt sin högra hand och gjorde en mycket tydlig gest framför sin egen hals. Ett drag tvärs över strupen, det fanns ingen möjlighet att missförstå innebörden.

Därefter backade han in i rummets mörker.

Jag hade svårt att komma ur fläcken. Castor var på väg över bron fram till huset och jag kallade tillbaka honom. En fasanhöna ramlade ut ur ett snår, en hanne kom skrikande efter. På avstånd hörde jag ljudet av ett fordon som accelererade och drog slutsatsen att vi måste befinna oss i närheten av byn. Nedanför huset såg jag också att vägen blev en smula bredare, antagligen var det möjligt att ta sig med bil hitupp.

Medan vi stod där, en halv minut eller en hel, tycktes ljudet av vatten som porlade överallt bli starkare, vassare, och så skar ett hallucinatoriskt skrik från en fågel, inte fasan den här gången, genom luften. Jag kastade en sista blick upp mot det mörka vindsfönstret och kom äntligen iväg. Det kändes som om någonting hade hänt, någonting oåterkalleligt, jag vet inte vad.

Det tog mindre än tio minuter att komma ner till byn – sista sträckan bestod av en lerig men fullt körbar fordonsväg. Den hade spår av hästhovar men också breda hjulspår som efter en traktor, och med jämna mellanrum strömmade små vattenstrilar tvärs över den. Var kommer allt vatten ifrån? tänkte jag automatiskt, men så erinrade jag mig gårdagens väder. Castor gick hela tiden före nu, som om han redan vädrat civilisation och möjligheten till en godbit.

The Royal Oak hade just öppnat för lunch och eftersom planen var att vandra hela vägen tillbaka till Darne Lodge gick vi in. Det hade tagit ganska precis en timme att komma ner, skulle förmodligen ta dubbelt så lång tid att ta sig upp.

Det var inte Rosie som stod i baren den här dagen, utan en man i mogen ålder. Kanske var det hennes make. Han hälsade vänligt och frågade om vi ville äta. Jag förklarade att det var vår avsikt och slog mig ner vid samma bord som förra gången. Han kom över med en meny men förklarade att dagens special – kycklingbröst med broccoli och stekt potatis – inte stod med. Han hade en tatuering på underarmen: *Leeds United 4ever.* Jag sa att jag gärna kunde tänka mig kyckling. Han nickade och frågade om han fick ge hunden några godbitar. Jag fick ett intryck av att Castor också nickade, och en minut senare glufsade han förnöjt i sig en tallrik blandade köttbitar och drack en halv liter vatten innan han somnade framför eldstaden.

Inget ytterligare samtal kom till stånd och inga ytterligare gäster anlände under de fyrtiofem minuter vi stannade kvar på The Royal Oak. Jag försökte låta bli att tänka på ansiktet i fönstret – och gesten med handen över strupen – utan att lyckas särskilt väl.

Innan vi påbörjade återvandringen upp mot Winsford Hill – nu på andra sidan Halse Lane, och över lite öppnare terräng om jag läst kartan rätt – tog vi en kort promenad i byn. Det rör sig inte om mer än ett femtiotal hus, men på andra sidan kyrkan upptäckte jag en skylt mot någonting som kallades ”Community Computer Centre”. Det visade sig vara en låg sentida byggnad med vit rappning och ordinära kontorsfönster och när vi passerade den insåg jag att det faktiskt var öppet. Jag sköt upp dörren och vi kom in i ett rum som såg ut som en skolsal med ett tjugotal ganska omoderna datorer. Bakom ett lite större bord satt en mörkhårig kvinna i trettioårsåldern, tuggande på en blyertspenna och stirrande på en skärm. Hon tittade upp och log när hon fick syn på mig.

Log ännu mer när hon fick syn på Castor.

Bra, tänkte jag. En medmänniska.

”Välkommen. Vad kan jag hjälpa till med? Vilken vacker hund. En ridgeback, eller hur?”

”Han är en god kamrat”, sa jag utan att tillägga att han

också var min enda. ”Här finns tillgång till internet, eller hur?”

”Alldeles riktigt. Det vore väl lite dåligt om vi kallade oss Computer Centre och inte hade något nät, eller hur? Är du på genomresa, eller?”

Jag tvekade en sekund innan jag förklarade att jag faktiskt bodde ett litet stycke ovanför byn. Darne Lodge om hon kände till det? Det var plötsligt ett enkelt avgörande, jag förstod inte min återhållsamhet på The Royal Oak i förra veckan. Om nu mr Tawking hyrde ut sitt hus till en utländsk kvinnlig författare hela vintern, så var det väl inte omöjligt att han berättat om det – även om han var en gammal surkart. Det fanns anledning att förmoda att min vistelse däruppe var känd i byn.

”Jaså, är det du?” svarade kvinnan mycket riktigt och log igen. ”Ja, jag hörde att det var någon som skulle bo där rätt länge. Margaret, förresten... Margaret Allen. Välkommen till Winsford, världens ände.”

”Maria. Maria Anderson.”

Vi tog i hand och hälsade. Castor sjönk ner på golvet med en suck. Jag passade på att presentera honom också. Margaret gick ner på knä och strök honom över hals och rygg. En häftig gråtattack sköt upp i mig, men jag lyckades kväva den. Ibland ska faktiskt gråtattacker kvävas, det skulle till och med Gudrun Ewerts hålla med om.

”Ja, jag antar att du inte har något internet däruppe?” sa Margaret Allen när hon rätat på sig. ”Men du kan komma in här när du vill. Vi har normalt öppet mellan elva och arton, men om det kniper kan du alltid knacka på dörren i det låga stenhuset bredvid kyrkan... det står Biggs på dörren. Alfred Biggs och jag turas om att sitta här, han säger aldrig nej till någon, det lovar jag.”

Jag tackade och sa att jag inte hade något behov just för tillfället, men att jag gärna skulle återkomma om ett par dagar.

"Är det inte ensamt däruppe? Förlåt att jag frågar, men...?"

Hon skrattade till, uppenbart generad över sin framfusighet. "Jag pratar för mycket. Ursäkta, men det har inte varit en enda besökare idag, de flesta har ju uppkoppling i hemmet numera... vi startade det här stället för femton år sedan, då var det lite annorlunda. Det har varit tal om att stänga många gånger, men det kommer ändå en del ungar efter skolan. Det finns faktiskt familjer som inte är uppkopplade. Om de nu inte har råd eller vad det kan bero på..."

Det var inte att ta miste på att hon var sugen på att prata, och mest för att vara artig frågade jag om hon visste någonting om Darne Lodge. När det var byggt och varför, till exempel.

"O ja", svarade Margaret Allen entusiastiskt. "Det finns mycket att berätta om Darne Lodge. Sa inte gamle Tawking nånting?"

Jag skakade på huvudet.

"Den dönicken, nej, det kunde jag tänka mig. Säg, du vill inte ha en kopp te?"

Och medan vi drack te och åt kex med en svart men ganska god smörja som hette Branston Pickles på, fick jag reda på ett och annat om det hus som jag bodde i – och skulle bo i ytterligare nästan ett halvår. Jag fick en känsla av att Margaret Allen, trots sin relativa ungdom, visste mer än de flesta om förhållandena i byn. Hon berättade också att både hon och hennes man var aktiva i hembygdsföreningen och att hon förutom sin oavlönade tjänst på datorcentret arbetade som bibliotekarie i Dulverton.

Men Darne Lodge, alltså. Jo, det hade byggts i början av 1800-talet som bostad åt en viss Selwyn Byrnescotte, erinrade sig Margaret Allen. Han var en soldat som vände hem som något slags hjälte från kriget mot Napoleon – slaget vid Trafalgar och ytterligare två andra sjöslag som Margaret nämnde men som jag inte kände till. Problemet med denne Selwyn var att han, redan innan han gav sig ut i kriget, hade förskjutits av sin familj, eller av sin far åtminstone, lord Neville på godset Byrnescotte, beläget ungefär mitt emellan Winsford och Exford. Bakgrunden var av hemlig natur, förmodligen handlade det om homosexualitet. I alla händelser lät lorden bygga Darne Lodge för att den vanartige men dekorerade näst äldste sonen ändå skulle ha någonstans att bo (hade det rört sig om den äldste sonen hade saken givetvis varit betydligt mer komplicerad) på någotsånär betryggande avstånd från familjegodset. Selwyn tyckte dock inte om att vara isolerad på heden utan begav sig snart till London, där han levde ett utsvävande och självförbrännande liv i några år. På grund av något slags skada kunde han inte återvända till kriget som fortfarande rasade. Han återkom dock till Darne Lodge för att dö, det var samma år som slaget vid Waterloo och han hängde sig från en av takbjälkarna. Med sig från London hade han ännu en svårartad skada, han hade fått halva ansiktet bortskjutet i en duell. Han lär inte ha varit någon skön syn när han upptäcktes och plockades ner efter ett par månader. Det var ingen som hade känt till att han kommit tillbaka.

Jag såg för mig att Castor och jag skulle få tillbringa åtskilliga timmar tillsammans med Margaret Allen, hon försummade inte många detaljer, men lyckligtvis tog historien nu ett hundraårshopp framåt i tiden. Efter Selwyn Byrnescottes sorgliga slut stod nämligen huset tomt ända fram till

1920 eller däromkring, då det köptes av en Londonbo som behövde någonstans att övernatta för sig själv och sitt följe när man var ute och jagade rödhjort på Exmoor. Det övertogs så småningom av hans son för samma syfte, och efter att även denne olycklige unge man, hans namn var Ralph deBries, släkten var belgisk såvitt man visste, hade tagit sitt liv i det – den här gången med hjälp av tabletter – såldes huset på auktion 1958 och ropades in av den nuvarande ägaren Jeremy Tawkings far.

Ingen hade dock omkommit i huset sedan 1958, det var Margaret Allen noga med att understryka. Och säkert hade det bott tvåhundra olika människor i det eftersom mr Tawking haft det uthyrt i åtminstone tjugo år. Vanligen veckovis under sommarhalvåret förstås, men det hade faktiskt huserat någon däruppe även förra vintern, kom Margaret ihåg. Det var tydligen välbyggt och isolerat i alla fall, så att det stod emot vinterstormarna?

Jag intygade att det verkade så. Även om de riktiga vinterstormarna kanske inte hade infunnit sig ännu, något som hon höll med om. Det brukade vara som värst framme i januari och februari.

Jag tackade för teet och informationen och upprepade att Castor och jag säkert skulle dyka upp igen någon av de närmaste dagarna. Margaret Allen förklarade att hon förmodligen fått ett och annat om bakfoten när det gällde Darne Lodge, och bad än en gång om ursäkt för att hon pratat så mycket.

Vi tog farväl och gav oss iväg. Vandringen tillbaka upp mot Winsford Hill visade sig vara ganska besvärlig, med åtskilliga grindar, betande fårskockar och bligande kohorder att ta sig igenom, och när vi äntligen kom upp på själva heden hade vi vinden rakt emot oss ända upp till kanten av The

Punch Bowl, som verkligen, när jag nu såg den från det här hållet, erinrar om en krater. Eller om spåren efter en gigantisk meteor, som slog ner för ett antal tusen år sedan och efterlämnade en hundra meter djup och ungefär dubbelt så vid grop.

I alla händelser tog vi oss ända hem – lika leriga och uttröttade både jag och Castor – och redan när jag sköt upp grinden såg jag att det låg en död fasan utanför vår dörr.

En präktig hanne, den låg fridfullt på sidan med vingar och stjärtfjädrar i bästa ordning och föreföll helt oskadd.

Frånsett att den var död.

Nu gjorde Castor någonting oväntat. Han gick långsamt fram till fågeln, nosade på den från några olika håll och greppade den sedan försiktigt med tänderna om huvudet. Drog den varligt åt sidan, bara någon meter, och lät den bli liggande intill väggen.

Tittade på mig som för att säga att det nu var fritt fram att stiga in.

19

I det näst sista soffprogram som jag någonsin var värdinna för inträffade en händelse som jag tror är unik i svensk tevehistoria.

Temat var av det allvarliga slaget: människor som försvunnit.

Och hur närstående hanterar situationen när någon inte längre finns kvar och man inte vet vad som hänt. Inte ens om den som saknas lever eller är död.

Vi hade ett flertal gäster. En psykolog, en kvinna från folkbokföringsregistret, en poliskommissarie som berättade om hur polisen arbetar vid försvinnanden, samt tre personer som var drabbade. Den senare trion bestod av ett par från Västerås vars tonårsflicka varit spårlöst borta sedan två år samt en äldre kvinna från Norrland som hade rapporterat sin man som saknad för tjugofem år sedan.

Dessutom var vi två programledare för att kunna ro det hela i land. En normal och genomtänkt spridning för tjugoåtta minuters soffprat på halvbra sändningstid med andra ord.

Den norrländska kvinnan kom in ganska sent, precis som vi hade planerat. Alla de andra hade fått yttra sig, kvinnan i paret från Västerås hade gråtit en smula. Jag vände mig nu till Alice, som hon hette, och bad henne berätta sin historia.

Vem var det som hade försvunnit ur hennes liv?

Ragnar, min make, svarade hon kort.

Och det var ganska länge sedan? undrade jag.

Ett kvarts sekel, preciserade Alice.

Och hur var omständigheterna när han försvann?

Det var som det var. På hösten lite före älgjakten.

Han försvann från ert hem, alltså?

Ja.

Här ryckte min manlige kollega in. Han hade intervjuat Alice på telefon föregående dag och fått en del uppgifter ur henne.

När vi talades vid sa du att han tagit cykeln för att åka till postlådan och hämta tidningen?

Nej, svarade Alice. Den hade vi redan hämtat. Han skulle se om det kommit några brev. Det var runt lunch.

Och det här inträffade för tjugofem år sedan? frågade min kollega.

Tjugofem år och en månad, svarade Alice.

Och du har inte sett till honom sedan dess?

Inte sedan den där dagen, nej.

Han kom inte tillbaka efter att han åkt för att hämta posten, försökte jag. Var det så det var?

Jodå, han kom tillbaka, förklarade Alice.

Jag minns att hon hade en mycket elegant klänning på sig. Och högklackade skor. Hennes hår var nylagt och nyfärgat i en lite egendomlig nyans som stötte mot guld. Jag tror att jag anade att någonting höll på att gå snett, men hittade inget alternativ annat än att köra vidare. Jag såg att en studioman höll upp två fingrar i luften. Två minuter kvar av sändningen.

Du säger att han kom tillbaka? sa jag och undrade om jag kunde ha missuppfattat det som min kollega berättat i korthet före programmet.

Alice rätade på sig i soffan och tittade plötsligt rakt in i den närmaste kameran – istället för att se på den hon pratade med, som vi hade instruerat henne och som vi instruerade alla gäster.

Ja, han kom tillbaka, upprepade hon. Och han har legat ute i vedboden ända sedan den dagen.

Av någon anledning var det ingen som kom sig för att bryta sändningen.

Varför ligger han i vedboden? frågade min kollega.

Jag slog ihjäl honom med släggan, svarade Alice med något som liknade triumf i rösten. Sedan släpade jag in honom i vedboden och täckte över med ved. Jag har inte sett efter sen dess, jag fyller alltid på mera ved innan han börjar titta fram.

Nu insåg jag allvaret. Dags att bryta. Jag tecknade att vi skulle gå över till kamera tre och börja avrunda.

Han var en ond människa, hann vår norrländska gäst lägga till. Det är preskriberat!

Det blev ett visst tumult efter att vi lyckats bryta sändningen. Men innan dess, de allra första sekunderna, dödstystnad. Alla stirrade på Alice och det var inte svårt att föreställa sig vad som gick runt i vars och ens huvud.

Vad var det hon hade sagt?

Hon hade slagit ihjäl sin man.

Hon hade lagt honom i vedboden och låtit honom ligga där i tjugofem år. Rapporterat honom som saknad.

Hon hade erkänt ett mord i direktsändning i teve.

Eller också var hon bara en galning som hade lyckats göra sig märkvärdig. Hur stod det till med researchen egentligen?

Sedan började alla prata i mun på varandra. Diverse studiofolk kom springande och poliskommissarien ringde i sin mobiltelefon. Den enda som lugnt satt kvar på sin plats i soffan var Alice. Rak i ryggen och med händerna knäppta i knät betraktade hon med ett milt leende uppståndelsen runtomkring henne. Det hela upplöstes i och med att programproducenten kom in och förklarade att vi allihop skulle samlas i hans rum för en kortare överläggning.

Den aktuella vedboden – belägen i utkanten av samhället Sorsele i södra Lappland – undersöktes av polisen följande dag. När man drog fram skelettet efter före detta hemmansägaren Ragnar Myrman försökte man hålla journalister, fotografer och nyfikna borta, men det misslyckades. De var för många, närmare hundratalet, och under de kommande veckorna fick Alice Myrman just så mycken uppmärksamhet i media som hon hade eftersträvat. När polisen hade förhört henne släppte man ut henne i full frihet eftersom brottet var preskriberat, vilket hon också mycket riktigt hävdat under sitt stora genombrott i teve.

Jag träffade henne en gång till, det var av en händelse. Hon stod på Sergels torg och delade ut flygblad för en kristen församling – Det Rena Livet. Jag kunde inte låta bli att fråga hur det stod till med henne nuförtiden, det hade gått tre eller fyra år sedan den minnesvärda kvällen i Aphuset.

Jag har gått vidare, förklarade Alice. Det tycker jag du också ska göra. Varsågod, vi har ett möte ikväll i Citykyrkan.

Hon gav mig ett flygblad och berättade att hon bodde i Stockholm sedan något år. Hennes berömmelse hade blivit för stor för att kunna härbärgeras i Sorsele, menade hon, och sedan hon mötte Jesus – och församlingens pastor, som hon numera var gift med – hade hennes liv fått en djupare mening.

Hon tackade mig av hela sitt hjärta för att hon fått vara med i det där programmet. Hade hon inte fått berätta för alla och envar sanningen om Ragnar, så skulle detta under inte ha kunnat inträffa.

Ge aldrig upp, var det sista hon sa till mig. När det är som allra mörkast, när du vandrar i dödsskuggans dal, då är Han som närmast.

Hennes ögon brann. Jag har tänkt på henne många gånger. I synnerhet den sista tiden, den här senaste månaden, sedan jag gick i vinden på den där polska Östersjöstranden och mitt liv tog en annan riktning.

Hur det måste kännas på insidan av sådana där brinnande ögon.

Hur det måste ha känts medan hon satt i tevesoffan och väntade på sin tur.

20

Den nionde november. Tio grader klockan halv nio. Grått och disigt under morgonpromenaden men en timme senare har det spruckit upp. Bestämmer mig ändå för att sitta kvar och arbeta fram till tolv, därefter tar vi en tur utåt havet om vädret står sig.

När jag skriver "arbeta" syftar jag på materialet från Samos och Marocko. Jag känner att jag är tvungen att komma vidare med det; jag vet inte varifrån denna känsla kommer, men kanske är det bara en sticka under en fingernagel som man måste bli av med. Jag har också läst så mycket Dickens de senaste två dagarna att han får finna sig i att vänta. Kortlekarna har jag lagt tillbaka i lådan där jag hittade dem.

Så jag bryggde en andra kopp kaffe och slog mig ner vid fönstret med dagboken från den där första sommaren på Samos. Bet huvudet av alla tvivel och tvehågsenheter och satte igång. Fatta beslut och följa dem. När Eugen Bergman hör av sig är det ju bra om Martin har ett visst hum om saker och ting i alla fall.

Tre timmar senare hade jag kommit fram till den första augusti. 1977. Det är en vecka kvar tills han ska åka tillbaka till Sverige och möjligen har det hänt en del. Fortfarande skriver Martin i sin återhållna, distanserade stil, som om han har en tanke om att någon annan ska komma att läsa texten och i så fall antagligen en ung kvinna med intellektuella preferenser. Jag kan inte hjälpa att jag får det här intrycket, och jag kan heller inte hjälpa att ett och annat faktiskt inte går att tyda. Men det rör sig bara om enstaka ord, ingenting som betyder något för sammanhanget.

Det viktigaste som inträffat under slutet av juli, och här behöver man inte läsa mellan raderna, är att han varit på besök i paret Herold/Hyatts hus. Det är inte bara Martin, utan hela den så kallade författarkolonin, och tydligen är det ingen dålig tillställning. Man är ett tjugotal, man äter rader av grekiska smårätter som folket från den närliggande tavernan har åstadkommit, de är också med och serverar, åtminstone i början av kalaset. Man sitter vid ett långbord ute på terrassen med utsikt över pinjesluttningen och över havet. Det spelas gitarr och bouzouki, det sjungs, det läses dikter på alla möjliga språk, det diskuteras, det skrivs ett manifest och det dricks massor av vin. ”Retsinerat”, betonar Martin, ”det är det enda drickbara som går att få tag på härnere.” Han skriver att det tamejfan är magiskt och då tänker han inte på vinet. Det röks marijuana också men inte han.

Skälet – om det nu skulle behövas ett skäl – till att Herold och Hyatt bjudit in hela sällskapet till sitt hus är att de första reaktionerna på Bessies debutroman har börjat strömma in. Det är ännu någon vecka kvar till utgivningsdatumet i USA, men förlaget har underhandskontakter och kan redan meddela att recensionerna kommer att bli lysande. För att inte säga sensationella. Tom Herold håller tal där han hyllar sin unga hustru och förklarar skämtsamt att om ett år kommer han själv att vara bortglömd, men Bessie Hyatt kommer stråla som en nutida Pheme från parnassens allra översta tinne.

Exakt så skriver Martin, och sedan kommenterar han det egendomliga valet av gudinna. Pheme är framförallt skvallrets gudinna i den grekiska mytologin; han poängterar att han tydligen är den ende i sällskapet som reflekterar över det och att han tänker ta upp det med Herold så småningom. I varje fall tycks inte Bessie ha tagit anstöt, lägger han till, men hon har kanske inte full kontroll på de gamla grekiska gudarna och gudinnorna. Vilket alltså Martin har.

Festen pågår fram till gryningen. Martin skriver att han så småningom sitter i en liten grupp och samtalar om Kavafis och om Durrells Alexandriakvartett. Ständigt dessa samtal, ryssen Gusov är med på ett hörn och irriterar med sin okunskap, de två lesbiska konstnärinnorna och det franska poetparet Legel och Fabrianny. Samt den glade nietzscheanen Bons. Martin ägnar mer än två sidor åt att beskriva inläggen och ståndpunkterna i denna diskussion och avslutar redovisningen av denna långa dag och natt med att berätta att en grupp om åtta–tio personer traskar ner till havet och badar nakna i gryningen. Här har han återigen noterat att det tamejfan är magiskt, men strukit över det när han insett upprepningen.

Han berättar vidare – i samma torra stil – om en utflykt några dagar senare till en plats som heter Ormos Marathokambos, om jag lyckats tyda bokstäverna rätt, en utflykt som genomförs på fyra vespor. Man åker två och två och på hemvägen har han självaste Bessie Hyatt sittande bakpå. Vid det här laget har hennes bok kommit ut och mottagandet har varit just så överväldigande som hennes förlagskontakter förutskickat. Om en vecka ska hon flyga över till USA för att genomföra en pr-turné. Martin skriver att ”han kör längs den dammiga landsvägen med det unga amerikanska geniets armar runt sin midja mot den nedgående solen” och att det får honom att känna sig ”märkvärdigt upprymd”. Herregud, tänker jag, men det står faktiskt precis så.

Det framgår inte om Herold var med på utflykten eller inte. Jag bestämmer mig för att spara de sista tio sidorna, återstoden av 1977, till kvällen, stoppar Castor i bilen och kör iväg mot ett annat hav.

Vi tog den vackra vägen över Simonsbath igen och innan vi var framme i Lynmouth stannade vi vid en plats som heter Watersmeet. Via en brant trappa klättrade vi ner i en djup ravin framskuren av floden Lyn – och av dess två grenar som möts just här och har givit namn åt platsen. Jag märkte att jag var irriterad och det var läsningen av Martins förbannade dagbok som åstadkommit det. Jag försökte intala mig att det låg trettiofem år tillbaka i tiden och att det var året innan vi träffades, men det fungerade inte riktigt. Han var tjugofyra år gammal den där första sommaren på Samos och han borde inte skriva som en pretentiös gymnasist. Hade han låtit så här när vi satt tillsammans på det där kalaset i Gamla stan? Jag kunde inte tro det. Eller också var vi andra människor på den tiden, både han och jag. Om jag hade fått läsa de här anteckningarna redan då, vad hade jag fått för intryck? Hade jag fallit för det? Hade jag överhuvudtaget gift mig med honom? Hur mycket betydde Rolfs död och min allmänna bräcklighet för mitt val? För mitt liv?

Bra frågor, tänkte jag där jag vandrade fram med Castor i hälarna under trädens gröna valv längs det muntert strömmande vattnet. Och nu kom det igen, det *muntert strömmande* vattnet, men det gav mig inte samma tillfredsställelse den här dagen. Inte på långa vägar, det finns antagligen stunder då man känner sig befryndad med Jane Austen och systrarna Brontë men det här var inte en sådan stund. Samtidigt fanns det något inom mig som gladdes åt irritationen. När hade jag senast känt mig irriterad? Inte den senaste månaden i varje fall, kanske inte på ett halvår. Ville man krysta till det på samma sätt som den där tjugofyraåringen jag inte ville tänka på, kunde man kanske påstå att en binge sur gammal bråte hade tänts på i ett bortglömt hörn av min komatosa själ – och att det fanns anledning att känna tacksamhet. För den sakens skull, någonting hade vaknat.

Hursomhelst gick vi en ganska lång sträcka längs den ena av flodarmarna, och när vi efter ungefär fyrtio minuter kom fram till en bro tog vi oss över den och vände tillbaka på andra sidan vattnet ner till Watersmeet. Klättrade upp till vägen och bilen igen via de branta trapporna och fortsatte till den lilla turiststaden Lynmouth ute vid kusten.

Åt en sen lunch på en av pubarna nere på hamnstråket utan att prata med en enda människa. Handlade förnödenheter uppe i grannstaden Lynton, ett par gummistövlar bland annat, och återvände över heden hem till Darne Lodge.

A day in the life, tänkte jag på nytt. Jag läser min sannolikt döde mans gamla dagböcker. Jag promenerar med min hund. Jag provianterar.

Snart kommer jag att betrakta det som en händelse att klippa naglarna eller borsta tänderna.

Jag försökte få fatt i min irritation igen, den var som bortblåst.

Men eftersom jag ändå hade uppskattat den, irritationen alltså, och eftersom det som framkallat den tveklöst var Samosdagboken från 1977, så bestämde jag mig för att fortsätta läsningen.

Resten av första sommaren. Sedan ett par kapitel Dickens, fyra patienser och sängen.

Just så blev det också och när jag skulle släppa ut Castor

för hans sista kvällsrunda var det något som tog emot när jag öppnade dörren. Det var den döda fasanen som låg där igen.

Eller en ny men lika död. Jag tappade det glas jag höll i handen, det krossades mot stenen, och jag insåg att jag återigen hade glömt att köpa den där ficklampan.

21

Den tionde november. Växlande molnighet och stark vind från sydväst. Elva grader på morgonen. Tog med den döda fasanen i en plastkasse under morgonpromenaden och slängde den i ett törnesnår på väg mot den lilla romerska lämningen högst uppe på Winsford Hill. Försökte låta bli att fundera över den, fasanen, inte lämningen, men det var inte lätt. Hur hade den hamnat utanför min dörr två gånger? Jag hade bestämt mig för att det trots allt rörde sig om samma. Något annat djur måste ha dragit dit den, tänkte jag, åtminstone vid det senare tillfället under gårdagskvällen. Men vad då för djur? Här finns antagligen räv även om jag inte sett till någon, men varför skulle en räv flytta på en fasan och sedan lämna den alldeles oskadad?

En annan fågel? Det seglar diverse rovfåglar över heden, men även om jag inte känner till deras vanor speciellt väl tyckte jag inte det lät särskilt sannolikt. Fåglar attackerar väl inte fåglar? Inte på det viset.

En människa? Jag sköt undan tanken.

Istället började jag – medan jag strävade på i den öppna motvinden med Castor i hälarna – fundera över det där ansiktet i fönstret. Den bleke unge mannen och gesten som han gjort med handen framför strupen. Vad hade han egentligen menat med den? Vad den betydde i sig kunde det förstås inte råda något tvivel om, men i det här fallet? Rörde det sig om någon sorts bisarrt skämt? Fanns där en avsikt? Ett allvar? Vem var han? Kanske en galning som bodde i det där isolerade huset och som gjorde samma tecken åt alla han mötte? Eller åt alla som kom förbi hans hus åtminstone, vilket förmodligen inte var särskilt många.

Över de bägge dödsfallen i Darne Lodge funderade jag också. Två självmördare med mer än hundra års mellanrum. Oavsett hur många normala människor som bott i huset sedan den senaste självspillingen, så kändes det makabert. Å andra sidan, var inte hela min vistelse här makaber? Eller kanske var det inte riktigt rätt ord, men någonting åt det hållet ändå. Någonting som höll på att ramla ur verkligheten. Fast vad är det för godtycklig gräns vi drar mellan det som vi kallar verkligt och det vi kallar overkligt? Jag hade inte sovit mer än åtta nätter i huset vid det här laget och jag började redan uppleva... ja, vad då?

En sorts hotfullhet? Någonting som varslade om fara, att om jag inte tog mig i akt skulle jag råka illa ut?

Trams, tänkte jag. Hjärnspöken.

Å tredje sidan: vad hade jag förväntat mig egentligen? Jag hade skalat av mig mitt gamla liv på den där polska stranden; lika behändigt som när man bryter av ett ben på en kyckling hade jag gjort slut på det. Förändrat varje villkor ner i dess minsta beståndsdel. Eller hur? Ville man kunde man förstås lika gärna hävda att det var Martin som åstadkommit det när han våldtog den där barflickan på hotellet i Göteborg – eller lämnade sin sperma på hennes mage åtminstone. Min handling vid bunkern hade varit en naturlig reaktion, bara, låt vara en smula senkommen, låt vara en smula drastisk och i högsta grad oplanerad, ett ögonblicks verk som det hette, men där ändå det ena hade givit det andra och där det fanns en väl länkad kedja av orsak och verkan för den vänstra hjärnhalvan att gotta sig åt... ja, det var mycket man kunde hävda och orda om i sitt stilla sinne i detta öppna och frihetliga hedlandskap med ormbunkar, glad gultörne och vresig ljung, lera, gräs och vildhästar, men det största problemet, den ömmande punkten, var ändå till syvende och sist och som alltid min egen hjärna som inte kunde stilla sig. Inte sluta upp med att producera dessa ord och dessa förmenta analyser; fåfängt och förnumstigt, oupphörligen, varje dag, varje timme och minut intill dess mitt hjärta på det i förväg bestämda ögonblicket slutade pumpa upp syresatt blod till dessa betydligt överskattade irrgångar.

Yttervärlden, tänkte jag. Jag behöver ett sammanhang, annars går jag under i onödan. Det räcker inte med en hund.

Och så bestämde jag mig för att uppsöka Winsford Community Computer Centre under eftermiddagen. Vad var det Margaret Allen hade sagt? Elva till arton?

Det var Alfred Biggs som hade passet. Han var en gråsprängd liten man med för stora kläder. Som om han krympt ur dem eller ärvt dem efter en storebror som gått bort i ett krig för länge sedan. Hans glasögon med svarta plastbågar var också för stora; jag fick intrycket att han ville gömma sig bakom dem och hans leende var blygt och lite inåtvänt.

”Ni måste vara den där författarinnan”, sa han när vi hade presenterat oss. ”Margaret berättade om er.”

”Hon är inte här idag?”

”Nej, lördagarna är mina. Margaret har bara två dagar i veckan. Hon jobbar på biblioteket i Dulverton också.”

Jag nickade. ”Hon sa det.”

”Men jag bor alldeles intill. Jag är pensionär så jag har all tid i världen.”

”Jag är glad om jag får komma hit ibland. Jag har inget eget internet.”

”Ni är alltid välkommen. Det är det som är meningen. Om vi inte har öppet är det bara att knacka på min dörr. Den röda alldeles runt hörnet.”

Han tecknade i riktning mot kyrkan.

”Och det här är Castor?”

Castor uppfattade sitt namn och sträckte fram nosen mot Alfred Biggs, som klappade honom försiktigt på huvudet. Han log igen och jag omvärderade det. Det var någonting med hans tänder. Någonting som läpparna gjorde sitt bästa för att söka dölja. Han visade mig var jag kunde sitta och frågade om jag ville ha en kopp te. Liksom förra gången var det tomt i lokalen, jag tackade ja och gjorde en minnesanteckning om att köpa med mig någon sorts kakor till mitt nästa besök.

När jag hade fått min kopp slog jag mig ner för att öppna vår mejl, först min egen, sedan Martins. Alfred Biggs återgick till sin bok. Castor lade sig till rätta under mitt bord.

Det fanns ett enda meddelande i min inbox. Katarina Wunsch. Rubriken var *London?* Jag svalde och klickade upp det.

Hej Maria. Det hände en så konstig sak för ett par veckor sedan när min man och jag var i London, att jag måste fråga dig rent ut. Vi mötte en kvinna i Hyde Park som jag var alldeles säker på var du. Vi hälsade på henne men hon talade engelska och sa att det var ett misstag. Det blev lite pinsamt. Min man och jag pratade om det efteråt och jag kan helt enkelt inte få det ur huvudet. Var det verkligen inte du? Det känns så konstigt och förlåt mig om jag är påflugen. Kram Katarina

Jag vet inte hur hon fått tag på min nya mejladress, men jag antar att hon hört sig för på Aphuset. Jag känner inte till hur lätt eller svårt det är att komma över sådana saker, men hursomhelst funderade jag en god stund innan jag skrev följande svar:

Hej Katarina. Roligt att höra ifrån dig, det var ju rätt längesen. Men jag förstår verkligen inte vem den där kvinnan kan ha varit. En sak är förstås säker: det var inte jag. Martin och jag befinner oss sedan en tid nere i Marocko. Han har ett skrivprojekt som vanligt och jag har följt med mest för att hoppa över en svensk vinter. Vi stannar fram till i maj nästa år. Hoppas ni har det bra, hör gärna av dig om du stöter på mig igen. Kram Maria

Jag tvekade en stund inför den sista meningen, men tyckte det var lika bra att visa att jag tog det från den lättsamma sidan. Jag klickade iväg det och övergick till Martins inbox.

Sju nya mejl. Fyra från folk som antagligen var kolleger av något slag, meddelandena var korta och krävde inte svar, i varje fall inte omedelbart. Ett kom från en student som klagade på bedömningen av en uppsats, det var flera sidor långt, jag tröttnade halvvägs och slängde det.

De två återstående kom från Eugen Bergman och från G. Jag väntade med G och läste igenom vad Bergman hade på hjärtat. Mindes att jag borde skriva något till honom idag, eftersom jag inte besvarat hans förra mejl.

Käre vän. Vill bara förvissa mig om att ni kommit på plats och att allt är till belåtenhet. Stockholm är grått och trist, måste säga att jag avundas dig en smula. Vem fan som helst borde väl kunna tota ihop något läsvärt en vältempererad vinter på de breddgrader där ni befinner er. Enda nyheten från förlagsvärlden är att vi lagt vantarna på ett par s.k. kändismemoarer – en ishockeylegend och en f.d. mördare – men det är ingenting som du vill höra talas om.

Håll mig gärna underrättad, säg åtminstone att det går enligt planerna.

Varmaste, Eugen B

PS Jo, förresten, en kvinna som tydligen heter Gertrud någonting är angelägen om att komma i kontakt med dig. Kan jag ge henne din e-postadress? DS

Innan jag skrev svar försökte jag gå tillbaka och hitta några meddelanden som Martin skickat till sin förläggare, men eftersom jag gick via nätet fungerade det inte. Det sparas för kort tid och jag hade inte tagit med våra datorer den här gången heller. Hursomhelst skrev jag ett par rader till Bergman om att vi kommit fram, att allt var utmärkt och att han inte behövde oroa sig. Mellan sex och åtta timmars skrivarbete varje dag, allt flöt på som det skulle. Närmaste större stad var Rabat. Jag skrev också att han kunde ge adressen till Gertrud, och att jag trodde att jag visste vem hon var.

När jag var nöjd med dessa enkla formuleringar och hade skickat iväg det öppnade jag mejlet från G.

Where are you? What are you up to? No reply to my last message, it's a week and I'm getting frustrated. Please contact me ASAP. G

ASAP? Det betydde "as soon as possible", om jag inte tog fel. Så snart som möjligt.

Han frågade var Martin befann sig och talade om att han var frustrerad. Eller började bli frustrerad åtminstone.

Vad har du för dig?

En våg av obehag drog igenom mig, och i samma ögonblick kom två unga flickor in genom dörren. De hälsade artigt på Alfred Biggs, kastade en blick på mig och Castor och slog sig ner vid var sin dator med ryggarna åt vårt håll. Alfred Biggs reste sig och gick för att hjälpa dem till rätta med någonting.

Jag drack en klunk av mitt te och försökte koncentrera mig. Stirrade på meddelandet från G och gjorde mitt bästa för att intala mig att det inte fanns något skäl till oro. Det fungerade dåligt. Jag förbannade den tidsålder vi levde i, där det var möjligt för folk att kontakta varandra på sekunden oavsett var någonstans i världen de befann sig och under vilka omständigheter. Och att man ansåg sig ha rätt till svar i alla lägen. Att man kunde anropa vem som helst och begära återkoppling i stort sett omedelbart.

Att man till och med kunde göra det anonymt. Annat var det förr i tiden, tänkte jag. Då kunde man slå ihjäl någon i Säffle eller Surahammar, eller på båda ställena, och sedan flytta till Eslöv där ingen kunde hitta en.

Nu var denne G säkert inte särskilt anonym för Martin, men det gjorde inte saken mer hanterbar. Hotfullheten var inte att ta miste på, och om jag inte svarade skulle det antagligen bara förvärra läget.

Eller gjorde jag en felbedömning här? Jag gick tillbaka och tittade på G:s förra mejl.

I fully understand your doubts. This is no ordinary cup of tea. Contact me so we can discuss the matter in closer detail. Have always felt an inkling that this would surface one day. Best, G.

Det var knappast mindre oroande. Jag satt säkert kvar och grubblade och formulerade i tjugo minuter innan jag lyckades åstadkomma följande svar:

No worries. Everything is fine, trust me. I am off to a secret place to work for six months. Will not read my email on a regular basis. M

Jag klickade iväg det och när mitt pekfinger hade tryckt ner skicka-tangenten – eller just som jag gjorde det – fick jag en hastig förnimmelse av någonting annat. Att det inte varit fråga om en centimeterstor fyrkant på ett tangentbord, utan avtryckaren på ett vapen. Det var en så fullständigt överraskande och omtumlande bild att jag under några sekunder inte var säker på att jag var vaken.

Men så skrattade en av flickorna till framför sin dator och allt normaliserades hastigt. Castor lyfte huvudet, såg på mig och gäspade. Jag stängde av datorn och bestämde mig för att hålla mig borta från alla inboxar i åtminstone en vecka.

Just som jag stod i begrepp att lämna lokalen kom jag på en sak. Jag vände mig till Alfred Biggs och frågade om han var bekant med Winsford och dess omgivningar.

”Det vågar jag nog påstå”, svarade han med sitt återhållna leende. ”Jag är visserligen inte född i byn men jag har bott här i nästan fyrtio år. Varför frågar ni?”

Jag tvekade en sekund men kunde inte inse att det fanns något framfusigt i min tanke.

”Jo, jag gick förbi ett hus häromdagen. Längs den där stigen som går uppifrån Winsford Hill ner till byn… på andra sidan Halse Lane, vill säga… och jag såg en pojke, eller en ung man, stå i ett fönster. Några hundra meter innan man kommer ner till puben, förstår ni vilket hus jag syftar på?”

”Alldeles nedanför forsen?”

”Ja.”

”Ett gammalt dystert stenhus som ligger alldeles för sig självt?”

”Ja.”

Han suckade. ”Ack ja. Det måste vara Heathercombe Cottage ni menar. Det tillhör Mark Britton, den stackaren.”

”Mark…?”

”Mark Britton, ja. Han bor där med sin son. Det är en sorglig historia, men jag vill inte springa med skvaller.”

Han tystnade, uppenbarligen i insikt om att han kanske redan sagt för mycket. Om han nu inte ville skvallra. Jag tvekade på nytt men beslöt att inte fråga vidare. Inte låta Pheme komma till tals här också. Istället tackade jag för teet och internetet och förklarade att jag nog skulle dyka upp igen om en vecka.

”Kom ihåg att bara knacka på min dörr om det inte är någon här”, upprepade han. ”Den röda, det står Biggs på en skylt.”

Jag lovade att inte glömma det. Och så lämnade Castor och jag Winsford Community Computer Centre med ytterligare ett frågetecken i bagaget.

Mark Britton, den stackaren?

22

”Jag tror vi borde tala litegrann om Rolf. Hur tror du det skulle ha blivit mellan er om han inte hade dött?”

Det var efter ett år eller så. Vi hade en barnflicka för Gunvald och Synn i väntan på dagisplats. Jag hade börjat arbeta igen och brukade träffa Gudrun Ewerts på torsdagskvällarna på hennes mottagning i närheten av Norra Bantorget.

”Rolf? Jag vet inte... varför ska vi tala om honom?”

”Om han inte hade förolyckats den där sommaren så hade ju ditt liv blivit annorlunda. Brukar du inte fundera över det?”

Jag tänkte efter. Insåg att tanken förstås hade funnits, men det var ju så livet såg ut. ”Naturligtvis”, svarade jag. ”Fast så är det väl alltid? Om inte det och det hade inträffat, så skulle det ha blivit på annat sätt.”

”Det är inte det jag undrar över. Hade du visioner?”

”Visioner?”

”Ja. Brukade du föreställa dig att du och Rolf bildade familj? Att ni fick barn och skulle komma att leva ett helt liv tillsammans?”

”Ja... nej. Jag vet inte, jag förstår inte poängen med att dra upp det här.”

Gudrun Ewerts lutade sig tillbaka i sin fjädrande skinnfåtölj och tog på sig den där minen som betydde att hon hade någonting viktigt att säga. Att det var dags att jag skärpte mig och var uppmärksam nu. Jag hade haft en lång arbetsdag, kanske satt hon och bedömde min förmåga att ta emot. Hon knäppte händerna under hakan också, det brukade vara ett säkert tecken.

”Därför att det är det här draget hos dig som gör mig orolig. Du har ingen bild av din framtid.”

”Ingen bild av min framtid?”

”Nej. Ibland kan det verka som om du inte bryr dig om den, och jag tror att det har varit på det viset sedan lång tid tillbaka.”

Jag funderade igen och sa att jag inte riktigt förstod vad hon talade om.

”Det tror jag nog att du gör”, sa Gudrun Ewerts. ”Det har med ditt sätt att stänga av att göra. Det var så du klarade av din systers död och det var så du hanterade Rolfs. Och dina föräldrars. Det du egentligen kände, vid vart och ett av de här tillfällena när någon närstående dog, var så starkt att du inte kunde härbärgera det. Men när man stänger känslokranen, stänger man tyvärr också av sådant som man borde ha kvar. Skulle du säga att du älskar din man, till exempel?”

”Va?”

”Jag frågade om du älskar Martin?”

”Det är klart att jag älskar honom. Vad har nu det med saken att göra?”

”Brukar du säga det till honom?”

”Javisst... nej.”

”Brukar du gråta?”

”Det vet du att jag inte brukar göra.”

”Ja. Och jag vet också att du nog borde göra det.”

”Vore det inte bättre att kunna skratta?”

Gudrun Ewerts log, men blev strax amper igen. ”Om man inte kan det ena kan man heller inte det andra. Inte på riktigt. Men du är hemskt duktig när det gäller att le på teve.”

Jag satt tyst en stund och hon väntade ut mig. Meningen var ju att jag skulle bli arg, det ingick i hennes metod och det förstod jag, men jag kände mig för trött för att bjuda motstånd den här kvällen.

”Varför ville du att vi skulle prata om Rolf?” sa jag till slut.

”Därför att jag är intresserad av när det började.”

”Jaha?”

”Om det fanns där innan honom. Om det kanske började redan med din lillasyster?”

Vi satt tysta igen och jag minns att jag med ens kände ett enormt behov av att få börja gråta. Men också att det var precis som hon sagt; det låg så djupt begravt inuti mig att jag inte kunde komma i närheten av det. Ett isberg av tårar.

”Jag grät för ett år sedan”, sa jag. ”När jag hade min depression. När du började ta hand om mig.”

Gudrun Ewerts nickade. ”Jag vet. Och det gick över på två veckor. Tänk efter, har du gråtit någon gång sedan dess?”

Jag kände plötsligt ett starkt obehag. En sorts undertryckt panik försökte komma fri inuti mig, som en klåda i ett gipsat ben, och den låg så väl fastkilad under det där isberget att det enda jag kunde göra var att bita ihop tänderna och konstatera att hon hade alldeles rätt.

”Inte som jag kommer ihåg”, sa jag.

Vi talade om mycket under de där åren, Gudrun Ewerts och jag. Om Göran, till exempel, min bror, och om mitt förhållande till honom. Vad berodde det på att vi inte hade stöttat varandra när vår lillasyster hade dött? ville hon veta. Varför hade inte familjen slutit sig samman och gjort sorgen gemensam? Varför hade min mor och min far långsamt gått under var och en för sig?

Det var förfärliga frågor. Gudrun Ewerts undrade om jag var rädd för svaren på dem, om det var därför jag inte ville lyfta upp dem i ljuset. Jag sa att jag inte visste och hon föreslog att det kanske var de *inbillade* svaren jag fruktade. Vid den här tiden hade jag redan en hel hoper döda i bagaget, men det hade ju börjat med bara en. Eller hur? frågade hon. *Eller hur?*

Jag svarade att javisst, naturligtvis; det hade börjat med att Bengt-Olov Fotbollsstjärna backade över Gunsan med sin buss på den där parkeringsplatsen, och eftersom... ja, eftersom sådant kunde hände på bara en sekund, så... så kunde allt möjligt annat hända på samma vis. Lika snabbt och lika oannonserat. Man kunde tappa taget och störta utför ett bergmassiv, till exempel. Mörkret och döden lurade överallt, det visste hon likaväl som jag, och att ställa otrevliga frågor var att ge dem en öppning att tränga fram igenom.

Var det så jag föreställde mig sammanhangen i livet? undrade min terapeut. Var det därför jag inte kunde lyfta på locket och titta efter hur det stod till med mig och min bror, om vi nu höll oss kvar vid den problematiken?

”Ibland orkar jag nästan inte höra på dina överdrifter”, vet jag att jag protesterade vid ett tillfälle när vi talade om de här sakerna. ”Du fiskar i grumliga psykovatten. Göran och jag är för olika fiskar, helt enkelt, du kan aldrig få upp oss på samma krok. Sådant förekommer faktiskt mellan syskon.”

Det var ju inte mycket till bildspråk men ibland försökte jag möta henne på den spelplanen, och Gudrun Ewerts brukade alltid le åt mina taffligheter.

”Jag ska säga vad jag tror för att vinna lite tid”, sa hon en annan gång. ”Det är visserligen inte meningen att man ska ta sådana här genvägar i terapin. Det är ju patienten som själv ska komma på svaren, hitta dem djupt inom sig själv och så vidare. Men jag undrar om det inte är så enkelt som att du älskade din lillasyster över allt annat, och efter att hon togs bort ifrån dig har du aldrig vågat älska igen. Inte i hela ditt liv, du har inte velat ta risken."

"Det låter lite banalt i mina öron", sa jag.

"Vem i hela friden har påstått att livet inte är banalt?" sa Gudrun Ewerts.

Vi kom aldrig särskilt mycket framåt i de där frågorna om mina familjerelationer. De kom upp, vi pratade om dem, jag höll med om att hennes förslag kanske innehöll en del sanningar, men om det var så hade jag i varje fall ingen aning om vad jag skulle göra åt saken så här långt efteråt. Hon påpekade förstås, på bästa terapeutvis, att vi behövde komma åt det gamla för att kunna ta itu med det nya, att det var nödvändigt för att jag skulle kunna hantera kriser i framtiden lite mer framgångsrikt. Min förlossningsdepression var ett tydligt tecken, men det var bara jag som kunde bestämma om jag ville ta det på allvar eller inte. Jag var väl inte så enfaldig att jag trodde att det var slut på kriserna?

Och så vidare. Mot slutet av våra samtal, de sista tre eller fyra månaderna, sågs vi bara varannan vecka, och Gudrun Ewerts erkände själv att våra sessioner började påminna mer om samtal mellan gamla goda vänner än om något slags terapi. Vänner som hade olika ståndpunkter i vissa frågor och som tyckte om att då och då ventilera dem under trevliga former.

"Jag kan inte ta betalt av dig längre", förklarade hon vid vår sista träff. "Det vore oetiskt."

Sedan sågs vi inte någon mer gång. De där vännerna med

olika åsikter gick skilda vägar och jag antar att det är så det ser ut för terapeuter. De möter människor som tappat fotfästet, de ställer dem upp, stöttar dem, tar bort stöttorna – det kan ta tid, månader och år, men när det är klart stapplar patienten iväg och själva går de ut i väntrummet där nya havererade själar sitter och häckar.

Jag skulle ha behövt Gudrun Ewerts efter historien med Magdalena Svensson på hotellet i Göteborg, det vet jag. Men hon gick bort i början av 2006, jag var faktiskt på hennes begravning. Det var säkert trehundra människor i kyrkan, jag undrade hur många av dem som var före detta patienter.

Hursomhelst har jag funderat en del på mitt förhållande till Göran, min storebror, det var en knapp hon ofta tryckte på, Gudrun Ewerts. Om syskon inte har någon vidare kontakt när de är små, så kommer de inte heller att ha det som vuxna, det är ju ingen särskilt vågad slutsats. Och när jag någon gång lyckats ta mig ner till mina tidiga år, till de känslor och stämningar som möjligen kan ha uppfyllt mig på den tiden, undflyende och opålitliga som feberdrömmar är de, men om jag ändå så här långt senare försöker håva in dem, så kommer jag inte fram till annat än att jag inte tyckte om honom. Nej, jag älskade inte min storebror, verkligen inte.

Men inte mer än så. Det finns inget mörkt begravet, han förgrep sig aldrig på mig, han tyranniserade mig aldrig. Han angick mig bara inte. Eftersom jag inte angick honom, antagligen. Jag har inga speciella minnen av honom, inte av något vi gjorde tillsammans, ingenting han sa vid något särskilt tillfälle, ingenting. Han finns med ungefär som de där avlägsna släktingarna som brukar figurera i utkanten på gamla fotografier. Han var alltid där, han fanns alltid i närheten, men inget han någonsin sa eller utförde eller hittade på finns bevarat i mitt minne. Jag inser att det är en smula märkligt. Kanske är det rentav *mycket* märkligt, det är i varje fall vad Gudrun Ewerts brukade hävda.

Numera är han alltså högstadielärare med två egna barn och en fru som han aldrig kommer att lämna. Möjligen hon honom, men jag tror inte det heller. I maj månad, när de där löpsedlarna hade börjat dyka upp, ringde han en gång och förklarade att jag ju visste var han fanns om det behövdes.

Han ringde en gång till när Magdalena Svensson dragit tillbaka sin anmälan om våldtäkt och uttryckte både sin egen och familjens lättnad.

Det var då för skönt.

Att Martin och Göran aldrig haft mycket att säga till varandra förstår sig. Vi firade två jular tillsammans med dem när barnen var små, en gång hos oss, en gång hos dem.

Experimenten upprepades inte.

Och om Rolf inte dött? Om jag aldrig blivit gravid med Gunvald? Jag vet inte, hur skulle jag kunna veta?

När jag frågar efter vad det egentligen är som gått så fel, hittar jag inga svar. Kanske är det för att det var meningen. Kanske är det så enkelt. Martin sa en gång att det främsta skälet till att människorna blivit utrustade med så stora hjärnor, är för att de ska kunna känna sig olyckliga.

Jag betraktar Castor där han ligger utsträckt framför eldstaden och tänker att på den punkten – åtminstone där – är jag benägen att ge min make rätt.

23

Den sjuttonde november. Åtta grader. Regn och blåst på morgonen.

Det har gått några dagar. I synnerhet har det gått nätter, eftersom det blir allt mörkare. Ljuset orkar åtta timmar per dygn så här års i dessa trakter, mörkret härskar i sexton.

Det är Guns dödsdag. Jag satt med ett tänt ljus och tänkte på henne en stund på förmiddagen. Det kändes avlägset, som en gammal inbillning nästan. Jag vet inte om jag verkligen minns henne, eller om det bara är gamla bilder av att jag tidigare har mints. Kopior av kopior.

Jag har börjat hitta en sorts rytm hursomhelst. Vanor har ju det goda med sig att man slipper fatta beslut. Vi går en runda varje morgon, Castor och jag, antingen söderut, Dulvertonhållet, eller norrut, upp mot The Punch Bowl och det övergivna stenbrottet. Om det inte är för blåsigt händer det att vi tar oss ända upp till Wambarrows, den högsta punkten på den här delen av heden, 426 meter över havet, enligt kartan, och där den lilla överväxta lämningen från romarna finns.

Men det hör till undantagen att vi går en så lång sträcka före frukost, den ordentliga vandringen sparar vi istället till de tidiga eftermiddagstimmarna. Gärna två timmar eller mer, häromdagen gick vi till exempel fram och tillbaka till den märkliga kyrkan i Culbone; St. Beuno's, döpt efter ett walesiskt helgon från 600-talet. Det lär vara den minsta församlingskyrkan i hela England och den ligger undanstucken i djup grönska i närheten av ett vattenfall på en plats där man inte förväntar sig någon bebyggelse överhuvudtaget. Det tog en timme att komma dit; vi startade från Porlock Weir ute vid havet och vandrade sedan längs National Trusts kuperade vandringsled, den som löper utefter så gott som hela kuststräckan runt Somerset, Devon och Cornwall. Det var för övrigt någonstans i Culbones pastorat som Samuel Coleridge skrev sin dikt Kubla Kahn – efter en kvälls kraftfullt och kreativt opiumrus, enligt legenden – och om Martin hade varit med skulle vi säkert ha ägnat några timmar åt att leta reda på den bondgård där den store diktaren tillbringade denna sällsporda natt.

Ett stycke inåt land ligger Doone Valley, vi har rört oss en del i de trakterna också, och besökt pubarna i alla de tre gamla byarna Oare, Brendon och Malmesmead. En kvinna och hennes hund, överallt är vi välkomna. Jag har också fallit till föga och köpt R.D. Blackmores *Lorna Doone – a romance of Exmoor* – och bytt ut Dickens, trots att jag bara är halvvägs genom *Bleak House*. Lorna Doone är ett måste, förklarade den hundraåriga antikvariatsdamen i Dulverton för mig, man kan inte vistas på Exmoor i mer än en vecka utan att börja läsa John Ridds "A simple tale told simply".

Så när vi är tillbaka efter dagens exkursion, utefter vilka leriga stigar den nu har gått, blir det ett par timmar sent 1600-tal; det känns egendomligt nära i motsats till min bortgångna syster. John Ridd och Lorna Doone, jag har inga svårigheter att föreställa mig deras liv och bevekelsegrunder, inga som helst. Men eftersom jag inte har någon teve, och knappast tar del av vad som händer ute i världen, får själva tiden en annan innebörd. Gryning–dagsljus–skymning–natt; minuter och timmar blir viktigare än dagar och år. Här står en gammal radio men jag har bara provat att sätta på den en gång; fick in en station som spelade en påtagligt skrapig Elgar, det var det hela.

Matlagningen är en smula eftersatt, det ska erkännas. Den senaste veckan har jag ätit middag på The Royal Oak nere i byn tre kvällar av sju. Jag räknas redan som en stamgäst; Rosie eller Tom hälsar varje gång välkomnande på mig, Castor får alltid en godbit och de fåtaliga gäster som brukar vara på plats när vi anländer – oftast Henry, alltid Robert, samt två kvällar av fyra en äldre herre som jag inte vet namnet på men som är rörelsehindrad och har sin permobil parkerad utanför entrén – de nickar alla och säger godkväll och talar om att vädret var bättre förr.

Jag har tagit för vana att ta med Martins anteckningar från Samos till mina sittningar på The Royal Oak. Utan tvekan befäster jag härigenom min roll som författarinna. Jag sitter vid mitt vanliga bord, jag äter och läser koncentrerat, Castor snusar vid mina fötter. Det är ingen svår roll att spela, varken för honom eller för mig, och man låter oss vara i fred. Jag känner att jag är respekterad och jag dricker alltid två glas rött vin, det är inget som hindrar mig från att sedan köra uppför Halse Lane i skydd av höstmörkret. Jag tror jag har lyckats skapa mig ett lagom tjockt skydd av egocentricitet. Vi är hemma mellan kvart i tio och tio och jag släcker alltid sänglampan före elva.

Jag läser en smula Samoshistoria under förmiddagarna också, och i skrivande stund har jag nästan – sånär som på några dagar – avslutat den andra boken, sommaren 1978. Jag tycker inte om det.

Det rör sig om månaden efter att jag träffade Martin i Gamla stan, och möjligen kommer sig den tilltagande olust jag känner under läsningen av detta sammanfall i tiden. Det är innan vår historia börjar, men jag vet att jag under den sommaren då och då tänkte tillbaka på den där gårdsfesten och den där Martin Holinek. Att det skulle gå så långt som till att vi gifte oss och skaffade barn inbillade jag mig säkert inte, men att det skulle bli något slags fortsättning hade jag nog på känn. I *Samos, juni–juli 1978* omnämns jag dock aldrig, däremot finns det gott om andra kvinnor.

För första gången tillstår han i skriftlig form att han legat med någon. Två stycken för övrigt, med någon veckas mellanrum. Den ena heter Heather och är en "rödhårig keltisk nymf", den andra är amerikanska och kallas bara "Bell". Samlagen beskrivs i ungefär samma tonläge som om det gällde att åka vespa till Ormos för att proviantera eller diskutera receptionsestetik med en dansk filosof vid namn Bjerre-Hansen.

Men det är varken samlagen eller receptionsestetiken som gör att jag känner olust. Det är någonting annat, någonting som inte sägs.

Eller också är det inbillning, jag kan inte avgöra det än. Jag har två dagböcker kvar, plus det maskinskrivna och det datorskrivna, och vad Martin hade för avsikter när han förklarade för Bergman att han satt på ett material som vem som helst skulle gå ner på knä för att få ge ut, har jag inte en aning om.

Jo, kanske en aning, men jag vågar inte ta fram den i ljuset ännu.

Hursomhelst har den norske vännen Finn Halvorsen, han som ursprungligen berättade för Martin om kollektivet på Samos, dykt upp denna andra sommar, och de tillbringar rätt mycket tid tillsammans. I mitten av juli infinner sig även

Tadeusz Soblewski från Gdansk; han är poet, filosofie doktor och redaktör för en litterär tidskrift och han blir snabbt en mycket uppskattad samtalsbroder. Dessa tre – Martin, Finn och Soblewski, blir också uppbjudna privat till Tom Herold och Bessie Hyatt, inte bara vid ett tillfälle, och jag får intrycket av att det håller på att bildas en sorts inre grupp. Den skulle i så fall bestå av de redan nämnda – inklusive Hyatt och Herold förstås – samt de två tyska författarinnorna Doris Guttmann och Gisela Fromm.

Holinek, Soblewski och Halvorsen. Guttmann och Fromm, Herold och Hyatt, ja, det stämmer. Samt Gusov; den irriterande ryssen bereder sig också plats, och honom blir man tydligen inte av med så lätt. Martin skriver att han inte kan förstå varför Herold envisas med att tolerera honom.

Men han ligger inte med Doris eller Gisela, i varje fall gör han ingen anteckning om det. De tycker om att ligga nakna i solen men det gör ju alla tyskar, konstaterar han bara.

Vid ett tillfälle – och såvitt jag förstår är det bara denna enda gång – är han ensam med Bessie Hyatt. Det rör sig inte om mer än en timme, men han ägnar denna enda timme nästan fyra sidor. Man behöver inte vara exeget för att förstå varför.

De går en kort vandring tillsammans, Bessie Hyatt är ute för att plocka en viss krydda som växer ett stycke upp i bergsluttningen, och Martin följer med som sällskap. Han förklarar aldrig vilken sorts krydda det rör sig om, men han beskriver Bessies rörelser som ”hennes flickaktiga iver”, och hennes stora utsläppta hår som fladdrar i kvällsbrisen blir till ”ett segel som äntligen återser sitt Ithaka”. På tillbakavägen, med en kryddkvist i vardera handen, råkar hon trampa snett på en sten och han måste stötta henne under resten av promenaden. När de återkommer till terrassen har man redan tänt lyktor mot mörkret och Herold och Gusov är inbegripna i ett schackparti på liv och död. Den som förlorar måste dricka tre glas ouzo utan att blinka.

Och Doris och Gisela sjunger Cohen till Finn Halvorsens gitarrackompanjemang.

Sisters of Mercy.

Det dröjde tills nu ikväll innan Mark Britton dök upp igen på The Royal Oak. Jag har just kommit därifrån, sömnen vill inte infinna sig, det är därför jag sitter och skriver det här. Jag hade just fått in min förrätt, gravad lax med kapris – det har blivit en favorit – när han kom in genom dörren, och liksom förra gången fick jag en association till min gamle religionslärare Wallinder – även om jag vill minnas att den kom i efterhand senast vi sågs. Intrycket var hursomhelst starkare den här kvällen, eftersom Mark Britton hade klippt sig. Han såg överhuvudtaget mer välvårdad ut än jag mindes honom, Wallinder var alltid välvårdad ut i fingerspetsarna. Och numera minns jag hans namn.

Han fick syn på mig omedelbart, nickade vänligt och tvekade ett ögonblick. Sedan kom han över till mitt bord och frågade om jag satt och jobbade eller om han fick slå sig ner. Jag kände en plötslig tacksamhet över att han inte satte sig någon annanstans. Det hade gått mer än en vecka sedan jag genomförde något som skulle kunna betecknas som ett samtal med någon annan människa: Alfred Biggs på Winsford Community Computer Centre, och det hade väl i sanningens namn inte varit mycket till samtal, det heller.

”Självklart. Sätt dig.”

”Och jag stör inte i maten?”

”Naturligtvis inte. Tänker inte du äta?”

Han förklarade att det tänkte han förstås och sedan sa han

att han var glad att se mig igen. Jag sa att det började bli en vana för mig att sitta här på kvällarna, men att jag inte sett till honom sedan förra gången.

Han ryckte på axlarna och tecknade mot skrivblocket som jag hade stängt igen när jag fick min förrätt. ”Du arbetar under måltiderna också?”

”Går igenom och rättar till”, svarade jag urskuldande och han nickade allvarligt som om han visste vad jag talade om. Som om han sett igenom mitt pannben igen. Han klappade Castor och gick bort till Rosie i baren och beställde. Jag avslutade min lax och märkte att jag kände en lätt nervositet. Jag antog att det var för det där ansiktet i fönstret men osvuret var bäst. Hursomhelst tog jag upp det när han kommit och satt sig igen.

”Jag tror jag gick förbi ditt hus häromdagen.”

Han betraktade mig förvånat. Jag noterade att han hade samma blåa pullover som förra gången men en ljusare skjorta inunder. Ögonen var ton i ton med tröjan och jag tyckte mig uppfatta ett stråk av oro i dem.

”Jaså? Och hur vet du att det var mitt hus?”

Här kom jag i plötsligt beråd. Skulle jag förklara för honom att det var Alfred Biggs som hade berättat det? Erkänna att jag pratat med honom om ansiktet i fönstret?

”Det är ett stycke upp mot Halse Farm, eller hur?” frågade jag avledande. ”Det går ju en vandringsled uppifrån heden där jag bor, vi tog den vägen en morgon, Castor och jag. Jag måste säga att…”

”Ja?”

”Jag måste säga att det ligger vackert… och avskilt.”

Han upprepade inte sin fråga om hur jag visste att det var hans hus och det var jag tacksam för. ”Stämmer”, sa han bara. ”Vi bor där, Jeremy och jag.”

”Jeremy?”

”Min son.”

Jag funderade på om jag skulle nämna att jag sett honom, men Mark Britton hade blivit dämpad med ens, som om han inte hade lust att tala om sina personliga förhållanden. Eller som om han satt och överlade med sig själv åtminstone. Jag hade ju Alfred Biggs ord om att ”det är en sorglig historia” i färskt minne, och började ångra att jag sagt någonting om huset överhuvudtaget. Tänkte att jag varit klumpig och att det berodde på min tilltagande ovana vid att tala med andra människor.

Men så harklade han sig och lutade sig fram över bordet. Sänkte rösten.

”Om jag berättar en smula om mina omständigheter för dig, kan jag då vänta mig samma sak i retur?”

”Om du börjar”, svarade jag utan att ge mig tid att tänka efter. ”Bor du ensam med din son, alltså? Hur gammal är han?”

”Ja, Jeremy och jag bor för oss själva”, förklarade Mark Britton och drack en klunk öl. ”Sedan några år tillbaka. Jag valde det alternativet till slut och det går inte en dag utan att jag ångrar mig.”

Han log hastigt för att visa att det var en sanning med modifikation. ”Men jag skulle ha ångrat mig mera om jag inte tagit hand om honom.”

”Tagit hand om?”

Han nickade. ”Han är tjugofyra. Och inte riktigt normal, för att göra en lång historia kort.”

”Om du gör långa historier så korta kommer jag inte att berätta någonting om mig själv.”

Han log igen. ”Alright, som du vill. Det hände en vinterkväll för snart tolv år sedan. På vägen mellan Derby och Stoke, vi bodde ett stycke utanför Stoke på den tiden.”

Jag nickade och väntade.

”Jag och min fru Sylvia och Jeremy var på hemväg sent en kväll. Vi krockade med en lastbil. Det var jag som körde. Sylvia dog ett par timmar senare på sjukhuset. Jeremy blev skadad och låg i koma i två månader. Jag klarade mig med en bruten handled.”

”Jag är ledsen. Förlåt, jag visste inte…”

Han åstadkom en min som jag inte kunde tolka. Någonting mitt emellan resignation och förtröstan kanske, jag vet inte. I alla händelser kom flickan Barbara nu in med vår mat; Mark hade hoppat över förrätten, så vi låg åtminstone lika i det avseendet.

Och sedan, medan vi långsamt tog oss igenom var sin kokt torsk med potatis, sparris och pepparrotsgrädde, berättade han fortsättningen. Att Jeremy vaknat upp på sjukhuset efter åtta veckor – medan han låg där hade han för övrigt passat på att fylla tretton år. Hans kroppsliga skador läkte allteftersom, men någonting hade också hänt med hans hjärna. Han kunde nästan inte tala, hans motorik fungerade inte, han fick kramper och verkade inte förstå annat än de allra enklaste instruktioner. Kunde inte läsa, inte skriva, inte orientera sig i tillvaron. Mark tog ändå hem honom och klarade de första två åren med hjälp av en assistent som kom ett par timmar varje dag. Jeremy hade gjort framsteg, berättade han, men de var ytterst små. Kramperna fortsatte att komma, det rörde sig tydligen om någon sorts epilepsi, och vid flera tillfällen var Mark tvungen att köra honom till sjukhuset i Stoke. Läkarna rekommenderade att Jeremy skulle placeras på någon institution, Mark vägrade ihärdigt men när Jeremy fyllt femton och börjat visa tecken på ökad aggressivitet gav han efter. Pojken placerades på ett hem i närheten av Plymouth, flyttades efter ett år till ett annat ställe utanför Lyme Regis i

Dorset, där han blev kvar tills han fyllde nitton. Under tiden hade Mark köpt och flyttat in i det här huset på Exmoor; han förklarade inte närmare varför, bara att han ville lämna Midlands bakom sig. Det var aldrig fråga om någon vanvård på det där hemmet, betonade han, men ”till slut stod jag inte ut med att se honom sitta där. Så jag tog hem honom en gång för alla.”

Jag märkte att jag drog en suck av lättnad.

”Ja, så ser det ut”, summerade han. ”Han går nästan aldrig ut. Han sover fjorton timmar per dygn och sitter framför datorn i tio. Men det fungerar. Vad är det som säger att vi måste gå på bio, handla mat och åka på semester, vi människor? Egentligen? Läsa böcker? Umgås? Vem?”

Men det fanns mer förtröstan än resignation i hans röst.

”Och jag kan lämna honom ensam. Han hittar inte på några dumheter numera.”

”Du menar att han brukade göra det?”

Han ryckte på axlarna. ”Det hände. Han kunde vara en fara för sig själv, men så är det inte idag. Jag sitter ju här, som du kanske märker. Och jag vandrar en hel del över heden, det berättade jag nog förra gången. Nej, han behöver hjälp med det praktiska, matlagning och tvätt och sådant, men han lider inte av att vara ensam.”

”Pratar du med honom? Jag menar...?”

”Han förstår vad jag säger. Inte allt, men det som behövs. Han svarar förstås aldrig, men han begriper att det kan löna sig att vara lydig. Om han skött sig när jag kommer tillbaka ikväll får han belöning. En crunchie.”

”En crunchie?”

”En chokladbit. Det är det bästa han vet. Jag har ett hemligt lager i bilen. Om han hittade det skulle han förmodligen äta ihjäl sig.”

Jag funderade en stund medan Barbara kom och tog våra tallrikar.

”Men du kan aldrig resa hemifrån? Inte någon längre tid?”

Han skakade på huvudet.

”Inte utan hjälp. Men som tur är har jag en syster. Och det går att få en vecka på det där stället i Lyme Regis om det skulle knipa. Men jag försöker undvika det... fast jag var en vecka i Italien förra året, det erkänner jag. Hann med både Florens och Venedig. Jaha, det var mitt liv på trettio minuter. Får jag bjuda på ett glas vin som ackompanjemang till ditt?”

Jag behövde inte den stipulerade halvtimmen, men jag lyckades fylla tjugo minuter. Medan Mark Britton berättade hade jag hunnit tänka ut en historia som jag tyckte lät hyfsat trovärdig och som jag borde kunna komma ihåg i framtiden.

Jag hade varit gift och hade två vuxna barn. Var frånskild sedan sju år, hade arbetat bakom kulisserna på teve under mer än tjugo år och börjat skriva böcker i samband med min skilsmässa. Tre romaner så här långt, de hade sålt så pass bra i de nordiska länderna att jag kunnat ta ledigt ett år för att enbart ägna mig åt skrivandet. Vilket jag förstås såg som en ynnest. Vad mina böcker handlade om? Livet, döden och kärleken, vad annars?

Det skrattade han godmodigt åt, frågade sedan om det möjligen fanns någon översättning till engelska och det förnekade jag bestämt. Danska, norska, isländska, det var det hela så här långt.

Men det jag framförallt berättade om var min barndom, och på något underligt sätt, efter bara en kort stund, kunde jag nästan inbilla mig att jag befann mig i Gudrun Ewerts gamla rum ovanför Norra Bantorget medan jag gjorde det. Mark Britton satt lutad på armbågarna över bordet, satt där med sin blå pullover och sina tätt sittande ögon i nästan samma färg och betraktade mig hela tiden mycket uppmärksamt. Och jag pratade. Om Gunsan. Om min barndomsstad. Om mina stackars föräldrar. Om Rolf och om Martin fast med ett annat namn, och jag vet att det för ett ögonblick – inte mer, men ändå – for genom huvudet på mig att jag skulle kunna tala om sanningen för honom. Att jag faktiskt skulle kunna berätta precis som det var.

Det gjorde jag nu inte, naturligtvis inte, men att det var någonting med den här mannen och hans behärskade sorg som tilltalade mig, det förstod jag bortom varje rimligt tvivel, och när vi strax efter klockan tio skildes åt utanför The Royal Oak hade jag sånär gett honom en kram.

Men även detta uteblev, och när jag ett par timmar senare ligger i sängen med Castor över mina ben och snart ska sätta punkt, tänker jag på att jag ändå talade så mycket om mitt. Jag måste ha haft ett starkt behov av det. Berättelsen om hans son och den sorgliga olyckan hängde kvar i huvudet på mig förstås, men jag insåg att vi inte berört någonting av det vi pratat om förra gången. Hans förmåga att se det fördolda. Den frånvarande mannen, skuggan, det solbelysta huset i södern och vad det nu var.

Återigen har det blåst upp under kvällen. Vinden viner runt knutarna och kanske finns det bud om snö. Jag känner mig en smula nedstämd, mer nedstämd än jag varit de senaste dagarna, vet inte varför.

III.

24

Under mer än en vecka lät jag Samosmaterialet bli liggande. Jag funderade också på att göra mig av med alltihop, gå ut på heden med en bensindunk och bränna upp det någonstans, men jag bestämde mig för att det vore överilat. Kanske skulle det komma till användning så småningom, även om jag inte riktigt kunde begripa vad som i så fall avsågs med ”användning” eller ”så småningom”. Ytterligare ett par begrepp hade tömts på sin ordinarie mening således, men det var ju på det viset det började se ut. Jag levde överhuvudtaget inom de ramar som utgjordes av dygnets timmar och Exmoors gränser. Jag läste vidare om John Ridd och Lorna Doone, jag vandrade med Castor mellan tre och fyra timmar varje dag, kors och tvärs över heden, särskilt i trakterna av Simonsbath och Brendon, där himlen och jorden kysser varandra. I varje fall stod det så på en liten minnessten där jag en dag parkerade bilen: *Open yer eyes, oh, ye lucky wanderer, for near to here is a playce where heaven and earth kiss and caress.*

Vädret var genomgående välvilligt, åtskilliga plusgrader, relativt milda vindar och nästan ingen nederbörd. Varannan kväll lagade jag egen mat, varannan tog jag mig ner till The Royal Oak Inn. Mark Britton sågs inte till, och om det gjorde mig en aning besviken varje gång, så var det ingenting jag inte kunde hantera. Jag bytte några ord med Rosie, Tom och Robert om vädret och om Castor, mer blev det sällan. Återkommen till Darne Lodge tände jag nattens brasa och lade fyra patienser. Släckte sänglampan före elva och sov sedan tills jag väcktes av gryningen. Castor under täcket vid mina fötter.

Det låg inga nya fasaner framför dörren och jag hade långsamt börjat vänja mig vid tanken på att leva på det här viset fram till det ögonblick då en av oss dog av en blodpropp i sömnen. Jag eller Castor, helst bägge två samma natt. Varför inte? Varför måste den ena överleva den andra? Skulle det gå att övertala mr Tawking om att jag fick hyra den här enkla boningen på obestämd tid?

Men den tjugofemte november gjorde jag mig på nytt ärende till Winsford Community Computer Centre, någonting hade sagt mig att det var dags. Det hade gått över en månad sedan den besynnerliga vandringen, men lika gärna kunde det ha rört sig om ett år. Eller flera, så avlägset kändes det.

Så avlägset kändes allting som inte var här och nu, och så antar jag att det måste vara för den som endast räknar timmar och steg. Jag hade inte ens noterat att det var söndag när jag stod och ryckte i den stängda dörren till centret, men blev upplyst om det av Alfred Biggs i och med att jag tog honom på orden och knackade på hans rödlackerade port alldeles om hörnet några minuter senare.

Det innebar nu inga problem, inga som helst. Alfred Biggs låste upp åt mig och hjälpte mig komma igång med uppkopplingen. Sedan ursäktade han sig med att han hade ett ärende att uträtta i kyrkan men lovade att vara tillbaka om en timme. Tänkte jag ge mig av innan dess var det bara att släcka och slå dörren i lås. Skulle några andra nätbrukare dyka upp kunde jag släppa in dem bara de antecknade sina namn i besöksboken.

Innan han lämnade mig såg han naturligtvis till att det stod en kopp te och ett fat med kex på mitt bord. Samt att Castor fått en skål vatten och en handfull godbitar som hans matte kunde distribuera efter behag. Jag tackade honom för hans vänlighet och när han gått satt jag absolut stilla med slutna ögon under en halv minut innan jag öppnade våra mejlboxar.

Först min egen, det kändes redan som en rutin.

Ett enda meddelande, jag kunde inte avgöra vad det var för sorts reaktion som drog igenom mig. Lättnad eller besvikelse? Det var Katarina Wunsch igen, hursomhelst; på tre rader beklagade hon att hon stört mig med sin dubbelgångarhistoria och önskade mig en skön vinter nere i Marocko. Jag skrev ett lika kort svar tillbaka, stängde boxen och övergick med en känsla av lätt oro till Martins mejl.

Tio nya meddelanden, jag kunde utan vidare ignorera sju. De övriga tre var från den där studenten angående den missbedömda uppsatsen igen, från Bergman samt från signaturen G. Efter ett visst övervägande beslöt jag att ignorera även studenten och tittade istället efter vad Eugen Bergman hade på hjärtat.

Han tackade för mitt (Martins) förra mejl, önskade varmt lycka till med arbetet och vistelsen i stort, samt hade en fråga. En journalist från tidningen Svensk Bokhandel befann sig på resa i Nordafrika och ville gärna komma förbi och göra en intervju. Bergman trodde inte Martin var särskilt intresserad men hade lovat att fråga. Jag skrev ett svar där jag (Martin) bekräftade att vi var totalt ointresserade av alla typer av journalistvisiter och att arbetet fortgick enligt planerna. Därefter drog jag ett djupt andetag och öppnade mejlet från G.

Your last email made me more than confused. Did you have a stroke or are you just trying to avoid the issue? I'm coming down. What is your address? G

Jag blev sittande och försökte tolka innebörden under någon minut. Mitt förra meddelande hade uppenbarligen inte gjort denne G lugnare. Mer än förvirrad, alltså. *Trying to avoid the issue?* Han menade att Martin försökte undvika vad det hela var frågan om. Men vad var det frågan om? Vad var det som var så viktigt att han måste träffa Martin?

Och vem var han?

Jag förstod ju att Martin måste ha meddelat G planerna om att vistas ett halvår i Marocko och antagligen också att syftet var att skriva någonting som berörde Hyatt och Herold. Som hade med de där åren före hennes självmord att göra. Och detta hade stört G så till den grad att han måste få stopp på det. Eller hur? frågade jag mig. Visst måste det ligga till på det viset?

Tyvärr kunde jag ju inte få fram det mejl Martin antagligen skickat, och jag funderade på, medan jag knaprade i mig mina kex och drack ur mitt te, hur pass svårt det egentligen skulle vara att ordna en sådan sak. Mina kunskaper om datorer och it har alltid varit lika bristfälliga som motvilliga, men jag insåg att det förmodligen inte skulle innebära några större svårigheter för någon som var en smula insatt.

Jag insåg emellertid också att jag aldrig skulle förmå mig till detta steg. Dels var det inte säkert att Martins gamla mejl skulle vara någon hjälp på traven, dels var det möjligt att jag kunde hitta stötestenen ändå. Den måste rimligen, intalade jag mig, finnas i den återstående delen av materialet från Samos och Marocko, de tvåhundrafemtio sidor eller vad det nu rörde sig om som jag ännu ej förmått mig att läsa. Om det fanns någonting som var så viktigt som G antydde, borde det inte kunna undgå mig, bara jag kunde samla kraft nog att sätta mig ner med det hela igen. Det verkade ju högst troligt att G själv förekom i materialet, men om han nu inte var identisk med ryssen Gusov trodde jag inte att jag stött på honom ännu. Varifrån denna känsla emanerade var jag mindre säker på.

Å andra sidan skulle det kanske inte innebära någon risk att ignorera G? Jag hade försökt ge honom lugnande svar en gång, det hade uppenbarligen inte fungerat, och om jag nu helt enkelt struntade i honom, vad kunde det få för konsekvenser? Varför var han så angelägen? Vad var det som inte fick komma i dagen? Så länge han inte hade vår adress i Marocko kunde han i varje fall inte ge sig dit för att leta reda på oss. Vilka andra handlingsmöjligheter hade han? Kontakta Bergman? Det var naturligtvis inte uteslutet, men en sådan utveckling kunde jag lugnt invänta, eftersom Bergman i så fall skulle höra av sig.

Eller hur? Jag satt verkligen och försökte väga olika strategier en god stund och till slut valde jag en sorts medelväg. Jag skrev ett kort svar till G, tänkte att det åtminstone borde lugna honom temporärt; det finns ingenting som går hetlevrade människor så mycket på nerverna som att inte få svar på sina frågor, det hade mina långa år på Aphuset lärt mig. Vilket svar som helst är bättre än inget svar, och mitt intryck av denne okände G var utan tvekan att han var en otålig djävul.

My dear friend. When I tell you not to worry I mean it. There is absolutely no reason for us to meet. Best, M

Det fick duga. Jag skickade iväg det, stängde Martins mejlbox och ägnade ett par minuter åt att skumma svenska nyheter. Fann inget av intresse och ingenstans några uppgifter om någon försvunnen professor eller något tillvarataget lik vid den polska Östersjökusten. Med en suck av lättnad stängde jag av datorn och lämnade centret.

Tog en kort promenad genom byn och medan vi gick där i det tunna, tvekande regnet och var tvungna att stanna var tionde meter för att Castor ville ruska på sig, kom jag att tänka på att jag inte läst ett enda mejl från Marocko. Var inte det en smula egendomligt? frågade jag mig. Martin hade ju sagt att han hade kontakter därnere och att det var genom dessa kontakter han skulle ordna med vårt boende under vintern. Hade han inte förberett någonting innan vi lämnade Sverige? Inte kontaktat en enda människa, någon som vid det här laget borde undra varför vi aldrig dök upp och följaktligen höra av sig med en och annan fråga? Nog var detta en konstig omständighet, kanske också något som skulle ha dykt upp i huvudet på mig långt tidigare? Om det nu inte varit så mycket annat.

Men strunt samma, tänkte jag när vi hade krupit in i bilen vid krigsmonumentet. Så mycket bättre om det inte också fanns en marockansk komplikation att bevaka och förhålla sig till.

Mer än den där gamla, vill säga, den där Tazahistorien som av allt att döma lurade i en resväska i en garderob i Darne Lodge och som legat stilla i över en vecka vid det här laget. Jag startade bilen och började köra den numera välbekanta vägen upp mot Winsford Hill. Det var fortfarande så mycket ljus kvar av dagen att vi skulle hinna med en någorlunda lång vandring, men jag förstod att det därefter, under de långa kvällstimmarna när mörkret lägrat över heden, skulle bli nödvändigt att jag återigen satte mig ner med de där förbannade anteckningarna.

De länge sedan svunna somrarna från ett liv som inte tillhörde mig och som aldrig hade gjort det.

25

Det tog mig nästan sju timmar att gå igenom återstoden av det handskrivna materialet från Samos. Den vecka som ännu återstod från 1978 och hela sommaren 1979.

Klockan var över ett när jag var klar, och när jag uttröttad och med värkande ögon kröp ner i sängen hos Castor bad jag en stilla bön om att jag skulle komma ihåg så pass mycket att jag kunde skriva ett stödreferat följande förmiddag.

Härvidlag blev jag också bönhörd. Efter måndagens morgonvandring (plus sex grader, ganska stark nordlig vind, gråvit himmel, tunna dimstråk) satt jag i gungstolen, memorerade och antecknade det som jag uppfattade som det väsentligaste. Medan jag höll på hade jag en ganska tydlig förnimmelse av att vara övervakad. Att jag utförde något slags uppdrag som jag blivit ålagd att göra, och att själva åläggaren – om det nu var Martin eller någon annan; Eugen Bergman eller kanske den undanglidande G, eller varför inte de bägge döda huvudpersonerna, Herold och Hyatt? – satt som en eller flera surmulna korpar på mina axlar och såg till att ingenting försummades.

För någonting var det. Någonting höll på att hända därnere på den grekiska sagoön, det behövde man inte vara korp för att begripa.

Återstoden av vistelsen 1978 innehöll ingenting sensationellt. Martin skildrar den sista veckan i sin vanliga distanserade stil; Hyatt och Herold nämns bara i förbigående, Halvorsen och Soblewski desto oftare. Dagen innan Martin reser tillbaka till Sverige går just dessa tre en längre vandring längs en ravin genom bergen, och Martin gör verkligen sitt bästa för att förmedla intrycken. Det bestående blir att det är jobbigt och fruktansvärt hett. Och att Halvorsen har skoskav och mer eller mindre måste släpas den sista biten hem.

Med denna skildring, knappt tre sidor lång, avslutas sommaren 1978.

Följande sommar, juli–augusti 1979, har läget förändrats en del. Martin bor inte längre tillsammans med det så kallade kollektivet. Istället är han inhyst i ett mindre hus ett stenkast ifrån Herolds och Hyatts villa. Han bor där i fem veckor tillsammans med en del olika människor, de kommer och går, men Soblewski anländer efter en vecka och är kvar tills Martin åker hem och något senare dyker också en figur som heter Grass upp. Jag gissar att det möjligen är han som döljer sig bakom signaturen G, ja, noga taget bestämmer jag mig för den lösningen och av någon anledning känns det som en lättnad. Han är författare och medieforskare, ursprungligen från Monterey i Kalifornien, men för tillfället baserad i Europa.

Huset där de kamperar verkar rymma upp till åtta personer, i två av rummen bor par eller kvinnor, efter Soblewskis ankomst delar han och Martin rum tiden ut. Där finns kök, toalett och utedusch, på det hela taget innebär boendet en uppgradering jämfört med de tidigare somrarna.

Den ökade närheten till Hyatt och Herold är också tydlig, och det är inte bara så att Martin vill framställa det på det sättet. Paret är vid det här laget celebriteter och världskändisar och det är framförallt Bessie Hyatts debutroman som ligger till grund för det. Hennes andra (och sista) bok, *Mannens blodomlopp*, är färdiggranskad av förlagsredaktörer och korrekturläsare och skall komma ut i hela den engelskspråkiga världen i oktober. Martin skriver att allehanda journalister och fotografer "kryper som kackerlackor i pinjesluttningarna", men i synnerhet Tom Herold ser till att "inte så mycket som en autografjägardjävul kommer över bron".

Grass visar sig vara en gammal bekant till Bessie Hyatt. Tydligen kommer de från samma trakt i Kalifornien, de har gått på high school tillsammans och möjligen finns det mer i bagaget, något som Martin i så fall inte lyckas komma underfund med. I alla händelser umgås man flitigt med värdparet; jag får fram att det är en sextett, förutom Hyatt och Herold, som brukar tillbringa de långa kvällarna på den famösa terrassen "med en utblick över pinjerna, cypresserna, stranden, havet, den nedgående solen; om människan är den varelse skapelsen frambragt för att kunna betrakta och beundra sig själv, så är det här den rätta platsen och vi de utvalda människorna"(sic!). Halvdussinet består av: Martin, Soblewski, Grass, de tyska författarinnorna från föregående år (Doris Guttmann och Gisela Fromm), samt den evige ryssen Gusov. Då och då också Bruno, som fortfarande spelar rollen som något slags vaktmästare och därför tycks degraderad till en sorts andra rangens medborgare. Det är ingenting Martin påstår, det är en slutsats jag själv kommer fram till. Det förekommer naturligtvis andra människor på terrassen, under två kvällar är ikonen Allen Ginsberg gäst i huset, en vecka senare sitter Seamus Heaney där, irländaren som kommer att få nobelpriset sexton år senare.

Och dessa utdragna sittningar, med grekisk plockmat som hushållerskan Paula distribuerar i en aldrig sinande ström, med boutarivin och retsina, med ouzo och tsipouro och öl, med skarpsinniga diskussioner om existentialism och hermeneutik, om Kuhn och Levinas, Baader–Meinhof och Solsjenitsyn och fan och hans mormor, med gitarrer och bouzoukis, dessa orgier i hyperintellektuell livsnjutning och Gauloisescigarretter med eller utan tillsatser; ja, såvitt jag kan bedöma tingens ordning så äger detta rum varje kväll, vecka efter vecka, och samkvämen avslutas gärna med att en grupp deltagare traskar ner till havet någon timme efter midnatt och avrundar med ett stilenligt nakenbad. Tacka fan för att detta är himmelriket för en identitetsbyggare som Martin Holinek, tjugosexårig forskarassistent från Stockholm i Ultima Thule. Tacka fan för det.

Och på himlens tron själva paret: den omsusade brittiske skalden och hans femton år yngre amerikanska hustru. ”Om någon runt detta bord kunde tänkas härstamma från Olympen, om någon av oss vore en nedstigen gudinna”, skriver Martin i ett anfall av poetisk inspiration, ”så visst vore det hon.”

Varifrån Tom Herold är nedstigen känns mera oklart, Martin har överhuvudtaget svårt att närma sig honom i ord. Att detta hänger samman med en närmast histrionisk respekt framgår ganska tydligt, och det är inte förrän efter tre veckor som det dyker upp en anteckning som antyder att någonting inte riktigt är som det borde vara.

”Det är någonting med Herold som gör mig en smula betänksam”, skriver han den trettionde juli. ”Hans lynne är utan tvekan en belastning, både för Bessie och för honom själv. Igår kväll lämnade han bordet i vredesmod, det var efter någonting som Grass sagt och som jag inte uppfattade, och som Grass efteråt heller inte var villig att gå in på. Bessie satt kvar på sin plats och försökte hålla god min, men jag såg på henne att hon inte mådde väl. Efter en stund ursäktade hon sig och lämnade sällskapet, jag och Soblewski fann för gott att göra detsamma. Det är första gången sedan jag landade på ön som jag kom i säng före midnatt. Inget ont som inte har något gott med sig.”

Några dagar senare berättar han om en ny kontrovers på terrassen. En ung amerikansk poet är på besök, Martin skriver att denne och Bessie Hyatt uppenbarligen finner mycket att prata om, och att Tom Herold, när han konsumerat en tillräcklig mängd retsina, inte kan hålla tillbaka sin irritation. Uppenbarligen försöker Bessie ta sin bordsgranne i försvar, han heter Montgomery Mitchell, för övrigt, Herold gör sig lustig över hans namn, och det hela slutar med att han tar sin hustru i armen och drar henne med sig bort från bordet. De återkommer en stund senare, ”Bessie ser kuvad och hjälplös ut”, skriver Martin. Stämningen känns dämpad och oroande, det är bara Gusov som inte tycks uppfatta läget. Han uppmanar hela sällskapet att sjunga Theodorakissånger på grekiska, och får så småningom också med sig de flesta.

Mycket av de senare dagboksanteckningarna denna sista sommar på Samos handlar om detta, om hur Martin iakttar spelet mellan Herold och Hyatt. Han spekulerar också en del. Finns det en otrohetsaffär i bakgrunden? Förekommer det någonting mellan Bessie och Mitchell, han stannar kvar i mer än två veckor? Eller mellan Bessie och Grass? Martin samtalar mycket med denne Grass (utan att använda förkortningen G, dock), som alltså påstår sig känna Bessie utan och innan sedan barndomen, och han understryker verkligen att det ligger till som Martin anat. Hon är inte lycklig tillsammans med sin betydligt äldre make, som alltmer vill kontrollera henne. Grass menar att det finns både svartsjuka och avundsjuka inblandat; litterärt sett håller Herold på att bli omsprungen av sin vackra hustru och hur gärna han än låtsas njuta av hennes framgång, lyser något annat igenom. Men Bessie anförtror ingenting, varken till Grass eller någon annan. ”Det kommer att gå åt helvete, den där pompöse poeten är en stor tickande jävla bomb”, citerar Martin Grass några dagar in i augusti. ”Vi borde rädda henne, men hur fan räddar man någon som inte vill bli räddad?” säger han på ett annat ställe.

Dagboksanteckningarna består av annat också, förstås, men jag märker att jag gärna glider förbi alla mer eller mindre ansträngda hellenistiska iakttagelser och alla snåriga diskussioner om livet, politiken och litteraturen. Trots att Martin noterar Tom Herolds lynnighet märks det att han är full av beundran för den store poeten. ”Vad vore han utan detta kreativa, oroliga hav inom sig?” skriver han. Och ”Efter att ha läst om hans *Ode to Ourselves*, inser jag att han förmodligen är den störste nu levande skalden i Europa. Herolds poesi har helt enkelt en pregnans och en rikedom som söker sin like, både på vår kontinent och i vårt århundrade.”

Han är dock aldrig på tu man hand med den store diktaren; i varje fall nämns det inte, och jag är säker på att Martin inte skulle underlåta att skriva om det. Med Bessie Hyatt får han chans till ett lite mer privat samtal vid ett enda tillfälle; de råkar hamna tillsammans på stranden en morgon när en grupp gått ner för att bada ”innan dagens hetta gör att varje tänkande varelse söker sig till skuggan”. ”Är du lycklig?” frågar hon honom oförmodat och Martin svarar inspirerat att vilken man skulle inte skatta sig lycklig över att få sitta på en grekisk strand med en grekisk gudinna? Det skrattar hon åt, tydligen, och sedan frågar hon om han tror att hon är lycklig. Martin säger att han inte tror det eftersom hon frågar, och åt det nickar hon bara eftersinnande och ”ser under ett ögonblick så sorgsen ut att man skulle vilja sälja sitt hjärta för att rädda henne". Ja, jag läser om denna lite svårtydda rad, och det står faktiskt så. Han vill sälja sitt hjärta för Bessie Hyatts skull. Jag inser att vi här befinner oss i augusti 1979 och att Martin och jag har ett förhållande sedan åtminstone ett halvår tillbaka.

På terrassen några dagar senare släpper Tom Herold nyheten att de kommer att flytta. Allting har sin tid, förklarar han, man har sålt sitt grekiska paradis och kommer att slå ner sina bopålar i Taza i Marocko. Nya ägare kommer att flytta in i september, "so I am afraid the bell tolls for all of you!" Det utbryter en del okontrollerade reaktioner runt bordet, man vet inte om man skall gratulera eller sörja eller bägge delarna, men Martin skriver att han råkar kasta ett öga på Bessie Hyatt och att hon ser allt annat än glad ut. Det dricks och röks extra mycket den här kvällen och för en gångs skull är Herold på sitt allra mest spirituella humör. Martin skriver att han "skapar en fulländad sonett ur rockärmen, precis som Cyrano de Bergerac, men istället för att sätta värjspetsen i en motståndare efter den fjortonde radens slutrim, häller han ett glas retsina över huvudet på Montgomery Mitchell och kysser sin hustru". Stora applåder utbryter, inte ens den stackars Mitchell tycks ha något att invända.

Följande dag diskuteras förstås bakgrunden till Herold/ Hyatts uppbrott, bland annat talar Martin med Grass. Denne menar att alltihop är ett tilltag av den djupt egoistiske Herold och att Bessie ställts inför fullbordat faktum. Det framgår inte hur Grass känner till detta, men Martin refererar till honom som om det vore "the whole truth and nothing but the truth". Återigen uttrycker Grass oro för sin barndomsväninna och påstår att det aldrig kommer att sluta väl mellan det omaka paret. Tydligen har Grass också lyckats komma åt att läsa *Mannens blodomlopp* i korrektur och han förklarar att när den kommer ut kommer ”var och en som har mer än en hjärncell i knoppen att förstå hur det står till med den engelske knoddpoeten”. Man kan undra vilket engelskt ord som ligger bakom ”knoddpoet” och Martin funderar en del över Grass aggressivitet. Han tycker att det verkar ligga en del hundar begravna och kanske går Grass Mitchells ärenden, vilka de nu skulle kunna vara.

Martin lämnar Samos i sällskap med Soblewski, de åker båt till Pireus, tillbringar två dagar i Aten i varandras sällskap, vandrar på Akropolis, sitter på tavernorna i Plaka och skils åt på flygplatsen den femtonde augusti. Martin ägnar nästan tio sidor åt dessa sista dagar, men han avslutar ändå 1979 års dagbok med orden: ”Det känns som om någonting har tagit slut. Jag kommer aldrig att återvända till Samos, kanske kommer jag aldrig att återse vare sig Tom Herold eller hans gudinna, vilket är en tanke som plötsligt känns som en kvarnsten.”

Jojo, tänker jag mer än tre decennier senare. Och om ett år har du en gudinna av betydligt lägre dignitet att ta hand om. Gravid dessutom.Ändå gör du en resa till.

Återstår fyrtio sidor handskrivet från Taza.

Återstår det maskinskrivna. Återstår filen på datorn. Jag bestämmer mig för att vänta några dagar; jag mår lite illa när jag häver mig upp ur gungstolen, det är inte alldeles problemfritt att vandra hand i hand med en ung Martin Holinek på det här viset.

26

”Och känner du till varför kyrkan är vitmålad?”

Det är tidigt om eftermiddagen den andra december. Castor och jag befinner oss i trakten av Selworthy, en högt belägen by mellan Porlock och Minehead, nästan ute vid havet. Vi har slagit följe med en gammal dam och hennes betydligt yngre hund, en energisk labrador. Vi har parkerat bilen utanför kyrkan och är på väg upp mot Selworthy Beacon, det är en lite kylig men klar dag, man kommer att kunna se miltals däruppifrån.

”Nej”, svarar jag. ”Det känner jag inte till.”

Den gamla damen skrockar förnöjt. ”Ja, jag antar att du är utlänning, om du ursäktar att jag säger det. Men det är ovanligt med vitmålade kyrkor i det här förenade kungadömet. Det ska vara grått, naturlig stenfärg, både i städer och på landsbygd... inte som på andra ställen i världen, Grekland till exempel.”

”Jag har lagt märke till det”, säger jag. ”Att kyrkorna brukar vara grå, alltså.”

”Alldeles precis, ser du”, säger damen och gör halt ett ögonblick för att rätta till sin yllescarf som hon har virat runt huvudet. ”Men här hade vi en kyrkoherde, förstår du, och han målade vår kyrka vit. Han hade goda skäl också, åtminstone tyckte han det själv.”

Vi vänder oss om och konstaterar att vi fortfarande kan skymta kyrkobyggnaden ett stycke nedanför oss genom trädens vintergröna lövverk. Att den är vitmenad råder inga tvivel om.

”Han var begiven på att jaga, ser du, det här var för ett par hundra år sedan, och medan han var ute och jagade, efter hjort eller fasaner eller vad det nu var... därnere i Porlock Valley, alltså...”, hon tecknar med sin käpp, ”... den lyckliga dalen kallas den, namnet lär betyda det också förresten, och det är den vackraste dalen i hela England... nåväl, medan han strövade omkring där och letade villebråd, så stärkte han sig då och då ur sin plunta för att hålla värmen och humöret uppe... och sedan, ser du, inemot skymningen när han skulle hem igen, så var det lögn i helskotta att veta var han befann sig och vilken riktning han skulle ta. Så då målade han kyrkan vit. För att den skulle synas och för att han skulle hitta hem i fyllan och villan. Och det fungerade verkligen, man ser den var man än befinner sig i dalen. Går inte att missa.”

”Är det sant?” frågar jag dumt.

”Klart det är sant”, svarar damen. ”Tror du jag går här och hittar på historier för en besökare från långt borta?”

Vi skils åt en stund senare. Hon och hennes Mufti viker av bort mot Bossington, det är för brant för en åttioåring att ta sig ända upp till toppen och förresten är det bara ett stenkummel och en massa vind, får jag veta.

Men Castor och jag stretar vidare. Jag tänker ett slag på damens allra sista ord – *en besökare från långt borta* – och på hur väl de häftar vid mig. Det har gått precis en månad sedan jag flyttade in i Darne Lodge, jag har en Times liggande i bilen som bekräftar detta, och även om jag inte längre uppfattar tiden som jag brukade göra, även om min tillvaro gått ut i öknen och jag är en emigrant från allt normalt liv, så kunde jag inte undgå att lägga märke till att man kommit igång med juldekorerandet i Dunster. Vi körde igenom samhället på vägen hit, och medan jag stod i kö för att betala min tidning läste jag på en affisch om ”Dunster by Candlelight” kommande lördag, en stor begivenhet av allt att döma.

För normala människor.

Vi segar oss uppför det sista långa motlutet till minneskumlet uppe på krönet och jag umgås med tanken på att jag aldrig någonsin kommer att återvända till Sverige. Nej, det är fel, jag umgås inte med tanken, för det har jag gjort tidigare till övermått; det är med känslan jag umgås, den breder ut sig som ett löskokt obehag i mellangärdet och det är nog första gången sedan jag kom och slog mig ner på heden som jag erfar ett så tydligt sting av hemlängtan.

Till vad? frågar jag mig. Om jag inte längtar efter någonting, om jag egentligen inte vill leva, varför skulle jag då längta hem? Tillhörighet måhända, detta mångomsjungna, är det denna grundbult jag famlar efter? Sammanhang och trygghet och närvaron av någon annan? Men varför attackerar det just nu i denna blåsiga sluttning? Vi har ingen fortsättning, Castor och jag, jag skall överleva honom, sedan dö, det är det kontrakt vi kommit överens om. Som vi skriver under varje dag, min hund och jag, är det inte så?

Jag försöker skaka det av mig, vad det nu är, men det är inte lätt och jag vet att det var den gamla damens ord som satte igång det.

En besökare från långt borta.

Lika gärna kunde det ju vara en beskrivning av vad det innebär att vara människa på jorden.

På vägen tillbaka ner mot Selworthy – vi följer en annan stig nu, det finns gott om dem – stöter vi på ett litet monument i sten. Enligt en inskription har det rests för en man som tyckte om att vandra med sina barn och sina barnbarn hit upp, medan han berättade för dem om skönheten och rikedomen i Guds natur. Enligt samma text är byggnaden också tänkt som vindskydd och rastplats för den trötte vandraren, och eftersom Castor och jag har både kaffe och levergodis i ryggsäcken slår vi oss ner i lä med den bleka men någotsånär värmande solen i ansiktet. Jag läser en dikt på väggen:

Needs no show of mountain hoary,
Winding shore or deepening glen,
Where the landscape in its glory
Teaches truth to wandering men:
Give true hearts but earth and sky,
And some flowers to bloom and die.
Homely scenes and simple views
Lowly thoughts may best infuse.

Även detta rör starkt vid mig, jag förstår verkligen inte varför jag är så ömhudad och varför så många dörrar i min själ står öppna den här vackra decemberdagen, men så är det. Jag minns plötsligt boken *En lycklig död* av Albert Camus, som både Rolf och jag läste under den korta tid vi var tillsammans, och att vi pratade om temat i boken: att välja tiden och platsen för sin död. Att det är ens viktigaste ögonblick i livet och att man därför inte borde lägga det i andras händer så lättvindigt som de flesta gör.

Skulle jag vilja dö här och nu? Är det den frågan som ansätter mig? Jag tror inte det, men kanske skulle jag vilja dö en sådan här dag på en sådan här plats. Kanske just den här platsen?

Jag betraktar Castor där han ligger utsträckt på marken i solskenet. Jag betraktar Englands vackraste dal som breder ut sig nedanför oss. Jag lyssnar till vinden i trädkronorna och tänker att så länge vi lever kommer vi aldrig undan tideräknandet, inte juldekorationerna i Dunster och inte det vi gjort oss skyldiga till.

Det är därför vi behöver dödens dörr att ta oss ut igenom.

Solen går i moln. Castor ställer sig upp och tittar på mig. Dags att återvända ner till bilen.

Det står två fordon på parkeringsplatsen nedanför Selworthys vita kyrka. Den ena är min ganska smutsiga mörkblå Audi, den andra är en silverfärgad Renault med en dekal från uthyrningsfirman Sixt. Trots att det finns åtminstone tio tomma platser har föraren parkerat så tätt intill mig att jag nätt och jämnt kan öppna framdörren och tränga mig in.

Och det är just som jag är i färd med denna manöver som jag lägger märke till tidningarna som ligger på instrumentpanelen alldeles ovanför ratten på hyrbilen; den är högerstyrd, min vänsterstyrd. De är två stycken och jag känner igen båda, den ena är en svensk Dagens Nyheter, den andra en polsk Gazeta Wyborcza.

Jag kommer på plats bakom ratten och drar igen dörren. Ser mig om. Inte en människa i närheten. Jag startar och kör iväg. Hjärtat dunkar i bröstet på mig; jag vet att det här är en av mina bräckliga dagar och jag hoppas att rädslan som tagit mig i besittning på en sekund kommer att ge vika bara jag inte ger den näring och onödig uppmärksamhet. Bara jag koncentrerar mig på annat.

På hemvägen kör vi återigen längs de trånga medeltidsgatorna i Dunster. Jag stannar och köper fyra flaskor rött, två flaskor port. Det är julemånad.

27

Jag bläddrar i Marockomaterialet innan jag börjar läsa på riktigt.

Martin tycks ha tillbringat tretton dagar i Taza sommaren 1980. I varje fall finns så många dagar beskrivna i dagboken, men det slutar inte med att han bryter upp och åker hem, eller ens lämnar Herold och Hyatt. Jag har för mig att han var borta från Stockholm i åtminstone tre veckor, men det är förstås möjligt att han passade på att besöka Casablanca och Marrakesh också, inte bara det beryktade paret i Taza. Om han nu tagit sig ända till Marocko. Kanske redogjorde han för det här när han kom hem, men är man i åttonde månaden med sitt första barn, så är man.

Möjligen förstod han att det var dags att lämna Taza. Möjligen inträffade någonting som fick honom att avbryta skrivandet – någonting som han av vissa anledningar inte ville ha nedtecknat. Kanske kommer jag att hitta svaren i det maskinskrivna materialet eller på datorn.

Om det nu verkligen finns korpar på mina axlar och om jag nödvändigtvis måste fullfölja detta frivilliga åtagande, jag vet inte längre. Tanken på ett stort nattligt bål ute på heden med alla Martins tillhörigheter har fått en allt starkare dragningskraft den senaste veckan, men det skulle kunna vara förhastat. Fast varför det skulle vara förhastat begriper jag fortfarande inte; det är skillnad på att bränna kläder och att bränna broar men kanske inte så stor som jag vill inbilla mig. Jag känner mig verkligen kluven inför det här, men tänker att jag ju lika gärna kan läsa de här irriterande anteckningarna till slut – lika gärna som att lägga patiens eller umgås med Lorna Doone och John Ridd på 1600-talets Exmoor. Vad som är viktigt och vad som bör göras är frågor som förlorar sin skärpa mer och mer för varje dag. Jag antar att det är isoleringens rättmätiga pris.

I alla händelser är läget i Taza 1980 ett annat än det var på Samos de tre föregående åren, och jag kan inte låta bli att undra varför Martin blivit inviterad överhuvudtaget.

Eller varför någon blivit inviterad. *Har* de verkligen blivit inviterade? Av vem? Det är sju människor som har kommit ner till det stora huset utanför staden Taza den här sommaren: Grass, Gusov och Soblewski, en av tyskorna, samt en betydligt äldre fransk romanförfattare vid namn Maurice Megal och hans hustru Bernadette. Och så Martin. Några andra personer, förutom Hyatt och Herold, namnges inte. När jag räknar efter kommer jag fram till att denna kärntrupp således består av sex män och tre kvinnor; en kokerska, en städerska, en trädgårdsmästare tillika poolskötare oräknade. Ja, skulle man skriva en pjäs om det skulle man behöva ett dussin skådespelare.

Varför i hela friden skulle man skriva en pjäs om det?

Varför skulle man *inte* skriva en pjäs om det? Fan också, jag märker att tanken biter sig fast. Jag har inte sysslat med särskilt mycket drama på Aphuset, men fyra–fem produktioner har jag ändå varit inblandad i och jag vill påstå att jag i varje fall förstår förutsättningarna och spelets regler. *Kvällarna i Taza*? Låter nästan som en klassiker redan.

Martin anländer på kvällen den tjugonde juli och den sista handskrivna anteckningen är från den första augusti.

Bessie Hyatt är gravid, det är det nav allting kretsar runt. Nyheten når visserligen inte Martins öron förrän på tredje dagen och det syns ännu inte på henne. Icke desto mindre är det ett faktum. Hon är i början av tredje månaden, och det är samma kväll som Martin får reda på det som han också via ett samtal på tu man hand med Grass blir informerad om den möjliga komplikationen. Han har strukit under ordet ”möjliga” med dubbla streck, för ännu så länge är inte Grass säker på sin sak: nämligen att det skulle vara någon annan än Tom Herold som är far till det väntade barnet.

Här avbryter jag läsningen eftersom jag plötsligt erinrar mig den där kommentaren som Martin fällde om Gunvald när vi satt i bilen på vår nattliga färd mot Kristianstad och Polen. Om att han inte skulle vara pappa till sin son. Var det här det kom ifrån? Han hade ju pratat om Strindbergs *Fadren* och sagt att det var en fråga som alla män ställde sig, mer eller mindre på allvar – men om problemet nu varit en springande punkt i dramat mellan Hyatt och Herold, så hade det kanske en annan sorts aktualitet för Martin? En annan tyngd? Vad det nu skulle spela för roll. Jag skjuter undan det och återupptar mitt läsande.

Innan detta med Bessies graviditet kommer upp i anteckningarna finns en del beskrivningar av omgivningarna och huset, men från och med den tjugofjärde augusti handlar allting om händelser och relationer mellan människorna på Al-Hafez, som den palatsliknande skapelsen tydligen heter. Den är byggd i morisk stil och ägs av en schweizisk miljardär, skriver Martin. Tom Herold hyr den för en period av två år, och eftersom det är oerhört hett så här mitt i sommaren går man sällan utanför den vita mur som inhägnar egendomen.

Innanför denna "glasskärvekranelerade" mur finns också allt man behöver: skuggande träd (oleandrar, tamarisker och en generös platan, enligt Martin), en stor njurformad pool, stimulerande samtal, mat, dryck, ett visst mått av milda droger, samt de tre redan nämnda tjänsteandarna.

Sådana är de yttre ramarna. Skådespelets rum och scenografi, tanken återkommer med objuden envishet.

"Hade ett långt samtal med Grass", skriver Martin den tjugofjärde augusti. "Jag har svårt att bedöma om det ligger något i vad han säger eller om han bara är paranoid. Han dricker för mycket och antagligen knaprar han också någon sorts piller, jag vet inte vilka, men det gör honom oerhört intensiv och påträngande. Han talar i ett enda flöde och lyssnar inte för en sekund på invändningar, i varje fall inte när man är på tu man hand med honom. När Herold är närvarande sitter han däremot oftast tyst och behåller sina tankar för sig själv."

Det som Grass återkommer till och framhärdar i är att hans barndomsväninna (barndomskärlek? frågar sig Martin) Bessie är i fara. Hon befinner sig på randen till ett nervsammanbrott, och det är hennes graviditet och hennes makes uppfattning om denna som är de verksammaste beståndsdelarna i den hastigt uppseglande krisen. Martin kan också med egna ögon konstatera att den unga succéförfattarinnan bär syn för sägen. Grass ord är inte bara tagna ur luften; vem som vill kan se att Bessie Hyatt inte mår bra, hon vacklar mellan tillstånd av manisk upprymdhet och nästan katatonisk slutenhet. Hon sitter alltid med vid de obligatoriska, utdragna måltiderna – som tar sin början så snart mörkret och kvällssvalkan börjat lägra sig över Al-Hafez och sedan gärna pågår till efter midnatt – men från den ena kvällen till den andra kan det förefalla som om Bessie är två skilda människor.

Alla nio sitter de där, och det är Tom Herold som håller hov. Martin använder detta uttryck flera gånger. Det är Herold som är den obestridlige huvudpersonen och för att understryka denna roll tycker han om att klä sig och uppträda som någon sorts arabisk prins. Han har stort skägg numera, vit fotsid jallaba och röd fez. Han orerar gärna om den arabiska kulturen och dess överlägsenhet visavi den västerländska, han citerar sufiska poeter och bjuder vid varje sittning på något ur egen fatabur, ofta bara ett par pregnanta rader komponerade under förmiddagen, då han alltid sitter isolerad i sin svala skrivkammare ett par timmar. Han upprepar gärna dessa rader flera gånger under kvällens lopp. Han kallar det för att ”tatuera kretinernas själar”.

Martin beskriver inte de övriga deltagarna särskilt noggrant, undantagandes det franska paret som han inte träffat tidigare. Romanförfattaren Maurice Megal liknar han vid en närsynt get, men kallar honom också ”en överkultiverad snobb som noga ser till att aldrig säga någonting som är begripligt och därför inte heller möjligt att ta ställning till eller opponera mot”. Hans hustru Bernadette, som är gott och väl ett kvartssekel yngre, är en ”mörk, mager och mystisk kvinna, som spår i Tarotkort och har ett rykte om sig som hypnotisör”. De senare konsterna visar hon prov på en av de första kvällarna, när hon får Doris Guttmann att klä av sig naken och framföra en sorts ormdans för hela sällskapet i tron att hon är en haremsdam från 1300-talet.

”Det är också fullt möjligt”, noterar Martin, ”att hon inte var det minsta hypnotiserad men inte ville försitta ett tillfälle att få dansa naken inför publik.”

Jag antar att Martin måste ha känt sig både stimulerad

och en smula bortkommen i den här miljön, även om han aldrig tillstår vare sig det ena eller det andra. Han försöker få det att låta som vardagsmat, åtminstone inledningsvis, men allteftersom tiden går (han ägnar varje dag åtminstone fyra sidor text) får hans framställning ett tydligare fokus: Bessie Hyatt. På morgonen den tjugoåttonde juli har han sitt första (och enda, tror jag) privata samtal med henne, och det hon säger till honom ger å ena sidan Grass vatten på hans kvarn, å den andra en bild av hur oerhört beroende den unga amerikanskan är av sin make. Hon bedyrar att hon dyrkar honom, verkligen *dyrkar*. Hon skrattar och gråter om vartannat, uppträder "med en kontrollerad hysteri som ligger så tätt under ytan att man uppfattar den även när hon sitter alldeles stilla och inte säger något. Som en bro över mörka vatten är hennes ansikte."(sic!) Martin kan förstås inte fråga rakt ut hur det står till med hennes graviditet, vem som är far till det väntade barnet, men den frågan får ett utbasunerat svar redan följande kväll. I pjäsen *Kvällarna i Taza* har vi här nått fram till den första lyckoomkastningen, även om begreppet lycka inte känns särskilt relevant i något avseende.

För att sammanfatta: genom en kombination av potent inhalerad svamp och hypnotisörskan Bernadette Megal får Tom Herold, inför ögonen på var och en, en syn där han upptäcker våldtäktsmannen Ahib, den som i lönndom placerat ett olivfärgat oönskat bastardfoster i Bessie Hyatts svällande mage. Ahib är alldeles tydligt besatt av en eller flera demoner och måste dö. Det är en plikt att döda honom, i synnerhet är det en plikt att döda honom innan barnet vuxit sig för stort och livskraftigt inuti Bessie. Denna föreställning framförs med en rad märkliga turer och poetiska krumbukter under tjugo minuter, madame Megal ackompanjerar både på bongotrummor och på något slags inhemskt stränginstrument, och dramat slutar med att Tom Herold vrålar av smärta och vrede som ett skadskjutet lejon och att Bessie Hyatt kastar sig i poolen.

Jag avbryter läsningen efter denna redogörelse. Martin har tre dagar kvar i Taza, men plötsligt har en tanke dykt upp i mitt huvud: vad är det som säger att han inte suttit på ett hotellrum i Köpenhamn eller Amsterdam och diktat ihop hela historien? Vad finns det som talar för att det inte bara är ett påhitt?

Ingenting såvitt jag kan se. Varför har jag inte hört talas om det här tidigare? Varför har han tigit om dessa bisarra händelser under mer än trettio års tid? Varför har han inte skrivit om det? Jag bestämmer mig för att kontrollera om det överhuvudtaget finns en plats i Marocko som heter Taza. Det får bli när jag avlägger nästa besök på Winsford Community Computer Centre, jag inser att det gått mer än en vecka sedan sist och att det antagligen är hög tid.

Men så erinrar jag mig mejlen från signaturen G.

Har alltid haft en känsla av att det här skulle komma upp till ytan en dag.

Och löftet till Bergman och samtalet med Soblewski i hans stora hus den där natten... nej, det finns en verklighet bakom de här anteckningarna, motvilligt måste jag acceptera det. Det har faktiskt hänt.

Vilket givetvis inte behöver innebära att vartenda ord är sant. Jag bestämmer mig för att låta det vila några dagar, återbördar anteckningsböckerna till resväskan och garderoben och tänker att om inte annat så borde jag försöka få tatt i Bessie Hyatts båda romaner. Av skäl som jag inte riktigt förstår har jag inte läst någon av dem; alldeles säkert står de i hyllorna i Nynäshamn men det är långt till dessa hyllor. Kanske kan den vänliga damen på antikvariatet i Dulverton hjälpa till?

Jag betraktar Castor där han ligger framför den nästan utbrunna elden. Frågar honom om han vill gå på en promenad. Han svarar inte. Genom fönstret, på andra sidan muren, ser jag hela flocken av vildhästar stå och beta i den begynnande skymningen. Åtminstone tjugo stycken. Om en timme har vi mörkret över oss, både vi och de.

28

Den sjunde december, en fredag. Regn under natten men åtta grader och uppehåll på morgonen. Himlen molntäckt, ingen dimma. Sydvästlig vind, knappast mer än fem–sex sekundmeter.

Jag har sovit dåligt några nätter, på dagarna har jag känt mig rastlös och slarvat med rutinerna. Den bristfälliga nattsömnen medför att jag blir slö under de timmar som ändå innehåller en gnutta ljus; jag ligger i sängen, försöker läsa, men hamnar istället i en sorts obehaglig halvdvala. Om jag inte hade den obligatoriska dagliga vandringen med Castor att tänka på skulle jag förmodligen låta gryning och skymning mötas och på så sätt sjunka in i den absoluta letargin. Men våra vandringar blir kortare för varje dag och när jag i morse betraktade mig i spegeln tyckte jag mig se en kvinna stadd i förfall. Jag har också druckit ur två av de vinflaskor jag köpte i Dunster, samt en halv butelj portvin. Handlat det nödvändigaste i handelsboden i Exford, bara. Inga utfärder, varken till Dulverton, Porlock eller någon annanstans.

På eftermiddagen, efter en kort vända ner mot Tarr Steps, tog jag mig ändå samman; duschade, tvättade håret och satte på rena kläder inifrån och ut. Skrev upp i mitt anteckningssblock att jag måste åka till Minehead för att tvätta på måndag. Lät Castor hoppa in på passagerarsätet i bilen och körde ner till Winsford och datorcentret.

Klockan var redan fem när jag kom dit, men det lyste i fönstren och Alfred Biggs hälsade mig glatt välkommen. Vid ett av de bakre borden satt de två unga flickorna jag hade stött på vid mitt förra besök, åtminstone tror jag att de var desamma. Castor gick fram och hälsade på dem, de frågade vad han hette och nojsade en stund med honom innan de återgick till sina skärmar. Jag kände en hastigt uppblossande tacksamhet gentemot dem.

”Vi har en mörk årstid”, sa Alfred Biggs.

”Ja, sannerligen”, svarade jag.

”Hur går det för er däruppe?”

”Inte så illa, tack.”

”Det måste vara svårt att vara författare. Att kunna hålla reda på allting.”

”Ja, det är inte alltid lätt.”

”Jag menar med alla ord och människor och vad som händer.”

”Precis”, svarade jag. ”Inte lätt.”

”Men jag antar att ni för anteckningar?”

”Det är riktigt. Anteckna måste man göra hela tiden.”

”Jag får lov att säga att jag beundrar er. Att kunna hålla reda på allt. Förlåt, jag ska inte uppehålla er med mitt pladder.”

Så visade han var jag kunde sitta och gick för att göra i ordning te.

Mejl från Gunvald till Martin:

Hej. Hoppas allt är väl i Marocko. Har haft en ganska tung arbetshöst, men dygden får sin belöning. Min bok är lämnad till trycket och över nyår åker jag på en femdagarskonferens i Sydney.

Drygar förstås ut med en veckas semester. Hälsa mamma och ha en trevlig jul, om vi inte hörs innan dess.

Mejl från Soblewski till Martin:

Just a quick note to say that I've talked to BC and there is no problem. Let's stay in contact. My best to your lovely wife and dog.

Mejl från Gertrud till Martin:

Vad har du för dig nuförtiden? Fick fatt i din mejl till slut. Lennart och jag har separerat så jag är fri såsom fågeln. Vore kul att träffas och ta upp tråden, eller vad säger du?

Ingenting från Bergman, ingenting från G. Det kände jag mig tacksam för, åtminstone det senare. Meddelandet från Gunvald kunde ju lika gärna ha kommit från en kusin eller en avlägsen bekant. Och Soblewski: hälsa frun och hunden?

Gertrud väckte förstås misstankar. Vem är hon och vad fan menar hon med att ta upp tråden? Och varför hade jag gett henne Martins mejladress så lättvindigt när Bergman frågade? Jag märkte dock att jag hade svårt att få fatt i någon äkta upprördhet; vad som än har förevarit mellan henne och Martin så hör det hemma i ett annat liv. Under några sekunder funderade jag på att skriva ett svar till henne, bara för att roa mig själv, men jag lät det vara. Skrev ingenting till Gunvald eller Soblewski heller.

Mejl från Synn till mig:

Hej mamma. Hoppas ni har det bra i Marocko. Jag blir nog kvar i New York över jul och nyår, jag antar att ni heller inte åker hem. Affärerna går bra, har ansökt om ett ordentligt green card och räknar med att få det. Håller med Woody Allen, finns sällan något riktigt bra skäl att lämna Manhattan. Hälsa skitstöveln.

Mejl från Christa till mig:

Kära Maria. Drömt om dig igen. Tycker det är konstigt, jag brukar nästan aldrig komma ihåg mina drömmar ens. Den här gången var du verkligen i fara, du ropade på hjälp och det var jag som skulle hjälpa dig. Fast jag förstod inte vad jag skulle göra, det var en man i en bil som jagade dig. Du sprang och sprang för att komma undan, jag ville verkligen rädda dig men jag var hela tiden för långt borta. I ett annat land eller någonting. Skitsamma, det var både tydligt och otäckt i alla fall. Skriv och säg att du har det bra. Kram C

Jag tänkte efter en stund, sedan skrev jag svar till bägge två. Önskade min dotter god jul och förklarade att både jag och skitstöveln mådde efter omständigheterna väl. Christa fick en försäkran om att allt var under kontroll nere i Marocko och att jag skulle försöka sköta mig lite bättre i nästa dröm. Jag passade också på att önska henne goda helger framöver och bad henne hälsa till Paolo.

Jag brydde mig inte om att bläddra efter svenska nyheter – eller några nyheter överhuvudtaget. Tackade istället Alfred Biggs och begav mig med Castor ner till The Royal Oak för att äta middag.

Det har gått sex dagar sedan mitt senaste besök.

Och det känns som en månad sedan jag satt här och pratade med Mark Britton förra gången, vilket visar att min tidsuppfattning håller på att spåra ur. När han nu kommer in, mindre än en minut efter att jag beställt min mat och fått ett glas vin på bordet, känner jag en plötslig tacksamhet – och en lika plötslig oro för att han bara tänker sitta i baren, dricka en pint ale och sedan ge sig av.

Mina farhågor är alldeles obefogade. När Mark Britton

får syn på mig ler han brett och slår sig ner vid mitt bord utan att ens fråga.

”Hur har du det? Hur går det med skrivandet?”

”Tack bra. Lite upp och ner, men det är sånt som ingår.”

”Kul att se dig igen. Du förgyller mina måltider, om du tillåter att jag säger det.”

”Alright, jag tillåter det. Men du får skynda dig att beställa så vi inte kommer i otakt.”

Och så sitter vi där igen. Jag tänker att antingen är jag så utsvulten på allt som har med mänskliga relationer att göra, eller också är det någonting med den här mannen. En kombination av bägge delarna är väl det troligaste. Jag känner en pirrande nervositet och är tacksam för att jag ändå fräschade upp mig innan jag kom hit. Mark Britton ser för sin del hyfsat fräsch ut, lite mörkare under ögonen än jag minns, men nyrakad, välkammad och med en vinröd pullover istället för den blå. Manchesterbyxor och en oljerock som han hängt över stolsryggen. Ja, jag tänker att han skulle kunna vara någon sorts halvadlig lantjunker efter en lyckad eftermiddagsjakt, och jag ler invärtes när jag förstår att det är en av dessa titlar och ett av dessa ord som kommer från min far. *Lantjunker*?

”Du kommer inte hit så ofta?” säger jag. ”Eller har vi gått om varandra?”

”Jag vet inte”, säger han. ”Nog sitter jag här två gånger i veckan åtminstone. Men jag tycker om att laga mat, så det är inte för den sakens skull. Man behöver se ett annat ansikte än sitt eget någon gång emellanåt. Eller vad säger du?”

”Mitt till exempel?”

Han lutar sig fram över bordet. ”Jag föredrar ditt framför Rosies och Henrys och Roberts, det erkänner jag. Och jag är tacksam om du står ut med mitt någon enstaka gång emellanåt.”

Jag lyckas rycka på axlarna och sätta på mig ett neutralt leende. Det är inte för inte man varit tevevärdinna i ett kvartssekel. ”För all del”, säger jag. ”Jag lider inte av det.”

”Fast du har gjort det”, säger han, med ens allvarlig. ”Lidit, alltså. Du har det nog lite tufft däruppe i ditt hus när mörkret håller på att äta upp oss, eller hur?”

”Vad menar du? Du sitter väl inte och tittar genom mitt pannben igen?”

”Bara en smula”, konstaterar han. ”Jag ser en smula och gissar resten. Och vem klarar en hel vinter däruppe med förståndet i behåll? Heden passar bäst för folk som är födda på den. I varje fall vintertid. Skål förresten.”

Vi dricker var sin klunk vin och ser varandra i ögonen en sekund för länge. Eller också inbillar jag mig bara den där sekunden, det är inte den sortens bedömningar som ingår i min repertoar längre. Herregud, tänker jag, om han sträckte ut handen över bordet och rörde vid mig skulle jag kissa på mig. Jag är labil som en fjortonåring.

Den nye unge servitören, som heter Lindsey och som är homosexuell lika säkert som amen i kyrkan, kommer med vår mat och vi börjar äta. Ett par gör entré med en gammal terrier och det uppstår en stunds hundhälsning och en stunds hundprat innan de fyrbenta kommit till ro under var sitt bord. Jag är tacksam för det ger mig tid att samla ihop mig. Mark Britton torkar sig om munnen.

”Gott, men inte femstjärnigt. Hur var din?”

Vi har båda valt fisk, jag torsk, han sjöabborre.

”Helt okej. Fyra stjärnor plus minus en halv.”

”Jag skulle ha kokat den på lägre värme och långsammare”, säger han och nickar mot sin tallrik. ”Fast då måste förstås matgästen ha tålamod att vänta en stund. Skulle du ha lust att prova?”

Jag förstår inte vad han menar. ”Prova vad då?”

”Min kokkonst. Du skulle kunna komma hem och äta hos mig någon kväll, så får du se vad jag går för.”

Det överrumplar mig fullständigt och samtidigt måste jag ju fråga mig varför. Vad är det som är så märkvärdigt med att en ensamstående man vill bjuda en ensamstående kvinna på middag?

”Du tvekar?” hinner han konstatera innan jag får ur mig ett svar.

”Nejdå. Naturligtvis inte… jag menar, naturligtvis kommer jag gärna hem till dig och äter middag. Förlåt, jag är lite socialt handikappad, bara.”

Det skrattar han åt. ”Där sitter vi i samma båt. Jag…”

Han hejdar sig och ser generad ut för ett ögonblick.

”Ja?”

”Jag visste faktiskt inte om jag skulle våga fråga dig. Men nu är det gjort.”

”Du menar att det var planerat?”

Han ler. ”Javisst. Har tänkt på det hela tiden sedan vi sågs. Om du tror jag är någon sorts by-casanova är jag rädd att jag kommer att göra dig besviken. Men jag är rätt bra på fisk, som sagt.”

”Tack”, säger jag. ”Tack för att du vågade. Men hur tar Jeremy det? Accepterar han att det kommer främlingar på besök?”

Mark Britton slår ut med händerna och ser urskuldande ut. ”Han kommer inte att krama dig av förtjusning. Du kommer nog att uppfatta honom som fientlig, men han lämnar oss säkert i fred. Han har nog med sitt eget.”

Jag tänker på den där gesten han gjorde när jag såg honom stå i fönstret. Funderar på om jag borde nämna det men tänker att det kan vänta. ”Och hundar? Tycker han om djur?

Jag kommer inte utan Castor, det hoppas jag du förstår?"

Han skrattar till. "Inbjudan gäller er båda två. Vad beträffar Jeremy så tycker han nog bättre om djur än om människor. Jag har funderat på att skaffa en hund men det har inte blivit av."

Och så övergår vi till att prata om hundraser, om ensamhet och om det särskilda mörker som vilar över heden den här årstiden. Han påstår att vissa nätter, när det inte är stjärnklart, kan himlen och jorden få exakt samma svarta ton, det går helt enkelt inte att skilja dem åt, som levde man i ett blint universum. Eller som om föreningen faktiskt ägt rum. De kan vara farliga för förståndet, sådana nätter, säger Mark Britton, även om man inte går ut och ställer sig på heden och upplever det. Fenomenet kryper inomhus och in under skinnet. Han minns det sedan barndomen i Simonsbath, folk blev galna över en natt, bara.

"Och det är då man behöver gå över till en god vän och äta en bit mat?" frågar jag.

"Just det", säger Mark Britton. "Se ett annat ansikte än sitt eget, precis som jag sa. Ska vi säga nästa fredag? Om en vecka?"

Det enas vi om. Varför vänta en hel vecka? tänker jag men säger det inte. Han förklarar att jag kan köra bil ända fram till huset även om det inte verkar så, och när vi lämnar The Royal Oak följer Castor och jag med honom ett stycke uppför Halse Lane så han kan visa oss var vi skall vika av.

"Trehundra krokiga yards, bara", säger han.

"Jag vet", säger jag. "Castor och jag har gått dem fast åt det här hållet."

Sedan skils vi åt med ett enkelt handslag.

Jag önskar att jag kunnat betrakta detta som en slutpunkt på dagen, men så är det tyvärr inte. När vi kommer ner till krigsmonumentet, där vi som vanligt parkerat, så står den där igen: den silverfärgade hyrbilen. Jag kan förstås inte se att den är silverfärgad, eftersom denna lilla medelpunkt i byn bara lyses upp av en enda gatlykta, som hänger och slänger med sitt smutsgula sken i vinden – men utan tvivel kan jag konstatera att det är fråga om samma bil. Samma tidningar ligger på instrumentpanelen, den polska och den svenska, och den här gången har han parkerat så tätt intill att jag måste ta mig in genom passagerardörren.

Han? Varför skriver jag *han*?

29

Jag måste ta itu med det här.

Lyfta upp rädslan i ljuset. Det är de oformulerade farhågorna som är de värsta, när du vågar sätta ett ansikte på monstret har du vunnit en halv seger. Jag minns att Gudrun Ewerts brukade använda bilder av det slaget, och när jag på lördagsmorgonen stiger upp efter en kaotisk natt, förstår jag att det är dags.

Vad är det som skrämmer? Vad är det jag inbillar mig? Mitt mål är ju bara att överleva min hund. Eller?

Men först rutiner, annars rasar det. Göra upp eld och duscha. Få Castor ur sängen. Bädda. Meteorologiska observationer.

Fem grader klockan nio. Måttlig vind, dimma, femtio meters sikt ungefär.

Vi går åt Dulvertonhållet; där känner vi de någotsånär torra stigarna bäst och där träffar vi hästarna tre morgnar av fyra. Och medan vi vandrar tänker jag noga igenom allting. Försöker formulera de där frågorna åtminstone. Sätta på det där ansiktet. Återvända till Międzyzdroje.

Således:

Det har gått mer än sex veckor. En och en halv månad. Om han faktiskt lyckades ta sig ut, så måste han ha gjort det inom det första dygnet.

Annars skulle han ha frusit ihjäl.

Blivit uppäten av råttorna.

Eller hur?

Okej, två dygn då. Max två dygn. Jag bestämmer mig för det.

Antag alltså att Martin varit på fri fot sedan den tjugofemte oktober. I livet. Idag har vi den åttonde december. Vad skulle han haft för sig under hela denna tid? Skulle han ha varit sysselsatt med att leta efter mig i mer än fyrtio dagar? Jag sopade igen mina spår efter Berlin. Var det något jag förbisåg?

Letat efter mig utan att ge sig tillkänna? Kan det vara så? Hör jag inte hur orimligt det låter? Eller är det så orimligt?

Hittat ett spår som leder till England?

Hyrt en silverfärgad Renault och följt ett nytt spår till Exmoor?

Hittat vår bil? Det är ju möjligt att registreringsnumret finns på en datalista vid tunnelterminalen i Calais, men hur skulle han ha fått fatt i en sådan lista?

Och Winsford?

Trams. Det håller helt enkelt inte.

Men om han ändå, tänker jag – hypotetiskt sett – tog sig ut ur bunkern så måste han ha hållit allting hemligt. På något vis. Detta är oomtvistligt, han måste ha valt att inte ge sig till känna. Alla tror att vi är i Marocko. Alla jag har kontroll över åtminstone. Gunvald. Synn. Christa. Bergman. Soblewski. G, vem det nu är.

Och andra människor: kollegerna på Aphuset, kollegerna i Sandlådan, Violetta di Parma och våra grannar som vi aldrig umgåtts med... visst är det så att varenda kotte som vet vilka vi är också vet att vi valde att lämna Sverige på grund av vissa oegentligheter på ett hotell i Göteborg. *Tillsammans*. Visst skulle... visst skulle någonting ha dykt upp på mejlen om

Martin plötsligt visade sig någonstans och punkterade illusionen och de förutsättningar som jag så noggrant snickrat ihop? I Stockholm eller var som helst. Eller hur?

Eller hur?

Jag avbryter mig helt kort eftersom en liten fågel kommer och slår sig ner på ryggen av en häst. Bara tio meter ifrån oss. Den sitter där och vippar med stjärten några sekunder innan den flyger vidare, jag vet inte om det är någon särskilt märkvärdig händelse men jag tror inte jag sett det förr. Hästen brydde sig i vart fall inte, tuggade lugnt vidare.

Jag ruskar på huvudet och tar upp tråden: Hur... *hur* skulle han ha burit sig åt för att hitta mig i utkanten av en undangömd by i Somerset? Vi skulle ju till Marocko.

Det är nästan en retorisk fråga; jag har inte använt vare sig bankkort eller mobiltelefon sedan jag lämnade Berlin, jag uppträder under antaget namn, det finns inga kopplingar mellan den fiktiva författarinnan Maria Anderson och den före detta tevepersonligheten Maria Holinek. Inga som helst.

I det relativa dagsljuset under en välbekant morgonpromenad är det inte svårt att komma fram till detta. Till att jag brottas med hjärnspöken. Om Martin vore i livet skulle jag veta om det. Allt annat är orimligt. Allt annat är fantasier.

Om han nu inte...

Jag stannar upp igen och tänker efter. *Om han nu inte lagt sig vinn om just den här strategin.*

Den här sortens hämnd närmare bestämt: att långsamt, oändligt metodiskt och utstuderat låta mig förstå att han är mig på spåren... *revenge is a dish best served cold*... låta mig ana att han vet var jag finns, och sedan med små, små medel skrämma mig över kanten till ett nervsammanbrott, innan han slutligen... ja, innan han vad då?

Skulle han kunna handla på det viset?

Jag måste ställa den frågan på allvar. Vore Martin Holinek, den man jag delat hem och hus med i hela mitt vuxna liv, mäktig att genomföra någonting sådant? Vore det... i linje med hans karaktär?

Till min förskräckelse inser jag att jag inte utan reservationer kan svara nej på denna fråga.

I synnerhet inte om jag betänker omständigheten att den människa han är ute efter är just hans lagvigda hustru och att hon försökt ta livet av honom genom att stänga in honom i en bunker full med hungriga råttor – och just denna efterhängsna omständighet måste jag kanske, trots allt, betänka?

Jag börjar gå igen. Jag mår lite illa. Känner den första slöjan från ett tunt drivande regn och raskar på stegen för att komma inomhus så fort som möjligt.

Men vore det genomförbart? tänker jag. Teoretiskt möjligt ens? Han hade bara de kläder han gick och stod i när jag lämnade honom. Hur har han burit sig åt i så fall?

En medhjälpare.

Tanken slår mig just som vi tar oss över muren som skiljer heden från Darne Lodge, och jag förstår omedelbart att det är en riktig slutsats. Ergo: om Martin på något vis lyckades komma ut ur den där olycksaliga bunkern med livet i behåll, så måste han ha skaffat en medhjälpare mer eller mindre omgående. Så är det.

Någon som ställt upp på hans plan och som hjälpt till med allt som behövs. Tystnad, pengar, stöd.

Hur? tänker jag. Hur skulle han ha burit sig åt för att hitta en sådan person?

Vem?

När vi kommit inomhus försöker jag titta på det från andra hållet, från min horisont. Vad har jag för indicier? Vilka tecken pekar mot att det faktiskt kan ligga till så här? Att litteraturprofessorn Martin Emmanuel Holinek är i livet och att han har en plan.

En silvergrå hyrbil med två dagstidningar i?

Döda fåglar utanför min dörr? Men i fasanfallet har det gått flera veckor vid det här laget. Skulle Martin ha funnits på Exmoor så länge?

Nej, tänker jag. Det håller inte. Det faller på sin egen orimlighet. Han skulle redan ha dödat mig om han vore här.

Jag vet inte hur pass övertygad jag är om riktigheten i denna konklusion, men jag förbannar mig själv. Förbannar mig för att jag inte vid något av de två tillfällen jag haft chansen skrivit upp registreringsnumret på den där bilen. Med rätt taktik borde det inte vara omöjligt att få reda på vem som hyrt den från företaget Sixt.

Får jag en tredje möjlighet kommer jag inte att försumma det.

När vi varit inomhus en stund slår mig också en annan sak: att en levande Martin Holinek naturligtvis har lika lätt som jag själv att gå in på ett internetcafé och kontrollera sin mejlbox. Till exempel... till exempel läsa de meddelanden han själv tycks ha skickat både till den ena och till den andra mottagaren.

Och vem är det som sköter hans mejl så behändigt i hans frånvaro, måste han väl ändå fråga sig? Finns det mer än en kandidat?

Från datorer med egna, unika ip-adresser. För jag har inte använt våra egna, inte i Minehead, inte i Winsford. Hur är det nu, frågar jag mig, om man har detta nummer, denna adress, kan man då också få reda på var i världen den aktuella datorn befinner sig?

Kan det ha gått till så? Är det så han burit sig åt?

Jag förkastar det. Martin har alltid varit lika okunnig och ointresserad av datorer som jag själv.

Skulle vara den där medhjälparen, då.

Jag förkastar honom (henne?) också. Lägger två vedträn på elden och slår upp ett glas portvin. Dricker två stora klunkar och mitt illamående drar sig tillbaka.

Tar fram kortlekarna, känner mig alltför ofokuserad för att kunna läsa. Ens om John Ridd och Lorna Doone, "a simple tale told simply".

Förkastar rädslans bleka hypoteser.

För Martin Holinek är död. Vi träffades en junidag för trettiofyra år sedan på en gårdsfest i Gamla stan. Vi levde ett liv ihop och nu är han borta. Naturligtvis. Uppäten av råttor och omöjlig att identifiera den dag någon nyfiken strandvandrare utmed Polens Östersjökust får för sig att titta in i en snuskig gammal bunker.

Så är det. Jag har bara inte velat formulera det med sådan brutal tydlighet tidigare. Precis som författaren E har jag gjort: låtit det stå mellan raderna, du får förlåta mig för den detaljen, Gudrun Ewerts, när du läser det här i din himmel.

Jag kontrollerar att jag låst dörren. Dricker ur mitt portvinsglas, slår upp ett nytt och sätter igång med Den sjusträngade harpan.

30

När Martin fyllde femtio fick han som present av mig en långweekend i New York. Det var i september 2003, vi kom en torsdagseftermiddag och åkte därifrån fyra dygn senare. Vi bodde på ett hotell på Lexington Avenue ganska nära Grand Central Station och jag lämnade inte rummet på hela tiden.

Orsaken var en kraftig magsjuka som jag börjat känna av redan under inflygningen till Newark och som tvingade taxichauffören att stanna två gånger på väg in till Manhattan.

Jag behövde ha en toalett inom räckhåll, helt enkelt. Tänkte väl att det skulle gå över efter några timmar – eller en dag åtminstone – men så blev det inte. Jag kunde inte behålla en gnutta föda förrän på söndagskvällen, och när vi gick ombord på planet dagen därpå för att åka hem kände jag en stor tacksamhet över att jag kostat på oss business class med anledning av resans dignitet. Hade jag suttit i economy skulle jag ha kräkts igen, det var jag säker på.

Martin var solidarisk den första kvällen, gick bara ner till hotellbaren en timme, resten tillbringade han tillsammans med mig i nummer 1828. Rummet låg på artonde våningen så man hade i alla fall hyfsat god utsikt. Söderut och österut, downtown och över East River bort mot Brooklyn på andra sidan. Redan från början, denna första kväll, förklarade jag för Martin att det var hans resa och att det inte var meningen att han skulle behöva sitta och uggla på ett hotellrum för min skull. Ingen av oss var särskilt bekanta med stan (Synn hade ännu inte flyttat hit, det skedde ungefär tre år senare och förhöjde på intet vis vår besöksfrekvens), och det fanns ingen anledning.

Han var inte särskilt svår att övertala. På fredagen gick han ut efter frukost, återvände klockan sex, tog en dusch och en whisky och gav sig iväg igen. Om jag minns rätt ramlade han i säng någon gång runt halv tre.

På lördagen vaknade Martin vid elvatiden och frågade om jag fortfarande var magsjuk. Jag tillstod att det tyvärr var på det viset, han somnade om, steg upp en timme senare och efter en ny dusch undrade han om det alltså betydde att jag inte hade lust att gå ut och käka lunch.

Jag tillstod att även detta var en riktig bedömning av läget och han lämnade mig strax efter två.

Återkom tretton timmar senare i en ny men något solkig kostym. Jag frågade var den kom ifrån och han förklarade att den kom från femte avenyn och att det var hans femtioårspresent till sig själv. Jag undrade vart hans gamla kläder tagit vägen, dem han hade haft på sig när han gick ut, och han berättade att han gett bort dem till en uteliggare på Union Square.

Han somnade in i halva kostymen och utan att fråga hur det stod till med min magåkomma.

Jag vaknade tidigt på söndagsmorgonen och gick upp och kräktes. Förstod att det var bananen jag ätit under natten och undrade om det överhuvudtaget skulle bli möjligt för mig att sätta mig på ett plan nästa dag. Jag kände mig ganska irriterad på Martin också och önskade att vi haft skilda rum.

Samtidigt kände jag mig skyldig, när han nu för en gångs skull befann sig i städernas stad var det naturligtvis inte mer än rätt att han gick ut och roade sig.

Men irritationer låter sig inte resoneras med på det viset, och när han lämnat mig ensam igen ett par timmar in på eftermiddagen kände jag mig bara tacksam. Jag bad honom inte berätta vad han haft för sig de två gångna kvällarna och inte vad han hade för planer för den tredje och sista. Han förefoll heller inte särskilt intresserad av att informera mig, så därvidlag kan man säga att vi drog jämnt. Jag var också så utmattad av alla mina toalettbesök att jag tänkte att för mitt vidkommande fick han gärna gå och dränka sig i Hudson.

Eller varför inte East River så kunde jag titta på från mitt fönster.

Klockan kvart över ett på natten ringde telefonen. Det var från polisstationen på tionde gatan i Greenwich Village. Någon som kallade sig sergeant Krapotsky.

Han frågade om han talade med en mrs Holinek och jag sa att det var jag. Vad gällde saken?

Var jag möjligen gift med en viss Martin Holinek? ville sergeant Krapotsky veta.

Jag erkände det också.

Very good, konstaterade Krapotsky. Vi har er make inlåst här på stationen. Skulle ni vilja vara så vänlig och komma och hämta ut honom.

Vad har han gjort? frågade jag.

Det vill ni inte veta, sa Krapotsky. Men om ni bara kommer och löser ut honom så kan vi dra ett streck över hela saken.

Är han berusad? frågade jag.

Är jorden rund? sa Krapotsky. Finns det vatten i havet?

Jag förstår, sa jag. Men nu är det så att jag är sjuk och har lite svårt att ta mig tvärs över stan. Vi åker hem till Sverige imorgon för övrigt, så då blir ni av med honom i alla händelser.

Jag vet det, sa Krapotsky. Han säger att han har ett plan tidigt imorgon bitti. Det är därför jag vill att han kommer härifrån.

Säger han nånting mer?

Han säger att han försökte gå i Dylan Thomas fotspår och att det fungerade fint. Jag vet inte om det låter vettigt i era öron, men det var just de orden han använde innan han tuppade av. Dylan Thomas fotspår, jag vet inte vad det betyder.

Jag tror jag förstår, förklarade jag. Men nu är det så att vårt flyg inte går förrän på eftermiddagen. Kan ni inte låta honom sova ruset av sig så plockar jag upp honom i taxin på väg till Newark?

Ett ögonblick, sa sergeant Krapotsky. Jag måste rådgöra lite med min chef.

Det blev tyst i luren i ungefär en minut. Jag tittade ut över södra Manhattans skyline. Man kan inte undgå att imponeras av den. Sedan återkom sergeanten.

Okej, sa han. Min boss säger att det är okej. Hur dags kommer ni förbi?

Tvåtiden, blir det bra? frågade jag.

Det blir alldeles utmärkt, sa Krapotsky. Ta med hans pass om ni har det, och hälsa från mig. 112 West 10th Street är adressen. Jag kommer inte att vara i tjänst då. Tack för ert tillmötesgående.

Tack själv, svarade jag och lade på luren.

”Jag vill inte att vi pratar om det här. Inte någonsin, inte med någon.”

Det var det första – och i stort sett enda – Martin sa under taxifärden över till New Jersey följande eftermiddag. Jag såg på honom att han var gråtfärdig och fick för mig att om jag inte haft min ömtåliga mage att tänka på, så skulle jag ha tagit hans hand och sagt att jag förlät honom, oavsett vad som nu fanns att förlåta. Men det gjorde jag alltså inte. Han hade fortfarande på sig sin kostym från femte avenyn men det var svårt att gissa att den bara hade två dagar på nacken. Tjugo år snarare, och den kom också att sluta sin korta karriär i en papperskorg på flygplatsen. Senare såg jag på ett kvitto att den kostat 1 800 dollar, vilket ungefär motsvarade vad hotellet gick på, men jag antog att också detta ingick i överenskommelsen: vi skulle inte hålla på och älta saken.

Men det underliga, skälet till att jag då och då i tankarna återvänt till våra fyra dagar i New York, är den plötsliga ömhet jag kände för Martin. När jag plockade ut honom från den där polisstationen i Greenwich Village, när vi satt tigande i baksätet på taxin och tittade ut genom var sitt fönster, när han var inne på toaletten på flygplatsen och bytte om. Jag borde ju ha varit fly förbannad, även om det inte ligger för mig att nå upp till sådana höjder, men känslorna som fyllde mig var verkligen de rakt motsatta. Den här bakfulla stackaren var visserligen en femtioårig litteraturprofessor, men han var också en liten pojke som hamnat vilse, och om jag nu inte fortfarande dragits med sviterna av min magsjuka kanske jag hade talat om det för honom också. Att jag verkligen ömmade för honom. Att det fanns någonting som påminde om det där som kallas kärlek; under just de här timmarna av vårt långa äktenskap.

Kanske skulle det ha gjort honom glad om jag sagt något. Kanske skulle det ha ändrat någonting.

Jag berättade ändå historien för Christa några dagar senare, det gjorde jag förstås. Inte det där om ömheten, bara det andra. Jag minns att hon skrattade, men jag lade märke till att hon gjorde det för att situationen krävde det, och jag tänkte att hon säkert hade erfarenheter som liknade de här i sitt eget liv.

Du vet väl vad det är för skillnad mellan en femtonårig och en femtioårig man? frågade hon retoriskt och för att upprätthålla vår distanserade ton. Jo, fyrtio kilo och pengar nog att kunna realisera sina korkade drömmar.

Ibland har jag känt att livet är just så torftigt som denna sammanfattning vittnar om.

Och att vi egentligen inte borde hålla på och älta någonting.

För egen del fyllde jag femtio några år senare. Jag reste utan Martin till Venedig, det var en present som jag önskat mig och som familjen gått ihop om. När min dotter frågade varför jag valde att resa ensam svarade jag att jag haft en hemlig älskare i den staden under alla år, och det fick tyst på henne.

Men jag såg på henne att hon inte var helt säker på att jag skämtade.

Jag såg också att hon *hoppades* att jag inte skämtade. Det gjorde mig sorgsen, outsägligt sorgsen.

Nu åkte jag ju inte ensam. Christa var med mig fyra dagar av fem i den magiska staden och det där med askan i kanalen har jag redan berättat om.

Men den där ömheten i New York, alltså. Var kom den ifrån? Vart tog den vägen?

31

Regnet piskar mot sovrumsfönstret och gryningen har en färg som gammalt kött. Castor sover tungt nere vid mina fötter; jag önskar att det åtminstone gick att lära en hund att tända en brasa, så att man för en gångs skull fick stiga upp utan att börja frysa. Vi har somnat och vaknat i fyrtio nätter i Darne Lodge vid det här laget, jag undrar inte längre var jag är när jag slår upp ögonen om morgonen.

Jag bor här med min hund. I ett ensligt beläget stenhus som en gång byggdes för att en vanartig son skulle ha en smula tak över sitt huvud. Han trivdes så bra att han sedermera hängde sig. Jag ligger kvar en stund och funderar på exakt var. Det finns rejäla taksparrar både här i sovrummet och ute i vardagsrummet, kanske hängde han faktiskt och dinglade från bjälken rakt ovanför sängen? Fast då måste sängen ha stått någon annanstans, vilket i och för sig inte är omöjligt. Rummet är egentligen stort, säkert trettio kvadratmeter. Det är den snålt tilltagna takhöjden som gör att det känns mindre; jag tänker att han måste ha använt en ganska kort repstump, annars skulle fötterna ha stött i golvet.

Å andra sidan, tänker jag sedan, å andra sidan har jag ju hört om folk som hängt sig från dörrhandtag och element. För en händig karl är allt möjligt. Och att inte mer än två människor tagit livet av sig i huset på mer än tvåhundra år är nog en omständighet man bör se från den ljusa sidan. Med tanke på heden. Med tanke på regnet, på dimmorna och mörkret.

Jag stiger upp. Tänder en brasa, sätter mig vid bordet och antecknar dagens väderobservationer i almanackan. Tisdag den elfte december. Sex grader klockan kvart i nio på morgonen. Stark vind från sydväst och ett regn som inte ser ut att upphöra.

En grupp hästar framträder nätt och jämnt i skumrasket ett stycke ut på heden. De ser ut att ha fastnat i leran. Jag sitter och betraktar dem en stund men de kommer inte ur fläcken. Jag går och duschar och sätter på mig kläder. Näst sista paret trosor, måste verkligen komma in till Minehead och tvätta idag. Lyfter täcket av Castor och förklarar läget för honom.

Han gäspar stort och slickar mig i örat. Jag påminner honom om att jag älskar honom. Jag håller min rädsla under lock.

Ungefär tio timmar senare är dagens bestyr avklarade och jag tar fram den bruna resväskan. Tänker att det kanske är för sista gången. Jag måste i varje fall komma igenom återstoden av dagboken ikväll. Det rör sig inte om mer än tio sidor. Det maskinskrivna och det som finns på datorn har jag ännu inte stiftat bekantskap med.

Det sista jag läste om Taza var slutscenen från den tjugonionde juli. Tom Herold har vrålat som ett skadskjutet lejon och Bessie Hyatt har kastat sig i poolen.

Jag bläddrar fram till den trettionde.

”Det börjar kännas olycksbådande”, skriver Martin. ”Jag kan inte undgå att konstatera det. Jag diskuterade gårdagens föreställning både med Grass och med Soblewski nu på morgonen, och de är lika bekymrade som jag. Det framkom dessutom en omständighet som gör läget ännu mera spänt. Soblewski har haft ett privat samtal med Herold och fått veta att den store poeten är steril. Han kan inte sätta barn till världen, det var därför hans första äktenskap kraschade. Vilket alltså betyder...”

Han går inte in på vad det betyder eftersom det är tydligt nog ändå. Herold är inte far till det barn som växer i hans hustrus mage, Bessie har verkligen en älskare, åtminstone har hon varit tillsammans med en annan man. Att det skulle ligga någon sanning i att hon blivit våldtagen av araben Ahib, tror inte Martin på, det gör tydligen inte Grass och Soblewski heller. Det liknar en bakvänd Othello alltför mycket, och alla tre tycker sig också minnas att där funnits en del lån från just detta Shakespearedrama i gårdagens föreställning.

Martin berättar om samtalet med Grass och Soblewski på en och en halv sida, sedan kommer en blankrad och resten av redogörelsen för den trettionde juli handlar om vad som inträffar under kvällen.

Vilket inte är särskilt mycket, tydligen. Ingenting av gårdagens dramatik finns kvar. Herold och Hyatt uppträder nästan som ett nyförälskat par, hon sitter i hans knä under stora delar av måltiden, eller åtminstone tätt intill honom, och de smeker och kysser varandra ganska oblygt. Martin skriver att ”de uppför sig som två turturduvor, det ser ut som om de inte kan vänta på att få klä av sig nakna och krypa in under täcket med varandra, jag vet inte vad jag ska tro?” Tydligen smittar det av sig också, för Martin noterar att Doris Guttmann tycks ha fått upp ögonen för den evige ryssen Gusov. Överhuvudtaget präglas kvällen av en kärleksfull, för att inte säga erotisk, stämning och man bryter också upp från bordet ovanligt tidigt. Till och med det franska paret verkar betuttade i varandra, och samma trio som under förmiddagen, Martin, Grass och Soblewski, blir ensamma kvar vid ett hörn av bordet. Där sitter de och dricker single malt whisky och tuggar oliver en stund, uppenbarligen en smula snopna över kvällens innehåll. Martin skriver förstås inte att han känner sig snopen, men jag kan uttyda det av hans tonfall. På en ensam slutrad konstaterar han:

”Våra sinnen bedrar oss aldrig, det är i våra huvuden vi går vilse. Alltid i våra huvuden.”

Jag läser om raden och försöker förstå vad han menar. Kommer inte fram till någonting, mer än möjligen att det är ett citat och möjligen att det luktar skotska destillerier.

Följande dag, den trettioförsta juli, präglas av ett besök på Al-Hafez. Det är den belgiske konstnären Pieter Baertens som levererar en stor beställd oljemålning och Martin beskriver omständligt hur duken rullas ut, spänns upp, begapas, beundras och kommenteras. Den föreställer Salome och Johannes Döparens huvud på ett fat och den är åtminstone sex kvadratmeter i omfång. Baertens har också med sig sin hustru, ”eller älskarinna eller vad det nu kan vara frågan om”, hon är japanska och det är uppenbart att det är hon som stått modell som Salome. Av allt att döma är Baertens en ganska känd och framgångsrik konstnär och Grass förklarar i en sidoreplik för Martin att ett sådant här beställningsverk säkert kostar runt 100 000 dollar.

Men Herold har å andra sidan aldrig varit känd för att vara fattig. Man äter förstås en extra överdådig måltid under kvällen, de namnlösa tjänarna får verkligen göra skäl för sin lön, ”vilken den nu kan vara”, och inga allvarligare incidenter förkommer. Framemot midnatt badar man nakna i poolen, alla utom Megal som skyller på att han är för gammal och Bessie som inte vill visa upp sin omtalade mage.

Här skulle det ha varit på sin plats med en reflektion över svällande magar, hemma i Stockholm finns det en på Folkungagatan – betydligt större än Bessie Hyatts också, om jag inte tar fel – men det faller inte Martin in att anställa sådana jämförelser.

Istället konstaterar han enkelt att han går till sängs med en gåtfull hypnotisörska och en oerhört nätt japanska på näthinnan. Obs: på näthinnan.

En dag kvar. Bara fyra sidor, jag är tacksam för det.

Den första augusti börjar med meningen: "Jag borde inte skriva om det här." Såvitt jag förstår sitter han vid arbetsbordet i sitt rum och gör det. Det är i så fall runt klockan fem på morgonen, egentligen den andra augusti, således, och han sitter där för att han väntar på gryningen.

I gryningen ska han nämligen bege sig på en kort vandring ut i det ökenartade landskap som tar vid alldeles utanför murarna till Al-Hafez. Han skall göra det i sällskap med de fem andra skådespelarna av manligt kön. Det är jag som använder ordet "skådespelare", inte Martin, för tanken att det rör sig om en pjäs återkommer med närmast övertydlig självklarhet i det här skedet. Jag läser också allt som Martin skriver om dagen och kvällen två gånger, för att försäkra mig om att jag inte missuppfattat någonting.

I stora drag, således. Den belgiske konstnären Baertens tar sin japanska Salome och lämnar scenen någon gång på eftermiddagen. Martin unnar sig en timmes siesta på sitt rum och något senare sitter den vanliga gruppen runt bordet på terrassen. Martin konstaterar att Bessie Hyatt "har en av sina mörka dagar". Han beskriver hennes uppenbarelse som

”en skadad hind” och ”en fågel som flugit för nära solen och bränt sig”. (Jag bestämmer mig för att inte dela ut flera sic! och går vidare.) Hon lämnar också sällskapet efter mindre än en timme, återkommer visserligen lite senare men bara för att säga god natt och önska herrarna lycka till.

Vid det laget vet ännu inte Martin vad denna lyckönskan innebär, men han skall senare erinra sig att hon trots allt måste ha varit involverad, i varje fall vetat om vad som ska komma. När måltiden kan avses någorlunda avslutad förklarar Tom Herold att han kräver av männen i församlingen att de – som bevis på uppskattning och tack för den gästfrihet de blivit beståddda med – ska gå med på att delta i ett vetenskapligt experiment. Han går inte in på vad detta experiment innebär eller syftar till, det kommer att visa sig efterhand; han förutsätter att de litar på honom och uppträder som goda och civiliserade gentlemän. När alla sagt sig villiga att acceptera dessa villkor – det är bara Gusov som försöker dra sig undan av någon anledning, men han blir snart övertalad – tar Herold fram tre vattenpipor som de fördelar sig parvis på. Martin sitter tillsammans med Soblewski. Vad damerna ägnar sig åt under dessa preparationer framgår inte av Martins text.

Så tänder man på en blandning av tobak och någonting annat. Martin försöker beskriva vad det är som händer i huvudet på honom, men det vill sig inte riktigt. I alla händelser måste han ha somnat efter en stund, eftersom han skriver att han vaknar upp vid tvåtiden, fortfarande på terrassen men nu, i likhet med de övriga, liggande på golvet. Lyktor brinner fortfarande här och var men de tre damerna är försvunna. Tom Herold och Grass är vakna, de övriga håller just på att komma till liv. När alla kvicknat till bjuds de vatten att dricka, Martin skriver att han är törstigare än han varit någon gång tidigare i sitt liv. När alla druckit sig nöjda och återtagit sina platser runt bordet plockar Herold fram sex revolvrar ur en stor svart låda som står framför honom. Han frågar hur många av herrarna som har vana vid skjutvapen. Det visar sig vara samtliga utom Grass, Martin antar att de andra liksom han själv genomgått någon sorts militär grundutbildning. Herold demonstrerar, utan att avlossa något skott, hur en revolver fungerar. Martin konstaterar att alla sex ser identiska ut, uppenbarligen är de av samma tillverkning. När alla sagt sig förstå laddar Herold dem, sex skott i varje roterande kammare. ”Vissa av dessa skott är skarpa, vissa är blott skrämskott”, förklarar han. ”Det är inte lätt att skilja den ena sorten från den andra, eftersom de smäller lika högt. Om vi inte ser till resultatet förstås.”

Martin upprepar den sista meningen och stryker under den i sin text. Om vi inte ser till resultatet förstås.

När denna demonstration och information är överstånden undrar Tom Herold om det är någon som har någon fråga.

Det är det ingen som har.

Det står verkligen så. Det är ingen som har någon fråga och Martin kommenterar inte ens denna omständighet. Jag antar att både han och de andra har hjärnorna fulla av det där de rökt och somnat in av.

”Då så”, säger Tom Herold. ”Vi skall gå ut i öknen i gryningen. Ni kommer att bli hämtade exakt klockan sex på era rum.”

Och där slutar dagboken från Taza.

32

Det finns kanske författare som skulle finna nöje i att skriva just ett sådant slut på en pjäs, men jag har svårt att föreställa mig att teaterpubliken skulle applådera.

Jag kontrollerar att inga sidor rivits ut. Det är lätt gjort och för övrigt slutar Martins text mitt på en sida.

Därefter tar jag fram de maskinskrivna arken. Sitter och går igenom dem under en halvtimme; läser, bläddrar och konstaterar att det till tre fjärdedelar rör sig om renskrivet material från dagboken. Inget från Marocko, bara Grekland. Några kortare fristående texter dessutom: naturbeskrivningar från Samos, en kort essä om Kavafis och Odysseas Elitis, någonting som ser ut som början av en novell. Fem sidor med korta dikter, några av dem i haikuformat.

Det är det hela. Ingenstans någon fortsättning från Al-Hafez i Taza. Inte en sida, inte en rad, som handlar om detta. Det finns goda skäl att förmoda att allt maskinskrivet är komponerat före sommaren 1980.

Jag lägger undan arken och ser på klockan. Den är några minuter över elva. Jag släpper ut Castor på en pinkrunda och funderar. Ska jag börja leta i datorn med en gång eller vänta tills imorgon?

Bessie Hyatt tog livet av sig i mars 1981, det har jag kontrollerat. Åtta månader efter händelserna i Taza. Hon fick aldrig något barn, det vet jag också. Martin antydde för Bergman att han hade ett material som han suttit på i trettio år. Det måste ju vara det här, tänker jag. Det måste ju handla om vad som skedde i gryningen den andra augusti 1980, när sex män gick ut i öknen med var sin revolver.

Som fick Martin att sluta skriva dagbok och lämna Al-Hafez.

Jag kan nog lova dig åtta översättningar på rak arm, hade Bergman sagt. Hur kunde han veta det? Hade Martin berättat något för honom? Eller hade det räckt med dunkla antydningar?

Castor återvände. Jag lade tre nya vedträn på elden och tog fram Martins dator.

Jag hade inte öppnat mappen märkt ”Taza” tidigare, men när jag nu gjorde det såg jag att den innehöll två skilda dokument. Jag klickade upp det första och förstod snart att det var den renskrivna dagboken. Från alla fyra somrarna, om jag inte tog fel. Jag tänkte att jag varit en idiot; jag kunde ha läst direkt från datorn istället för att behöva sitta och slåss med Martins snåriga handstil. Möjligen fanns där skillnader mellan de bägge texterna, han hade naturligtvis redigerat och skrivit om en del, men när jag gick igenom de två första dagarna kunde jag inte hitta några avgörande olikheter.

Jag scrollade ner till slutet.

Bet mig i kinden när jag upptäckte att texten på datorn slutade på samma ställe som den handskrivna dagboken.

Nej, inte riktigt. Han hade lagt till ett par rader. Fem korta meningar.

”Sitter här och väntar. Känner mig egendomlig till mods, det där vi rökte hänger kvar utan tvekan. Gryningen kan anas nu. Jag vet inte vad som kommer att hända. Det känns som en dröm."

Där slutar dokumentet. *Det känns som en dröm.* Jag klickade ner det. Gick tillbaka till mappen för att öppna det andra, det som han kort och gott märkt "I gryningen".

Jag klickade på det.

Det öppnades inte. Istället fick jag veta att det krävdes ett lösenord.

Lösenord? tänkte jag. Martin Holinek? Dra mig på en gammal plog (min far igen).

Jag upprepade proceduren med samma resultat. Dokumentet "I gryningen" kunde endast öppnas om man skrev in rätt lösenord.

Det uppgavs inte hur många siffror eller bokstäver som krävdes. Jag kände hur en pulserande irritation började växa i mig. Martin brukade ha svårt att komma ihåg koden till sitt bankkort. Han klarade sitt eget personnummer men inte mitt och inte våra barns. Han hatade pinkoder. Men detta dokument hade han låst.

Man kunde i varje fall se när det var skapat och när han senast hade öppnat det. Den tjugonde september 2009 respektive den femtonde oktober 2012. Inte särskilt gammalt, bara tre år, så jag antog att det funnits en förlaga. Och han hade varit inne och kikat på det – redigerat och skrivit till kanske – så sent som veckan innan vi lämnade Nynäshamn.

Omfånget stod också angivet. Inte mer än 25k, vilket såvitt jag visste kunde betyda vadsomhelst mellan tre och femton sidor text. Och jag var rätt säker på att det var text det handlade om.

Men kodord, alltså?

Jag började med *Castor*.

Fick veta att det var fel och prövade med *Holinek*.

Det var också fel. Jag testade *Martin*.

Samma lycka denna gång och nu kom det också ett meddelande om att jag inte fick fler chanser. Jag stängde dokumentet, mappen också, och började om. Det kan väl inte vara som med bankkort och mobiltelefoner? tänkte jag. Att man bara fick tre försök överhuvudtaget?

Men så var det.

Fast inte riktigt. Det kom ett nytt litet meddelande: *Försök igen imorgon*.

Försök igen imorgon? Vad betydde det? Att det gick bra att föreslå nya kodord nästa dag? Kunde det vara så... så infamt utstuderat? Och framförallt, kunde Martin ha åstadkommit något så infamt utstuderat? Tre försök om dagen?

Kanske ändå, tänkte jag. Om det nu gällt någonting särskilt allvarligt. Någonting som måste döljas?

Och det fanns väl en del som talade för att just dessa rekvisit var uppfyllda i det här läget.

Jag svor och såg på klockan. Den var tio minuter i midnatt.

Midnatt? Om jag bara kunde tåla mig tio minuter till borde det innebära att jag fick tre nya chanser. Eller hur?

Fair deal, tänkte jag och plötsligt kände jag mig som den begåvade kvinnliga hackern i en traditionell amerikansk thriller. Eller varför inte en gammal engelsk krigsfilm? Vad var det den hette? *The Enigma Files*?

Jag skakade av mig alla filmfunderingar och försökte tänka klart. Sätta mig in i Martins huvud. Om man varit gift med en karl i trettio år, borde man inte då kunna lista ut vilket kodord han skulle använda för att hålla andra borta från sina hemligheter?

När jag formulerade frågan försökte jag inbilla mig att den var retorisk. Att den självklart skulle besvaras med ja, javisst, det borde en begåvad hackerhustru klara av och det kunde inte vara annat än en tidsfråga innan jag tog mig in i dokumentet. I min anteckningsbok började jag också skriva upp förslag och när klockan gick över till den elfte december hade jag fastnat för tre.

Emmanuel. Hans andranamn.

Maria. Hans hustru.

Bessie. Av förklarliga skäl.

Jag öppnade mappen och klickade fram dokumentet för tredje gången. Förväntade mig att den lilla ljusblå lösenordsrutan skulle dyka upp, men istället kom där samma meddelande som senast: *Du har angett ett felaktigt lösenord. Försök igen imorgon.*

Jamen, det är ju imorgon, din förbannade kossa, väste jag åt datorn, stängde och öppnade ännu en gång. Klockan är ju över midnatt, för fan.

Det förvånade mig att jag faktiskt satt och samtalade med Martins dator på det här viset, och Castor lyfte huvudet från fårfällen och betraktade mig frågande. I vanliga fall är det ju bara honom jag pratar med, åtminstone sedan vi bosatte oss här i Darne Lodge.

Jag förklarade läget för honom. Att det inte var någonting han behövde bekymra sig över.

Sedan fick jag syn på den lilla tidsangivelsen högst uppe i högra hörnet av skärmen. *Ti 01.06.* Samt diverse tickande sekunder.

Svensk tid, således. England ligger en timme efter. Vad betydde det? Det var tyvärr inte svårt att hitta svaret: jag hade slösat bort mina tre försök under den första timmen av ett nytt dygn – inte under den sista av ett gammalt, som jag för en kort stund hade inbillat mig. Jag skulle bli tvungen att vänta i... i tjugotre timmar. Klockan elva imorgon kväll.

Emmanuel. Maria. Bessie.

Om jag nu inte kom på någonting bättre under tiden.

Jag svor åt datorn och stängde av den.

Tog med mig Castor och gick till sängs.

Irritation, var det inte ett sundhetstecken? erinrade jag mig när jag hade släckt lampan. Trots allt, det var ju den tanken som drabbat mig för några dagar sedan – och just nu kunde jag inte minnas när jag senast varit upprörd på det här viset.

Inte sedan jag kom hit i varje fall.

Inte sedan jag sköt igen den där tunga järndörren på en strand i Polen och trodde att jag blev en annan.

Alltså lever jag?

Jag bestämde mig för den tolkningen.

33

Jag tror jag inser att det är ett misstag i samma stund som jag svänger av på vägen mot Hawkridge.

Vi har varit i Dulverton och handlat. Ätit lunch på The Bridge Inn och även besökt antikvariatet. Någon bok av Bessie Hyatt har inte funnits på hyllorna, men den tillmötesgående innehavarinnan, som varje gång jag ser henne får mig att tänka på en döende maskros, har lovat att ha bägge två inne om jag tittar förbi på måndag eller tisdag i nästa vecka.

”De är inte så dumma, faktiskt. Läste dem för trettio år sedan, det gick ju inte så bra för henne, stackars flicka. Den där Herold har jag däremot aldrig förstått mig på. Ingenting annat jag kan fresta med?”

Jag förklarar att jag bara är halvvägs igenom Lorna Doone och tackar så mycket för hjälpen.

Det är också Lorna Doone som får mig att vilja titta på Hawkridge, för platsen står omnämnd i boken och vi har passerat den medfarna vägvisaren varje gång vi åkt mellan Winsford och Dulverton. Om inte annat så skulle vi behöva en vandring, både Castor och jag, det är det som är det egentliga skälet och det är ännu två timmar kvar av dagen.

Inte mycket till dagsljus i och för sig, men förmiddagens regnande har åtminstone upphört och alltid ska vi väl hitta någon *public footpath* eller *bridleway*. Men jag märker redan efter några hundra meter att jag måste argumentera ner min känsla.

För vägen mot Hawkridge är krokig och dyster. Nedsjunken flera meter i det omgivande landskapet också och jag har ingen uppfattning om var vi befinner oss, eftersom kartan ligger hemma i Darne Lodge. Vi är som två blinda kaniner i ett djupt dike och vi rör oss framåt med största försiktighet – men det är en dålig jämförelse, Castor skulle aldrig gå med på att han är en kanin. Vi är en halvblind skalbagge, eller var sin förstås, det är bättre, på väg under jord, på väg mot... nej, bort med alla usla bilder som objudna flimrar i min skalle, tänker jag, åt helvete med er, för det här är allvar.

Och rädslan sitter bredvid mig på passagerarsätet, jag förstår inte hur sådant här går till och jag erkänner det inte.

Nya smutsiga vägskyltar, som pekar längs ännu smalare vägar mot ännu dystrare platser. *Ashwick. Venford Moor. West Anstey.* Jag minns inget av namnen från kartan och vi möter inte ett enda fordon. Med tanke på att vägen aldrig är bredare än tre meter är det tur. Blackmore skriver att hjulet inte hade kommit till Exmoor i slutet av 1600-talet; man tog sig fram till häst utan vagn och det är uppenbarligen dessa stigar och vindlande leder mellan urgamla byar och boställen som ett par århundraden senare asfalterats till dagens så kallade vägar. Jag tänker att det faktiskt måste ha gått till så: det är trötta hästar som trampat ner dessa farleder i mossan och leran under tusen sinom tusen år.

Till slut når vi ändå fram till Hawkridge. Det syns inte till några människor i byn, som tycks bestå av ett tiotal hus och en mörkgrå kyrka på en höjd. I den enda korsningen finns en röd brevlåda och en lika röd telefonkiosk. Samt en minimal parkeringsplats där vi ställer oss bredvid en övergiven traktor. Kliver ur bilen och ser oss omkring. Det är inte bara traktorn som ser övergiven ut.

Jag får syn på en skylt som pekar ner mot Tarr Steps. Jag förstår att vägen måste leda till Barle från andra hållet än vårt, och att man alltså inte kan ta sig över med bil. Erinrar mig att John Ridd säger att som alla vet så har de stora stenblocken i den *muntert strömmande* floden placerats där av djävulen själv, och att det här är en trakt man bör hålla sig borta ifrån om man inte har tvingande ärende.

Trots att vi knappast har tvingande ärende börjar vi gå nedför den brant stupande vägen. Bilförare varnas på ett anslag för att lutningen är 1:3 och att det inte finns några möjligheter att vända på en och en halv mile. Men jag tänker att en hund och en kvinna till fots måste väl kunna vända om de så vill, och vi fortsätter envetet nedåt. Det finns inget håll att titta åt förutom i den fallande färdriktningen, eftersom det är mer än två meter upp till de omgivande fälten. I varje fall antar jag att det är leriga åkrar till höger och vänster om oss. Det går helt enkelt inte att lämna vägen.

Och plötsligt vill inte Castor gå längre. Han sätter sig mitt på vägen och ser på mig med en min som betyder att han fått nog. Jag förklarar för honom att vi bara gått i tio minuter och att vi kommit överens om tjugo innan vi vänder tillbaka.

Det hjälps inte. Jag argumenterar en stund med honom men får honom inte att lyfta på rumpan. Tar upp ett par levergodisar ur fickan, han vill inte ha. Vrider bara på huvudet och tittar tillbaka upp mot Hawkridge. Himlen hänger lågt däruppe, blyfärgad och tung. Jag överlägger med mig själv en stund, tänker att det verkligen finns platser som Gud tycks ha övergivit. Det måste ha varit just längs den här vägen som djävulen kom, när han släpade stenarna ner till Tarr

Steps för att kunna ta sig över till den ljusa sidan, det råder liksom ingen tvekan om saken.

Och så får jag syn på korpen. Den sitter uppflugen tio meter ifrån oss på den vänstra vägrenen, och jag förstår med ens att det är den som fått Castor att göra halt. Man passerar inte under en korp som sitter och stirrar på en. Aldrig i livet, det lär sig varenda hund i första klass.

Och i samma stund, medan jag står där och stirrar på korpen, medan den stora svarta fågeln orörlig betraktar oss med sitt ena öga, och medan Castor tittar åt ett annat håll, kommer regnet. Inte det vanliga, vänligt sinnade och mjukt smekande hedregnet, utan ett kraftigt skyfall rakt uppifrån. Ett par nävar hagel till och med som studsar mot asfalten. Det finns ingenstans att ta skydd, jag ropar åt Castor att han har alldeles rätt och vi börjar skyndsamt ta oss tillbaka uppför djävulens väg. Bakom oss kan jag uppfatta att korpen kraxar ett hest budskap och flaxar iväg. Om det gick skulle vi springa tillbaka till bilen, men det är för brant. Hjärtat bultar ändå i mitt bröst på grund av ansträngningen, kanske av annat också, och jag antar att Castors bultar på samma vis. Jag märker det på honom för han håller sig tätt, tätt intill mig och det brukar han inte göra.

Det tar oss betydligt längre tid att komma tillbaka till vägskälet vid kyrkan än det tog att nå ner till korpen, och hela tiden pågår regnet. Envetet och illasinnat som om det hade i uppgift att förgöra någonting, ja, just ett sådant regn är det och vi kommer inte undan det. Inte för en meter och inte för en sekund kommer vi undan.

Det har dock inte lyckats göra rent vår lortiga Audi särskilt mycket. Åtminstone inte framdörren på förarsidan, som legat en smula i skydd från den övergivna traktorn, för där har någon med mycket tydliga bokstäver i smutsen skrivit:

DEATH

Med ett behandskat pekfinger skulle jag tro.

Jag blir stående och stirrar på det.

Ser mig om. Inte en människa i närheten. Mörkret faller hastigt. Inget ljus är tänt i något av husen runtomkring, inte ett enda. Kyrkan ser ut att luta sig över oss.

Kan budskapet ha stått där redan när vi lämnade Dulverton? Kan det ha skrivits medan vi befann oss på The Bridge Inn? Death?

Eller har någon varit framme under den halvtimme bilen stått på denna ödsliga plats?

Vad skulle det göra för skillnad? Vad är det för idiotisk fråga? Jag suddar ut bokstäverna med jackärmen. Castor står och gnäller bredvid mig, jag släpper in honom i skuffen och hoppar in på förarsätet. Dyblöt hund, dyblöt matte. Men nu sitter vi i varje fall under tak. Regnet hamrar. Jag låser dörrarna och drar en djup suck.

Vrider om tändningsnyckeln.

Bilen startar inte.

Jag blundar och upprepar proceduren.

Ingenting händer. Inte ett ljud från motorn.

Jag ber en dunkel bön.

Tredje gången gillt. Och plötsligt tänder det till; motorn går igång. Jag backar hastigt ut från parkeringen och kör iväg.

Vet inte åt vilket väderstreck men det spelar ingen roll. Bort, tänker jag. Härifrån.

Nej, det var ett misstag att åka till Hawkridge.

34

Den trettonde december. Luciadagen, en torsdag. Fortsatt regn under natten, avtagande men inte helt upphörande under förmiddagen. Den vanliga västliga vinden, morgonpromenad upp till Wambarrows och samma väg tillbaka. Sex grader. Det blir lerigare och lerigare för varje dag, man får se upp så man inte fastnar. På eftermiddagen åker vi till Watersmeet, vandrar upp mot Brendon och är tillbaka i Darne Lodge i den tidiga skymningen strax efter klockan fyra. Inga oprövade vägar, inga vandringar utmed stupande djävulsleder.

Känner överhuvudtaget en ökad vaksamhet. Och en rädsla som jag inte vill titta närmare på. Jag är tacksam över att vi ska på middag hos Mark Britton imorgon kväll. Oerhört tacksam. Önskar att det vore redan ikväll.

Jag lägger sexton patienser, bara tre går ut, och läser en smula men har svårt att koncentrera mig. När klockan blivit midnatt i Sverige, elva i det här landet, prövar jag tre nya lösenord: *Grass*, *Soblewski* och *Gusov*. De fungerar lika dåligt som gårdagens *Herold*, *Hyatt* och *Megal*. Kanske måste jag tänka i andra banor.

Vilka banor? frågar jag mig. Jag har inte en aning. Jag har i varje fall skrivit upp de nio namn jag redan testat, så jag inte riskerar att upprepa gamla misstag. Namn, förresten? Vad är det som säger att det måste röra sig om ett namn. Det räcker ju med ett ord, vilket som helst. *Tvivel. Bunker. Korp.*

Det behöver inte ens vara på svenska, eller på något språk överhuvudtaget. Det räcker med en bokstavskombination. Hur kan jag ens inbilla mig att jag någonsin kommer att hitta rätt? Hur kan jag tro att jag har känt min man så väl att jag ska kunna räkna ut vilket lösenord han skulle välja bland hundratusentals möjliga.

Förmätet.

Förmätet och korkat.

Men jag måste få upp det där dokumentet, för varje timme som går känns det alltmer som en tvingande nödvändighet. Jag vet inte varför, eller också gör jag det? *I gryningen.*

Finns det någon genväg? Hur skulle en Lisbeth Salander bete sig?

Dum fråga. En Lisbeth Salander skulle redan ha betett sig. För en vanlig människa går det ut på att hitta en Salander.

Någon av den kalibern åtminstone. Eller halva hennes. En bråkdels.

Alfred Biggs?

Margaret Allen?

Mark Britton. Tanken känns som en isbit i svalget. Nej, inte Mark Britton, för... för Mark Britton hör inte hemma i den här historien. Jag är inte säker på att han hör hemma någonstans, vad jag nu menar med ett sådant påstående, men jag vill i varje fall inte släppa in honom i Grekland eller Marocko.

Däremot har jag – under dagens vandring utmed East Lyn River, en tilltalande och ganska torrlagd sträcka som jag skulle kunna gå fem gånger i veckan – börjat leka med en annan tanke som involverar mr Britton. Ännu så länge är den inte mer än ett outvecklat foster, jag kommer kanske inte alls att göra bruk av den, men det är upplevelsen i Hawkridge som ligger i botten.

Hawkridge tillsammans med det andra. Hyrbilen och fasanerna. Men som sagt: jag vill inte sätta ord på det riktigt än och inte tänka på det. Vi går till sängs istället, min hund och jag, vi släcker ljuset och ligger där under täcket och lyssnar till vinden och till ett annat ljud som också viner över heden. Jag vet inte vad det är, det är första gången jag lägger märke till det, ett metalliskt, nästan klagande läte, jag kan inte avgöra om det kommer från ett djur eller från något annat.

Något annat? Vad skulle det vara? Det är två miles ner till byn. En till Halse Farm.

Gardinerna sluter inte riktigt tätt, som vanligt. Jag vänder mig om på sidan, ryggen åt heden. Viker kudden över huvudet så att alla ljud försvinner. Jag tänker på Synn. På Gunvald. På Christa och på Gudrun Ewerts.

På Martin.

Rolf.

Gunsan.

Människor jag mötte under min levnad. Om en vecka är det årets kortaste dag.

Vi vaknar sent på fredagen. Jag känner mig tung i kroppen och olustig. Om jag inte hade en hund att tänka på skulle jag antagligen stanna kvar i sängen hela dagen.

Nej, det stämmer inte. Om jag inte hade en hund skulle jag ta livet av mig. Jag skulle bli den tredje självspillingen i Darne Lodge, kanske kunde mr Tawking göra en turistattraktion av stället. Våra namn på en plakett på väggen, men jag har glömt vad mina föregångare hette. Selwyn någonting och så han med det belgiska namnet? Kanske kunde man inkludera Elizabeth Williford Barrett på andra sidan vägen, hennes namn minns jag för vi går förbi hennes grav nästan varje dag. Jag inser att jag fortfarande inte tagit reda på vem hon var och varför hon ligger där hon ligger. Kanske kan jag fråga nere på datorcentret, jag påminner mig om att jag tänkt avlägga ett besök där idag. Kanske fråga om lösenordet också, om det går att komma runt det? I princip alltså; jag skulle kunna framställa det som om det är mitt eget dokument och att jag helt enkelt glömt bort vilket kodord det var jag knappade in en gång för länge sedan...

Medan jag ligger kvar i sängen kommer jag också att tänka på att jag inte hört ett pip från mr Tawking sedan vi ombesörjde hyrestransaktionen och jag fick nycklarna hit. Det är en och en halv månad sedan. Borde han inte ha hört av sig och frågat hur jag har det? Eller kontrollerat att jag inte bränt ner hans hus åtminstone?

Tankeverksamheten och frågorna har så småningom skrapat olusten ur kroppen på mig och jag stiger upp. Klockan är kvart över tio. Åtta grader och blå fläckar på himlen här och var. Jag knuffar Castor ur sängen och säger åt honom att skärpa sig. En matte ska inte behöva väcka sin hund.

Han förstår inte vad jag talar om men en kvart senare är vi ute i solskenet på heden. Så går eftertankens kranka blekhet i beslutsamhetens friska hy över.

Två mejl av viss betydelse. Åtminstone kräver de svar. Det första från Bergman till Martin:

Hej. Åt middag med Ronald Scoltock från Faber&Faber igår kväll, han var i stan. Vi kom att prata om dig och han visade sig mycket intresserad. Vill gärna komma i kontakt med dig, kanske till och med avlägga ett besök. Såvitt jag förstår har han ett hus i

Marrakesh. Är det ok om jag ger honom din mejladress? Jobba på, hoppas att allt flyter som det ska. Min hälsning till din underbara hustru förstås. Eugen

Jag funderar en stund innan jag svarar att vi helst inte vill ta emot besök, att jag (Martin) är inne i en period av intensivt arbete för närvarande och att det kanske kunde räcka om man tog en kontakt med Scoltock på andra sidan nyår?

Det andra mejlet kommer från Violetta di Parma:

Kära Maria. Jag trivs så bra i ert hus. Det känns verkligen som en nåd att jag får bo här. Förlåt att jag inte hört av mig tidigare, men allt fungerar som det ska, så det har inte funnits anledning. Jag har mycket jobb också, men det är bara stimulerande så jag klagar verkligen inte. Det enda jag undrar över är om jag inte borde skicka ner posten till er? Det har kommit en del, trots allt, och ni borde kanske titta på det för säkerhets skull. Men jag har ju inte er adress. Om du meddelar mig den så skickar jag omedelbart över alltsammans.

God jul också. Stockholm har ännu ingen snö, men det ligger nog i luften. Kallt och blåsigt som tusan i alla fall. Hoppas ni har det bra, det är säkert varmare nere hos er.

Vänliga hälsningar från Violetta

Jag inser att jag lovat henne att meddela vår adress så snart vi kommit på plats i Marocko och att jag nu verkligen måste göra något åt saken. Det borde inte finnas några räkningar att betala i den post som kommit till Nynäshamn, vi styrde över allt till ett autogiro innan vi gav oss iväg, men man kan förstås aldrig veta. I alla händelser måste jag ju åstadkomma ett svar, och det bästa jag kan komma på är att be henne skicka vidare vad det nu är till *Holinek, poste restante, Rabat*. Jag förklarar att detta är det säkraste sättet, lägger till att vi mår alldeles utmärkt, att jag är glad att hon trivs i vårt hus och att vi sänder våra varmaste tillönskningar om en god jul och ett gott nytt år.

Jag läser inga nyheter den här gången heller, och eftersom Margaret Allen ser en smula upptagen ut borta vid sin egen dator beslutar jag att inte ta upp kodknäckarfrågan med henne.

Tackar för teet bara, och säger att jag nog kommer att titta in en gång till före jul.

”Ni ska väl inte tillbringa julen ensam däruppe?” undrar hon och ser milt bekymrad ut.

Jag svarar att jag förmodligen ska hälsa på en bekant i Ilfracombe och att jag ju i alla lägen har min hund. Det ler hon åt och ger Castor en klapp på huvudet.

”Jag skulle vilja läsa en av era böcker, det skulle jag verkligen.”

”Om ni bara väntar i femtio år så kommer det säkert ut någonting på engelska.”

Vi lämnar Winsford Community Computer Centre. Promenerar ner till krigsmonumentet för att köra tillbaka upp till Darne Lodge och snygga till oss inför middagen i Heathercombe Cottage.

Precis som vi ska kliva in i bilen kommer där en silverfärgad Renault körande förbi. Den svänger till vänster i korsningen, mot Exford och Wheddon Cross. Jag hinner se dekalen från Sixt men inte registreringsnumret.

Och inte mer än en skymt bakifrån av föraren. En man utan tvivel, mer än så är det inte möjligt att säga.

För ett kort ögonblick leker jag med tanken på att ta upp något slags förföljande, men jag släpper det nästan omedelbart. Istället får den där vaga planen om att berätta en historia för Mark Britton plötsligt skarpare kanter.

35

Det var Jeremy som öppnade dörren.

Han måste ha stått och väntat på oss för jag hann aldrig knacka. En ganska spenslig ung man, en tum kortare än jag, jag tänkte att han sett större ut uppe i det där fönstret.

Han betraktade mig med mörka, nästan svarta ögon – bekymrat kanske, men inte hotfullt som jag halvt om halvt hade förväntat mig. Inspektionen tog fem sekunder. Sedan tittade han ner i golvet och tog ett steg tillbaka så att jag kunde stiga in. Han var klädd i svarta slitna jeans, stora luddiga tofflor och en röd tröja med namnet Harlequins på i en gul båge över bröstet.

”Det brukade vara hans favoritlag i rugby”, förklarade Mark som dök upp i dörröppningen in till köket.

”Jag förstår. Rugby.”

Brukade? tänkte jag. När han var tolv år?

”Välkommen. Jag tror han vill att du ska ta honom i handen och hälsa.”

Jag gjorde så. Jeremys hand var kall och torr och han släppte mig efter bara ett ögonblick, men jag uppfattade ändå ett stråk av någonting positivt i hans attityd. Att han var tillfreds med situationen. Att jag var okej. Mark placerade en hand på hans axel.

”Du kan gå upp till ditt rum om du vill. Jag ropar när maten är färdig.”

Jeremy stod kvar och såg ut att tänka efter en stund, sedan gjorde han helt om och försvann uppför trappan. Han hade överhuvudtaget inte brytt sig om Castor, som suttit diskret innanför dörren och väntat på sin tur.

”Välkomna bägge två”, upprepade Mark och tog emot min jacka. ”Kom ut i köket så får du en drink medan jag klarar av delikatesserna.”

Han log och klappade på sitt svarta förkläde för att illustrera allvaret. Jag tänkte att en drink var precis vad jag behövde och följde efter honom genom en kort korridor som mynnade i ett stort ombonat kök. Ett mörknat ekbord framför det spröjsade fönstret såg ut att rymma åtminstone ett dussin personer, det brann en eld i en öppen spis och jag tänkte att man utan särskilt stora arrangemang skulle kunna spela in ett matlagningsprogram här.

Jag förklarade att jag tyckte det var vackert och Mark slog ut med händerna. ”Husets hjärta”, sa han. ”Jag gjorde av med alla mina pengar på det när jag flyttade in. Resten av kåken är tyvärr inte alls i den här klassen, men jag är glad att du tycker om det. Jag tänker dricka en gin och tonic. Vad vill du ha?”

”Gin och tonic låter utmärkt”, sa jag och satte mig vid ett hörn av bordet. ”Men inte så stark, jag måste kunna köra hem så småningom.”

”Bekymra dig inte om det”, sa Mark. ”Jag har redan tänkt på den detaljen.”

Jag frågade inte vad han menade med det, antagligen för att jag var sugen både på en drink och ett par glas vin.

”Med ett sådant här kök borde du ha gäster varje kväll”, sa jag istället. ”Särskilt om du är en så bra kock som du säger.”

”Du är den första på ett år”, sa Mark Britton. ”Min syster

var här med man och barn förra julen. Sedan dess har det bara varit Jeremy och jag.”

Han räckte över ett glas och vi smuttade försiktigt.

”Gott.”

”En åsna kan få till en gin och tonic. Har Castor fått mat?”

Jag nickade och fick ett förvånat ögonkast från min hund. Han har en tendens att glömma bort att han ätit så fort han är klar med det.

”Han har fått sin kvällsmat. Men om du har en skål vatten?”

Mark gav honom en klapp och en skål vatten som han naturligtvis ratade. Gick och rullade ihop sig framför eldstaden i passiv protest.

Förrätten var pilgrimsmusslor. Stekta i smör med en gnutta kajenn och en svart såsklick som jag skulle ha kallat pikant, om jag inte avskytt ordet. Gott var det i alla fall, lika gott som jag hade hoppats.

Detta gällde för Mark och mig. Jeremy satt bredvid sin far och åt fiskpinnar med pommes frites och majonnäs. ”Det är ingen idé att göra sig till”, hade Mark förklarat. ”Det finns fyra eller fem maträtter som han accepterar att äta. De ligger alla i samma division som fiskpinnar. Helst gul Fanta till, som du ser, men det får han bara på helgerna.”

Jeremy tycktes inte bry sig om att Mark pratade om honom på det här viset. Han var helt koncentrerad på att äta. Mycket noggrant, nästan vetenskapligt, delade han på fiskpinnarna med kniven, spetsade en bit på gaffeln, kompletterade med en lagom stor potatisbit, doppade försiktigt i majonnäsen, kontrollerade resultatet och stoppade tuggan i munnen. Medan han omständligt tuggade satt han orörlig och höll ögonen stängda.

Sköljde efter med en klunk Fanta. Jag försökte låta bli att titta på honom och Mark såg det. ”Jag vet”, sa han. ”Han äter som en robot. Fast han hade lite av den där stilen redan före olyckan, så det har kanske med hans personlighet att göra... det som nu finns kvar av den.”

Jag tänkte på den där gesten han gjort i fönstret. Tyckte inte alls det hängde ihop med det intryck jag fick av honom nu. Men eftersom jag inte tagit upp det förra gången, lät jag det vara. Tänkte bara att jag kände en oväntad värme för den här stackars pojken, som aldrig någonsin skulle ha en chans att fungera i sociala sammanhang. Han såg så välvårdad och harmlös ut och jag undrade om han alltid var på det här viset, om det hade krävts mycket träning för att få honom att uppföra sig så här pass civiliserat. Mycket medicinerande kanske? Goda dagar och dåliga?

”Han kommer att lämna oss när han är färdig med sin mat”, förklarade Mark. ”Han äter aldrig vare sig förrätt eller efterrätt.”

”Inte ens en crunchie?”

”Han kommer att få en crunchie på sitt rum.”

Marks förutsägelse visade sig stämma in. När Jeremy avslutat sina sex fiskpinnar reste han sig och tittade på sin far. Mark nickade, Jeremy tog mig i hand igen och återvände uppför trappan till sitt rum på översta våningen.

”Det är inte så att...?”

Jag hejdade mig, men det var för sent. Mark höjde ett ögonbryn. Han hade förutsett vad det var jag skulle fråga, jag såg det.

Jag frågade ändå: ”Det är inte så att du instruerat honom att lämna oss i fred?”

Vi hade båda en skvätt vin kvar i glasen. Sancerre, torrt

och fylligt och ett bra mycket bättre komplement till pilgrimsmusslorna än vad gul Fanta skulle ha varit. Mark lyfte sitt glas i foten och såg på mig med milt förebrående blick.

”Aldrig”, sa han. ”Jag vill att du ska förstå att jag aldrig skulle göra någonting sådant. Han är värd den respekten. Han är malplacerad överallt i världen men inte i sitt hem. Det här är den enda platsen han någonsin kommer att vara fullt ut accepterad på.”

”Var det därför du tog hem honom?”

”Ja.”

”Förlåt.”

”Naturligtvis”, sa Mark Britton och log. ”Jag har en liten hang-up på det här. Understryker det för mycket och i onödan, jag vet det. Men nu kommer vi till den riktiga fisken. Kan du tänka dig att fortsätta med samma vin?”

”Jag kan absolut tänka mig att fortsätta med samma vin. Ska jag hjälpa dig med någonting?”

”Du kan alltid ställa in tallrikarna i diskmaskinen medan jag tittar till hälleflundran. Skål igen, tack för att du kom. Det går ju riktigt bra det här, eller vad säger du?”

”Så här långt har jag nästan ingenting att klaga på”, svarade jag och Mark Britton skrattade högt.

Jag tänkte att det måste vara åratal sedan jag fick någon att skratta högt.

Jag vet inte vilka förväntningar jag haft på hälleflundran, men vilka de än varit så överträffades de alldeles säkert av Marks anrättning och han upprepade vad han sagt på The Royal Oak: ”Det är den låga anrättningstemperaturen det kommer an på, ingenting annat. Man bränner på riktigt hett under några sekunder så den inte tappar vätska. Sedan räcker det med sextio–sjuttio grader i en timme.”

Det hördes på honom att han verkligen var intresserad av de här sakerna, och jag funderade på hur angenämt livet skulle ha kunnat vara om man till exempel varit gift med en kock istället för en litteraturprofessor. Det var också antagligen i utkanterna av dessa tankar – och i kraft av att vi vid det här laget druckit nästan två flaskor vin – som jag beslutade mig för att presentera mitt lilla problem för honom.

”Från det ena till det andra så har jag ett litet bekymmer”, sa jag. ”Jag tror jag har fått en stalker på halsen.”

”Va?” sa Mark. ”Vad menar du?”

”En karl som förföljer mig. Jag tror det i alla fall…”

”Ja, det är väl vad stalker betyder”, konstaterade Mark. ”Att någon förföljer en. Undrar jag inte på förresten.”

”Nu är jag inte med.”

”Klart en kvinna som du måste få en stalker förr eller senare… nej, förlåt. Är det allvarligt? Du menar väl inte här och nu?”

”Jo”, sa jag. ”Jag menar tyvärr här och nu.”

Han skrattade till och såg förvirrad ut för ett ögonblick. Som om han inte kunde göra klart för sig om jag skämtade eller inte. ”En stalker i Winsford? Det låter som en… nej, det kan inte vara sant?”

Jag kom att tänka på det där han påstått om att kunna se genom folks pannben, och undrade om han faktiskt kunde avgöra att jag satt och ljög. Men styrkt av vinet fortsatte jag:

”Om det är den jag tror, så är det en gammal historia. Det är en smula obehagligt faktiskt, det kan inte hjälpas att man känner sig utsatt. Och jag är inte riktigt säker på saken, vilket… ja, vilket nästan gör det värre.”

Nu såg jag att han tog mig på allvar. Han flyttade upp armbågarna på bordet och lutade sig framåt. ”Jamen, berätta då, för tusan. Du får ingen efterrätt förrän vi har rett ut det här. En stalker? En galning som är efter dig…?"

Jag drack en klunk vin, harklade mig och satte igång.

"Det är en gammal historia, som sagt. Jag tror jag berättade att jag har ett förflutet som tevevärdinna?"

Han nickade.

"Alla vet ju att det är en viss risk att synas i rutan ständigt och jämt. Ensamma galningar som sitter och inbillar sig både det ena och det andra… ja, det här är sånt som hör till jobbet tyvärr. Hursomhelst så var det en karl som började få konstiga idéer för några år sedan. Han lyckades få fatt i både min adress och mitt telefonnummer, och… ja, han hann trakassera mig en hel del innan vi fick stopp på honom."

"Ni fick stopp på honom? Vad gjorde han? Ringde och flåsade?"

"Det hände."

"Du var ensamstående redan då?"

"Ja. Det började ungefär ett halvår efter min skilsmässa. I början trodde jag faktiskt att min förre make var inblandad på något sätt."

"Men det var han alltså inte?"

"Absolut inte."

Plötsligt mindes jag inte hur många barn jag sagt att jag hade. Måtte han inte fråga, fast varför skulle jag ha ljugit om någonting sådant? Jag bestämde mig för att de var två.

Men han sköt in sig på förföljaren, tack och lov. "Vad hände? Jag har ju läst om sådana här figurer, men det är första gången jag träffat någon som verkligen varit utsatt."

Jag svalde och fortsatte planenligt: "Han ringde och han följde efter mig. Satt i sin bil och smög. Bevakade mitt hem och dök upp i alla möjliga sammanhang. Men han attackerade aldrig, kom aldrig fram och sa någonting, fanns hela tiden bara på avstånd. I varje fall i början."

"Hotfullt?"

"Ja. När man inte vet vad han har i skallen känns det hotfullt."

"Du sa i början?"

Jag nickade och drack en klunk vin. "Det pågick på det här stillsamma viset i ett halvår ungefär. Jag underrättade polisen men de var inte till mycket hjälp, gav mig bara ett nummer som jag skulle ringa om det gick över gränsen. De skyllde på just det du sa… att han inte var direkt hotfull."

"Men han var identifierad?"

"Ja. De tog in honom och förhörde honom en gång. Sedan släppte de honom, eftersom han inte gjort något direkt olagligt. Det var i varje fall vad de påstod."

"Skitstövlar", sa Mark Britton.

"Kanske det, men de har mycket att göra. Poängterade hela tiden att de var underbemannade."

"Men det… eskalerade?"

"Ja. En kväll när jag kom hem låg han i min säng."

"Han låg i din säng?"

"Ja. Han var naken. Jag har fortfarande ingen aning om hur han kommit in. Till polisen sa han att vi haft en date och att jag hade gett honom nyckeln. De trodde honom inte som tur var."

"Gode gud", sa Mark Britton och slog handflatorna i bordet. "Men vad hände när du hittade honom där i sängen?"

"Jag rusade ut. Ringde polisen från min mobil, de kom och hämtade honom på en kvart. Han var fortfarande naken när de förde ut honom på gatan, jag vet inte varför de inte gav honom tid att sätta på sig kläderna. Han bar dem i famnen och försökte skyla sig."

Jag märkte att jag började trivas i min berättelse, och

förstod att jag nog borde lägga band på mig. Det vore inte särskilt begåvat att leverera en massa fakta om allt möjligt som jag sedan skulle riskera att glömma bort.

”Jag behöver kanske inte gå in på detaljer. Han fick ett år i fängelse till slut i alla fall. Problemet är alltså...”

”Att han inte slutade?” fyllde Mark i. ”Att han fortsatte när han kommit ut?”

”Precis”, sa jag. ”Han väntade några månader, men innan jag flyttade hit hände ett par saker där jag är säker på att han var inblandad. Det var inget särskilt märkvärdigt eller hotfullt, så jag ringde aldrig polisen. Jag skulle ju lämna Sverige också, så jag tänkte väl att det inte var någon större fara. Men nu... ja, nu verkar det som om han hittat mig igen.”

”På Exmoor?”

”Ja, jag tror det.”

Mark ruskade på huvudet. ”Men hur har han burit sig åt med det? Fast du har förstås eftersänd post och allt möjligt... det kanske inte är så svårt om man verkligen anstränger sig?”

Jag ryckte på axlarna och försökte göra klart för mig om jag skulle ge mig in på spekulationer här. Bestämde mig för att det kunde kvitta. Onödigt att trassla in sig i detaljer, som sagt.

”Jag tror jag har sett honom i en hyrbil”, sa jag istället. ”Både här i byn och på ett par andra ställen.”

”Det var som fan”, sa Mark. Jag tror det var första gången jag hört honom använda en svordom.

”Kanske har han gjort ett par andra saker också”, lade jag till.

”Som vad då?”

”Någon har lagt döda fasaner utanför min dörr.”

”Döda...?”

Han avbröt sig och rätade på ryggen. Betraktade mig med ett nytt uttryck i ögonen som jag inte kunde tolka. Jag fick en hastig förnimmelse av att han genomskådat mig. Men hur skulle han kunna genomskåda mig? Fasanerna var ju inget påhitt, inte hyrbilen heller. Eller var det det där med hans påstådda förmåga? Jag beslöt mig för att hålla inne med Hawkridge i alla fall.

”Döda fasaner?” upprepade han tankfullt och kliade sig i nacken. ”Det låter verkligen egendomligt. Vet du... ja, jag antar att du inte vet vad det betyder?”

”Betyder?” sa jag. ”Vad menar du?”

”Skulle *kunna* betyda”, korrigerade han sig. ”Men det verkar ju rätt långsökt när jag tänker efter. Hursomhelst är det bara fråga om gammalt skrock.”

”Skrock?” upprepade jag fånigt.

Han skrattade till och vände händerna mot taket för att visa att det här verkligen inte var någonting han gick i god för.

”Förr i tiden”, började han förklara, ”härute på Exmoor i varje fall, var det ett sätt att mota bort döden. Om någon låg sjuk hemma i sitt hus på heden, till exempel, hände det att man placerade ett dött djur utanför sin dörr under natten.”

”Jaha?”

”Tanken var väl att när Döden kom för att knacka på och skörda ett liv, skulle han nöja sig med det där djuret och vända om. Ett slags primitivt offer kan man säga, och det finns förstås massor av historier om att det verkligen fungerat. Djuret var försvunnet på morgonen, det bevisade att man lyckats mota bort Döden och den sjuke kunde tillfriskna i lugn och ro. Det behövde förstås inte vara fasaner, men det ligger ju nära till hands. De finns överallt och åtminstone hannarna borde bli ganska vackra offergåvor... om man nu inte kör över dem med bil, vill säga.”

”Det var hannar”, bekräftade jag. ”Bägge gångerna. Och de såg verkligen helt oskadda ut.”

”Frånsett att de var döda?”

”De var absolut döda. Kanske var det samma en förresten...”

”Men det var ingen som kom och hämtade dem? Eller den?”

Jag skakade på huvudet. ”Jag kastade bort den.”

Sedan satt vi tysta en lång stund. Mark hällde upp det sista som fanns kvar i vinflaska nummer två. Jag tänkte att om jag fortfarande hade varit rökare skulle det ha varit en självklarhet att gå ut på terrassen och ta ett bloss nu.

Men jag var ingen rökare längre. Inte Mark Britton heller. Han såg verkligen ut att sitta och grubbla över det jag berättat.

”Jag är ledsen”, sa jag. ”Jag skulle inte ha nämnt det här.”

”Struntprat”, sa han. ”Det är klart du måste berätta det. Vad ska vi annars ha våra medmänniskor till?”

Det lät en smula teatraliskt och han märkte det själv.

”Skitsamma, jag ska så klart göra vad jag kan för att få korn på den där typen. Fast jag blir inte klok på fasanerna. Ni har väl inga liknande traditioner i ert land?”

”Inte som jag känner till.”

”Du råkar inte ha numret på den där hyrbilen han far omkring i?”

”Tyvärr. Jag har missat det. Men det är en silverfärgad Renault. Hyrfirman är Sixt, det sitter dekaler på båda sidorna.”

”Silverfärgad Renault från Sixt?”

Jag nickade.

”Då så”, sa Mark Britton och reste sig. ”Jag ska göra vad jag kan. Men nu blir det efterrätt. Bara en enkel pannacotta, men du får en tjock sauternes till den. Vad tror du om det?”

Jag sa att jag trodde att det skulle gå att få ner och medan han stod och donade borta vid kylskåpet undrade jag hur i hela friden han tänkt sig att jag skulle komma hem.

Vandra i mörkret med Castor tänkte jag i varje fall inte gå med på.

36

”En pojke får bara älska med sin flicka när ärttörnet står i blom. Det är en urgammal regel på Exmoor, känner du till den?”

”Nej. Jag är väl inte precis en flicka, för övrigt?”

”Jag vill inte påstå att jag tänker på mig själv som en pojke”, sa Mark. ”Men poängen är i alla fall att ärttörnet blommar hela året. Till och med nu i december, det har du kanske sett?”

Vi låg under duntäcket i hans breda säng. Vi hade verkligen älskat. Jag kunde inte riktigt tro på det, men heller inte gärna förneka det. Vi var båda nakna och det hade gått riktigt bra. Innan vi blivit av med kläderna hade jag förklarat för honom att jag var femtiofem år gammal och att jag inte varit i säng med en karl på över två år. Han hade kontrat med att noteringarna var ungefär desamma för hans del: femtiotvå respektive två och ett halvt.

På fönsterkarmen brann fortfarande en radda doftljus. Klockan var halv två. Dörren stod på glänt, hade gjort så hela tiden. En trappa ner låg förmodligen Castor ihoprullad framför eldstaden i köket. En trappa upp antog jag att Jeremy låg och sov. Jag tänkte att det kändes märkligt och jag sa det till Mark också.

”Du ska veta att det här är bland det mest oväntade som har hänt mig på ganska länge.”

”Likadant för min del”, sa Mark och strök med avigsidan av handen över min kind. ”Jag har för länge sedan slutat tänka på sådant här. Om man bor i en by som Winsford är det faktiskt den enda vettiga hållningen. Antalet lediga kvinnor har legat strax under noll de senaste sextio åren.”

”Jag trodde det kom en massa turister till Exmoor på sommaren?”

Han fnös. ”Om du är ute efter en man tar du inte på dig regnjacka och stövlar och ger dig ut på en hed.”

”Men jag skulle gärna gå på vandring med dig.”

”Du är annorlunda. Antagligen är du inte riktigt klok, men det passar mig ganska bra. Vart vill du gå?”

Jag funderade. ”Simonsbath bort mot Brendon, tror jag. Var det inte det du rekommenderade? Där du höll till som barn?”

”När du vill”, sa Mark Britton och gäspade. ”Ja, det är som allra vackrast där... och allra mest ödsligt. Blåsigt och regnigt som tusan den här tiden på året, men den risken får man ta. Har man bara rätt kläder är det inget problem.”

Jag förklarade att jag till och med hade en regnjacka åt min hund och han lovade att vi skulle ge oss ut så fort vi fick tillfälle.

”Fast inte före jul”, lade han till.

”Varför då?” frågade jag, mest på skämt. ”Det är ju en hel vecka kvar.”

”Har en del jobb i början av veckan”, förklarade han. ”Det kommer hit en kille som jag arbetar en del med. Och så åker jag och Jeremy till min syster över helgen... själva juldagarna, vill säga.”

”Jag förstår. Var är det hon bor?”

”Scarborough, om du vet var det är. Det tar en halv dag att köra dit och jag vet inte hur det kommer att gå. Hur Jeremy kommer att ta det, menar jag. Han vill egentligen aldrig lämna det här huset som du kanske förstått. Man kan nästan säga att det är ett experiment, men jag har satt mig i sinnet att genomföra det. Hursomhelst är vi tillbaka före nyår, då lovar jag att vandra på heden med dig tills du stupar.”

Jag sa att jag såg fram emot det. Lade till att jag för tillfället dock var mest intresserad av att få sova några timmar.

”Jag trodde aldrig du skulle sluta prata”, sa Mark Britton och så vände vi oss på sida och tuppade av.

Klockan blev elva på förmiddagen nästa dag innan Castor och jag kom iväg från Heathercombe Cottage. Jeremy satt med vid bordet medan vi åt frukost. I varje fall under tjugo minuter, det var den tid han behövde för att konsumera sin måltid: två vändstekta ägg, en kopp te, två skivor rostat bröd med aprikosmarmelad. Mark förklarade att han ätit exakt samma sak varenda morgon de senaste två åren, och att rätt sorts aprikosmarmelad bara fanns att köpa i en liten ekologisk butik i Tiverton. Den dag den slog igen skulle det bli problem.

Tre skedar socker i teet, rejält med mjölk. Jeremy skötte doseringen själv, med en koncentration som om det gällt att placera sista kortet i ett korthus. Han hade samma Harlequintröja på sig som under gårdagen men blå jeans istället för de svarta och han hade hälsat på mig genom att ta i hand den här dagen också. Med ens, när jag såg honom sitta där och nästan räkna sockerkornen i skeden, kände jag en ömhet för honom som jag inte riktigt kunde förklara.

”Vad är det han sysslar med på sin dator?”

Mark tvekade. Jeremy hade just lämnat oss ensamma, jag

hade svårt att tala om honom när han var närvarande. Castor hade fått en portion äggröra och bacon som han slukat på knappt fem sekunder.

”Det vill du inte veta.”

”Jo”, sa jag. ”Det vill jag faktiskt.”

Han suckade. ”Okej. Två saker bara, egentligen. Åtminstone på sistone. Han tittar på våldsfilmer och löser sudoku.”

”Våldsfilmer och sudoku?”

”Ja, tyvärr.”

”Och han... jag menar, varför våldsfilmer?”

”Jag vet inte. Men han verkar inte ta någon skada av det. Och han blir på mycket sämre humör om han inte får titta. Jag har provat med restriktioner, tro mig.”

Jag tänkte på den där gesten i fönstret men beslöt ännu en gång att hålla inne med det.

”Förlåt, jag menade inte att...”

Mark ryckte på axlarna. ”Det är okej. Han sitter och tittar på de där filmerna... ja, han tittar på andra filmer också, inte bara folk som dödar varandra, men jag kan inte säga vad han får ut av det. Varken av den ena eller den andra sorten. Han kan se samma film tre gånger efter varandra, för övrigt, han kanske behöver det för att det ska gå in. Vad gäller sudoku, så är han ingen stjärna där heller.”

Det fanns en klump av bitterhet i hans röst med ens och jag ångrade att jag hade frågat. ”Sudoku är väl inte det lättaste man kan ge sig på”, försökte jag. ”Men jag har aldrig provat, så jag vet inte.”

Mark skrattade till. ”Han förstår reglerna, jag inbillade mig att han är bättre på siffror än på bokstäver, så jag höll på och förklarade för honom ett par veckor... och ja, han fattar verkligen vad det går ut på. Problemet är att han inte har en aning om hur han ska hitta rätt. Jag har kollat honom, han chansar hela tiden och det blir fel. När han upptäcker att det blivit fel, går han tillbaka och chansar igen. Jag tror det tar honom ungefär en halv dag att bli färdig med ett sudoku av den enklaste sorten.”

”Hm”, sa jag. ”Men han håller sig sysselsatt?”

”Han gör ju det”, svarade Mark och suckade. ”Och vad är det som säger att det som alla vi andra gör är så mycket vettigare? Tillverkar vapen? Säljer aktier? Gör reklam för skit som ingen behöver?”

Han började onekligen låta dyster och jag tänkte att det var lika bra att låta det stanna vid det här. Återigen är jag osäker på exakt vad jag menar med ”stanna vid det här”.

”Jag drömde om det inatt igen”, sa han efter en stunds tystnad.

”Vilket då?”

”Det där jag såg första gången vi träffades. Den försvunna mannen och huset i södern. Det kanske var för att du låg bredvid mig...”

Jag var helt oförberedd och det kom som en liten chock. Jag hade nästan lyckats förtränga hans klärvoajanta förmåga, eller vad det nu var frågan om. I varje fall hade jag inte funderat över det särskilt mycket, och det där med att se genom pannben kändes mera som ett internt skämt vid det här laget.

Vilket alltså kanske var en förhastad bedömning.

”Jaha?” sa jag med en tveksamhet som jag skulle ha velat radera ut.

”Det var samma sak egentligen. En grupp vitklädda män runt ett bord som frågade sig vart någon hade tagit vägen. Ett vitt hus också... ja, någonstans långt söderut som jag sa.”

”Och jag? Fanns jag med på ett hörn?”

”Det var möjligen det som var det nya”, sa Mark och såg fundersam ut. ”Du gick längs en strand, det måste ha varit i närheten på något vis, för jag såg dig på samma gång som det där huset. Ja, du gick där med din hund… det var inte mer än så.”

”Det räcker”, sa jag och försökte skratta. ”Jag vill inte att du ska vara hur övernaturlig som helst.”

Mark harklade sig och bad om ursäkt.

”Men jag är väldigt glad att Castor och jag fick komma hit”, sa jag efter en kort återhämtningspaus. ”Jag skulle ju kunna bjuda dig upp till Darne Lodge, men det känns som att gå åt fel håll på något vis… och jag antar att Jeremy skulle vara svår att övertala? Det är faktiskt ett riktigt råtthål.”

Han log. Sträckte sig över bordet och tog fatt i mina händer. ”Jag är säker på att du har gjort det hur trevligt som helst däruppe”, sa han. ”Men jag tycker ändå vi skyller på Jeremy och fortsätter att träffas här.”

”Fortsätter?”

”Ja.”

”Vi ska vandra ovanför Simonsbath först.”

”Absolut”, sa Mark och såg allvarlig ut. ”Först jul, sedan en vandring över heden, sedan Heathercombe Cottage del två.”

”Okej”, sa jag. ”Jag går med på det. Hela programmet.”

”Förresten, den där stalkern, vad heter han? Om jag nu skulle stöta på en viss Renault…”

Castor och jag var redan på väg bort mot vår bil som jag hade parkerat på andra sidan bron.

”Han heter Simmel”, sa jag. ”Ja, John Simmel heter han.”

Det var ett namn som bara dök upp. Jag har ingen aning om var det kom ifrån, kanske från en bok eller en film.

”Bra”, konstaterade Mark. ”John Simmel, det kommer jag ihåg. Var rädd om dig. Det kan hända att jag äter middag med min kollega på The Royal Oak på onsdag… om du skulle ha lust att träffa två sympatiska engelsmän istället för bara en.”

”Det räcker alldeles utmärkt med en”, försäkrade jag honom och släppte in Castor i bilen. ”Tack för allt.”

”Det är jag som ska tacka.”

Jag kastade en blick upp mot Jeremys fönster men det var tydligt att han satt framför sin dator. Våldsfilm eller sudoku?

Och medan vi satt och skumpade på den knaggliga och leriga vägen ner till byn kom jag att tänka på att jag inte bett om hjälp med det där kodordet.

Någonting sade mig att det var lika bra.

Någonting annat sade mig att jag hade varit oförsiktig och att jag skulle få äta upp det. Dessa fåniga varsel och tankar. Utan tvekan är det heden och min ensamhet som framkallar dem.

37

Den nittonde december. En onsdag. Omedelbart när jag vaknar minns jag att det är Yolanda Mendez födelsedag.

Yolanda Mendez var min bästis under två år på mellanstadiet. Fyran och nästan hela femman. Hon kom från Peru, hade stora bruna ögon och en egen häst. Om inte familjen hade flyttat skulle hon kanske ha varit min bästis på högstadiet också, jag tror det, för det fanns aldrig minsta gruskorn i vår väloljade vänskap.

Och hon fyllde år så himla nära julafton, jag minns att jag tyckte lite synd om henne för den sakens skull.

Jag stiger ur sängen och undrar varför hon dyker upp i huvudet på mig? Men så kommer jag ihåg att hon brukar göra det varje år det här datumet. En halv minut eller bara några sekunder. Jag brukar fundera på vad det blev av henne, det gör jag idag också.

Är det så här ålderdomen ser ut? undrar jag medan jag läser av termometern och betraktar himlen genom fönstret. Människor kommer att dyka upp och försvinna, dyka upp och försvinna. I en aldrig sinande ström och utan iakttagbar ordning eller anledning. Inte bara på sina födelsedagar antagligen. Ju äldre vi blir desto lättköptare offer är vi för våra minnen.

Jag känner mig olustig idag igen. Det har jag förresten gjort varje morgon sedan kvällen och natten med Mark Britton. Jag kan inte avgöra om det beror på att jag saknar honom eller om det är någonting annat. Om det rentav beror på motsatsen, men varför skulle det göra det? Jag antecknar att det bara är fyra grader och att det ser blåsigt och vått ut. Inte direkt dimma, mera som ett tjockt men hyfsat genomskinligt moln som driver fram över heden. Tre hästar står och tuggar precis på andra sidan muren, två andra lite längre bort. Himlen är mörk.

Jag tänker att allting kommer att gå åt helvete.

Jag börjar gråta.

Slutar gråta efter några minuter, tänder en brasa istället. Castor kommer vankande från sovrummet. Jag tror inte jag skulle komma ur huset idag om jag inte hade honom.

Jag förstår med ens vad som är det värsta med att sitta i fängelse. Man lämnar inget avtryck i världen. Man står utanför tiden. Om man råkade hoppa över att existera en dag skulle det inte göra någon skillnad. Ingen skulle märka ett skit. Är det på grund av det här som folk blir pyromaner? Eller går in med sina vapen i skolor och skjuter barn? För att lämna det där livsviktiga avtrycket?

Är detta en konstig fråga? Jag vet inte, avsikten med att jag är här, är den inte just att jag inte ska lämna avtryck? Och varför frågar jag efter en avsikt helt plötsligt?

Vi tar vår morgonpromenad istället. Samma sträva ljung, samma gräs och mossa och törne. Ormbunkar, fasaner och lera. Efter tio minuter kommer en hagelskur, vi vänder om och skyndar hemåt igen.

Mitt i frukosten inser jag att jag somnade före elva igår kväll, och att jag ännu inte förbrukat dagens ord. Jag tittar igenom min lista och bestämmer mig för att fortsätta ett tag till med litterära gestalter. De två senaste dagarna har jag testat några ryssar och amerikaner, så om jag sprider ut mig i Europa idag kan jag ta tre svenskar imorgon.

Fagin. Quixote. Faust.

Ingen träff, konstaterar jag rutinerat, men jag tyckte mig märka en liten tvekan hos datorn vid Quixote. Den dröjde en aning längre än vanligt innan den förklarade att jag angett ett felaktigt lösenord. Kan det tyda på att en del av bokstäverna var de rätta?

Eller tyder det bara på att jag håller på att tappa kontrollen eftersom jag kan få för mig det?

Jag övergår till att lägga patiens. Men bara åtta, sparar de resterande åtta till kvällen.

Jag kommer in på centret efter en lång, besvärlig vandring upp mot Dunkery Beacon, den högsta punkten på hela heden. Startade enligt instruktionerna i guideboken från Wheddon Cross och nästan hela tiden hade vi målet i blickfånget, då och då skymt av moln och dimma i och för sig. Men när vi efter att ha stretat uppför genomdränkt och svårforcerad betesmark i vad som kändes som timtal, och där vi också måst förhandla oss fram genom fientligt sinnade horder av feta kor – de påminde onödigt mycket om sura konstaplar vid totalitära gränsövergångar – kom upp på den smala körvägen som löper i en ojämn halvcirkel nedanför själva krönet, bestämde vi oss för att klara av de sista femhundra meterna en annan dag. Vinden låg rakt emot oss och det fanns anledning att tro att utsikten ändå var begränsad en dag som den här. Inte en människa hade vi sett till på hela vägen upp, den enda egentliga behållningen var en grupp hjortar på avstånd.

Så vi vände åter, ner genom en skyddad dalgång utan gränsvakter, lerig och blöt men fri från blåst, och var tillbaka på parkeringsplatsen utanför The Rest and Be Thankful Inn efter sammanlagt två och en halv timme. Det var ju just den här puben jag klivit in på vid min ankomst för femtio dagar sedan, jag mindes den storbystade blondinen, den korsordslösande damen och den kringfarande rörmokaren och tänkte att det kändes som om det gått ett år.

Och inte för ett ögonblick övervägde jag att gå in igen. Istället hoppade vi in i bilen och började köra den numera välbekanta A396 tillbaka mot Winsford. Och medan vi gjorde det bestämde jag mig för att det kunde vara dags att läsa några mejl igen.

Både Alfred Biggs och Margaret Allen är på plats för ovanlighetens skull. Två unga flickor och två unga pojkar också, de sitter i olika hörn djupt försjunkna i världar som jag inte har en aning om. Jag tänker hastigt på Jeremy Britton och skjuter undan honom lika hastigt.

”Välkommen in”, säger Margaret Allen.

”Se, vår författarinna”, säger Alfred Biggs.

Jag ber om ursäkt för att Castor och jag är så smutsiga och förklarar att vi just ägnat oss åt en klättring upp mot Dunkery Beacon.

”En sådan här dag?” utbrister Alfred Biggs.

”Det var tappert”, säger Margaret Allen. ”Jag sätter på en kopp te åt er. Ni kan ta er vanliga apparat.”

Jag tar min egen mejl först den här gången. Besvarar tre julhälsningar från kolleger på Aphuset, en från min bror och slutligen en från Christa. Hon nämner ingenting om att hon drömt om mig eller att hon är orolig, det är jag tacksam för.

Violetta di Parma skriver och förklarar att hon har skickat iväg vår post precis som jag instruerat och att hon måste rusa iväg för att inte missa Händels Messias. Jag skriver ett kort tack tillbaka och hoppas att konserten varit njutbar.

Sedan Martins inbox. Som alltid öppnar jag den med en viss bävan. Ber en stilla bön om att den åtminstone inte ska innehålla någonting från G.

Jag blir också bönhörd på den punkten. Jag läser igenom de sex meddelanden som möjligen kan kräva åtgärder; de fem första kan jag utan större tövan lämna därhän, det sjätte och sista är från professor Soblewski:

Karaste van,

En god jul og en god nyar til ni baade tva.

Därefter går han över till engelska och vad det handlar om är en novellantologi som han och Martin tydligen haft för avsikt att publicera – i Sverige och Polen på samma gång och med hälften svenska, hälften polska författare representerade. Unga och lovande, inga gamla etablerade, det är avantgardet man är ute efter. Soblewski föreslår att man byter ut någon som heter Majstowski mot någon som heter Słupka och lovar att skicka den aktuella novellen så snart han fått den översatt. Frågar sedan om den där unge Anderson, vars berättelse *Carnivores* han just läst i översättning verkligen är så mycket att rekommendera. Han vill gärna ha Martins synpunkter på båda de här sakerna. Till sist skriver han:

By the way, a curious and slightly macabre thing has occurred just a few miles from here. The police have found a dead body, they suspect foul play but are apparently not able to identify it. We live in a dangerous world, dear friends. Take good care of each other. Sob

En ton börjar ljuda i mitt högra öra och jag drabbas av en plötslig andnöd.

En död kropp. Ett par miles bort. Polisen kan inte identifiera den.

Jag märker att rummet där jag sitter, och där Margaret Allen just går ut genom dörren och vinkar farväl, har börjat gunga. Ett illamående skjuter upp i mig och för en kort sekund tror jag att jag kommer att kräkas över datorn.

Eller svimma. Eller bägge delarna.

Jag håller hårt med händerna i bordsskivan medan det sakta drar sig tillbaka. Jag blundar en stund och hoppas att Alfred Biggs inte har tagit någon notis om mitt tillstånd. Tonen hänger kvar men har minskat i styrka och flyttat över till vänstra örat av någon anledning. Jag öppnar ögonen och läser om texten.

Inte det som handlar om antologin. Bara om den döda kroppen. Tre gånger.

Foul play? Ta hand om varandra?

Det är nästan mörkt när vi kommer ut från datorcentret, trots att klockan inte är mer än fem. Det är den här kvällen som Mark Britton kommer att sitta på Royal Oak Inn med sin sympatiske datorkollega. Fram till nu har jag inte kunnat bestämma mig för om jag ska gå dit eller inte. Soblewskis mejl har dock avgjort saken.

Jag och Castor kommer att tillbringa kvällen för oss själva i Darne Lodge.

Kanske inte lägga patiens ens. Kanske bara låsa dörren och sitta där med våra tankar och begrunda återstoden av våra liv.

38

Julie. Fel.

Markurell. Fel.

Berling. Fel.

Vi går till sängs. Ligger i mörkret och lyssnar till regnet och vinden, i varje fall gör jag det. Jag vet inte hur mycket Castor uppfattar nere under täcket. Eller hur mycket han bryr sig. Jag har sagt ordet *husse* åt honom några gånger, i början lutade han på huvudet för att höra bättre, sedan tappade han intresset.

Jag känner mig desorienterad. Inte så mycket i omgivningen, för den har varit konstant under bra många veckor nu, utan i mitt inre. Jag har svårt att hålla kvar tankarna, eller sätta ihop en tanke med en annan; möjligen har jag haft det så här under en viss tid men det känns ovanligt tydligt den här kvällen. Jag tänker att det måste vara Soblewskis mejl som framkallat det, som är förstärkaren eller katalysatorn. *The police have found a dead body.* Kanske skulle jag klara mig helskinnad från en sinnesundersökning, kanske inte; jag har personlig erfarenhet av begreppet ångest, det har jag förvisso – under min depression framförallt och det har verkligen ingenting med potatis att göra. Men det här handlar inte om ångest, snarare är det fråga om en sorts total rotlöshet, eller *sammanhangslöshet*, om det nu finns ett sådant ord. Jag vet inte. Orsak–verkankedjan är försvunnen eller i varje fall förstår jag den inte. Får inte korn på den.

Jag hoppas det beror på att året håller på att ta slut. I övermorgon har vi årets kortaste dag, jag märker att jag återkommer till detta med en dåres envishet, men sedan vänder det, det är gissningsvis det som är min poäng. Sedan kommer ljuset. In på det nya året, då kommer jag att kunna tänka framåt, inte bara överleva min hund utan även fatta beslut som innebär... som innebär att någon sorts liv kommer att uppstå. Sammanhang kommer att födas och fortgå. Jag tycker att jag kan se detta framför mig; jag måste bara låta ett par dagar gå, en julhelg passera, vänta på att Mark Britton kommer tillbaka från Scarborough kanske, gå in i ett oprövat år och komma vidare på något sätt... som en bok man har liggande på nattygsbordet men som man inte orkar börja läsa än. Men man kan föreställa sig sitt förväntade intresse. Och det som man kan föreställa sig finns, det existerar, ja, i viss mening och i någon mån gör det faktiskt det.

Jag lyfter på täcket och frågar Castor om han förstår mina tankegångar, för jag har faktiskt pratat högt om det här. Han rör inte en fena. Plötsligt hör jag det metalliska ljudet utifrån heden igen. Det kommer i diskreta vågor, stigande och fallande. Jag viker kudden om huvudet och gör mitt bästa för att somna. Tänker att jag är beredd på det mesta men jag vill helst inte börja drömma om Martin. Börjar mumla de enda bibelrader jag kan utantill, den tjugotredje psalmen:

Herren är min herde, mig skall intet fattas.
Han låter mig vila på gröna ängar,
han för mig till vatten där jag finner ro.

Han vederkvicker min själ,
han leder mig på rätta vägar,
för sitt namns skull.
Om jag ock vandrar i dödsskuggans dal...

Innan jag kommit igenom hela har jag börjat drömma om råttor. Nej, jag märker att jag fortfarande är vaken, så det är ingen dröm. Jag vet inte vad det kan vara frågan om i så fall, bara en föreställning eller en synvilla, men just ikväll är det någonting som riskerar att brista.

... apparently not able to identify it.

Uppenbarligen inte förmögna att identifiera den.

Jamen då så, tänker jag plötsligt. Vad hade jag egentligen förväntat mig? Vilket annat budskap hade varit mera önskvärt? *Vilket*?

Då så.

Den tjugonde december. Torsdag, åtta grader och klar himmel. Nästan vindstilla. Uppifrån det övervuxna kumlet där de romerska legionärerna en gång måste ha stått och blickat ut över landskapet efter att de slagit ihjäl Caratacus, kan man en sådan här dag se miltals åt alla håll.

Dunkery Beacon till exempel, som vi strävade mot men inte riktigt nådde fram till igår; vore man en örn eller en falk skulle man med lätthet kunna flyga dit på fem minuter i denna klara luft. Det är oerhört vackert: behagfullt och böljande, och ärttörnets blommor vrider sig frimodigt upp mot solen. Det är tillåtet för en pojke att älska med sin flicka, nästan påbjudet.

Efter en sen frukost ger vi oss iväg upp mot Porlock Common. Högt ovanför Exford parkerar vi i en liten ficka vid vägkanten och vandrar sedan i öppen terräng utan karta i flera timmar. Ser hjortar på avstånd igen och bär morgonens tillförsikt med oss ända fram till skymningen. När vi är tillbaka vid Darne Lodge är klockan halv fem och vi anländer till vår enkla boning nästan i samma ögonblick som Mark Britton. Vi har inte hunnit komma in i huset ens, utan blir stående ute på gården och pratar. Han räcker över ett fång rosor och en flaska champagne.

”En liten julgåva”, säger han och hans leende är en smula osäkert. ”Jag tänkte ge dig den igår kväll på puben, men du kom aldrig.”

”Blev lite upptagen av annat”, säger jag och han är civiliserad nog att inte fråga vad.

”Jeremy och jag ger oss iväg tidigt imorgon bitti”, förklarar han. ”Mot Scarborough, alltså. Så jag tänkte önska dig god jul lite i förskott. Om du...”

”Ja?”

”Om du sparar bubblorna kanske vi kunde dela på dem på nyårsafton?”

Jag lovar att tänka på saken och ger honom en kram. ”Men rosorna får jag titta på under tiden? När är ni tillbaka?”

”Beror på. I god tid före nyår i alla fall. Du har ingen mobil som man kan nå dig på?”

Jag skakar på huvudet.

”Du håller dig väl så isolerad måste man säga. Får jag titta in när jag är tillbaka?”

Jag lovar honom det också och sedan tar vi farväl. Önskar god helg. Jag står kvar och ser efter honom när han försvinner i krokarna nerför Halse Lane. Tänker att det är konstigt att vi faktiskt älskade för en vecka sedan.

Men världen är konstig i sin helhet.

Därefter är vi ensamma.

Lyckas läsa ett kapitel i Lorna Doone. Inser att folk var så mycket modigare förr. Sexton patienser, fyra går ut.

Dylan. Fel.

Cohen. Fel.

Coltrane. Fel.

Betraktar rosorna. De är inte helt och hållet röda. Dricker två dricksglas vin före sängen och det fungerar hjälpligt.

39

Den kortaste dagen.

På The Stag's Head i Dunster där vi äter en enkel lunch, ploughman's och bubbelvatten, kommer vi i samspråk med en lokal fudgekokare. Jag är glad åt varje form av mänsklig kontakt och det tycks fudgekokaren också vara. Han berättar att hans förra fru driver en liten delikatessbutik i stan, och trots att det är femton år sedan de skildes så är det fortfarande han som står för fudgen. Det är också den som är den viktigaste beståndsdelen i hela företaget, understryker han, folk kommer ända från Taunton och Barnstable för att köpa Mrs Miller's Homemade Fudge. Till och med från Bristol, det har faktiskt hänt, och de här veckorna före jul säljer hon lika mycket som under resten av året.

Jag lovar att gå in och köpa några bitar.

”Vanilj”, säger han. ”Ta det klassiska. Eller kaffe, för all del, men de andra nymodigheterna ska du strunta i. Fudge ska väl för tusan smaka fudge.”

Sedan frågar han var jag kommer ifrån. Jag säger att jag är svensk författare men att jag tillbringar vintern på Exmoor för att skriva en roman. Han frågar var jag bor någonstans, jag talar om att jag ett hyr ett hus ovanför Winsford.

”Winsford”, utbrister han och får något drömmande i

blicken. ”Där hade jag en flicka en gång. Jag skulle ha gift mig med henne istället för Britney. Hon har puben där förresten, du kanske har sett henne?”

”Rosie?”

”Rosie, ja! Håll med om att det är en grann kvinna. Ja, inte så grann som du förstås, men med mina mått mätt.”

Jag svarar någonting undvikande och vi samtalar en stund till om Exmoor och om att livet blir som det blir. När vi tar avsked tänker jag att det ändå är ett glest befolkat landskap, detta. Att en fudgekokare i Dunster en gång har haft ett öga till en publikan i Winsford är säkert ingenting att förvånas över. Jag har ju Mark Brittons uppskattning av antalet giftasbara kvinnor i gott minne också. Strax under noll.

Och det ger mig en tanke, som jag sitter och suger på i bilen under vägen tillbaka till Darne Lodge: hur många människor är det som faktiskt vet att det sitter en galen svensk författarinna och skriver i det där gamla självmördarhuset?

En och annan förmodligen.

Kvällarna är svårast. Om jag nu inte tänker bege mig ner till Royal Oak Inn, och jag har bestämt mig för att inte göra det idag. Bättre att spara det en dag eller två. En gång före julafton, en gång efter, sedan är Mark Britton tillbaka och inpå det nya året ska jag vara i stånd att göra upp planer. Skaffa mig framtidsutsikter.

Jag intalar mig detta medan jag går omkring i huset, medan jag gör upp eld, medan jag packar in i kylskåpet och smuttar på ett glas portvin. Klockan fem är det redan kolmörkt, omöjligt att röra sig utomhus. Jag minns att det var månsken den kvällen jag kom hit, åtminstone en kort stund, men jag tror inte jag upplevt det sedan dess. Tio meter ute på gården löper den övervuxna stenmuren, det vet jag, men det finns inte en chans att upptäcka den från mitt fönster. Ikväll är det dimma dessutom, det brukar gå att urskilja en gräns mellan himmel och jord, där den mjuka kullen med en handfull träd välver sig i söder, men inte under sådana här premisser.

Inte om kvällen på årets mörkaste dag.

Jag tar mig igenom timmarna med hjälp av rutiner. Undviker att tänka på Soblewski. Undviker Samos och Taza och allting. Lagar soppa istället, omständligt så att tiden ska få en chans att hinna någonstans. Äter upp hälften av soppan, stoppar resten i en plastburk och in med den i det lilla frysfacket.

Diskar.

Ger Castor mat.

Ett kapitel Blackmore.

Sexton patienser. Lyckas dra fram klockan till elva.

Tre nya försök, det är också rutin. Jag har tillbringat den senaste halvtimmen med att sålla fram kvällens ord.

Garbo. Fel.

Monroe. Fel.

Novak. Fel.

Jag antecknar dem i blocket. Lägger mera ved på elden för att hålla oss varma under natten. Släpper ut Castor på sista pinkrundan medan jag själv borstar tänderna.

Går för att släppa in honom. Man ser verkligen inte mer än två meter ut i mörkret, den lilla ljuskäglan som faller ut genom dörröppningen verkar vilja ångra sig. Medan jag står där märker jag att det blivit kallare och jag erinrar mig att min fudgekokare pratat om att vi har frostnätter att se fram emot.

Castor dröjer. Jag visslar två gånger, har inte lust att stå och bli kall.

Han kommer fortfarande inte. Det är egendomligt. Jag hoppas han inte hittat någonting som han står och tuggar på. Hans mage kan vara en smula känslig och halvruttet kött är inte vad han behöver. Kom då, hundrackare, tänker jag.

Men det gör han inte. Jag visslar på nytt.

Ser på klockan. Han har säkert varit ute fem minuter. Åtminstone, kanske sju–åtta. Brukar klara av det på en eller två. Jag drar igen dörren en smula. Ångrar mig och skjuter upp den igen.

Ropar på honom.

En gång. Två gånger.

Rädslan faller över mig, tungt och plötsligt. Jag ropar en gång till. Min röst låter spröd och skräckslagen, den äts upp av mörkret i ett nafs.

Ropar ändå igen.

Igen och igen.

Det är den längsta natten och min hund kommer inte.

40

Jag tar dubbla tröjor under jackan och ger mig ut. Går några varv runt huset medan jag ropar och visslar. Åt söder, dit ljuset från de bägge fönstren kastar ett ynkans sken, kan jag se tre meter. Åt de andra väderstrecken ingenting. Jag tänker att mina ögon ännu inte vant sig vid mörkret. Jag tänker att så här mörkt kan inget mörker vara.

Ett svagt vinande från vinden hörs över heden, men inget av det metalliska ljud jag lagt märke till under några nätter. Långt borta, åt Exfordhållet skulle jag tro, en bil som accelererar, det dör bort på en sekund.

Jag kommer fram till muren. Ropar tre gånger innan jag klättrar över den. Det måste vara större chans att han begett sig åt det här hållet, tänker jag. Åt andra hållet har vi staketet och grinden. Naturligtvis vore det inga problem för honom att ge sig av i den riktningen heller, men jag måste ju välja.

Jag märker att jag hyperventilerar. När jag kommit över muren står jag alldeles stilla, dels för att lugna ner mig, dels för att ge mina ögon en chans att se någonting.

Efter en stund kan jag skönja mina fötter och en meter däromkring. *Skönja*, inte se; den enda ljusningen i mörkret är dimstråken som flyter omkring och tycks välla upp ur själva jorden. Jag står kvar och förundras över dessa stumma och flyktiga rörelser, medan jag håller ena handen kvar på muren och ropar med jämna mellanrum.

Min röst låter fortfarande bräcklig; bär inte många meter ut i tomheten. Men Castors hörsel är bättre än min. Han borde höra mig om han vore i närheten. Höra mig och ge skall.

Jag vågar inte lämna muren. Efter fem, kanske tio, minuter av ropande och lyssnande går jag tillbaka in i huset. Hämtar ficklampan och kontrollerar att batterierna fungerar. Letar fram två i reserv och ger mig ut igen.

Ett par nya varv runt huset. Nya rop. Jag bär rädslan som en för hårt åtdragen halsduk.

Tillbaka till muren. Tre nya rop över den, sedan står jag stilla och lyssnar till vindens svaga viskning. Betraktar dimmornas dans igen och bestämmer mig för att gå åt andra hållet.

Över vägen, högre upp mot Winsford Hill. Om jag nu kommer att hitta dit. Om det överhuvudtaget kommer att vara möjligt att avgöra var man befinner sig.

Jag finner en känd stig och förlorar den. Bestämmer mig för ett system. Går tjugo steg. Stannar, ropar, lyssnar. Stannar kvar. Ropar igen.

Tjugo steg. Stanna, ropa, lyssna. Stanna kvar. Ropa igen.

Dimman ligger tätare och är mindre rörlig ju högre upp jag kommer. Vinden har avtagit, hörs inte längre. Jag befinner mig snart i ett område av motsträvig ljung som är besvärlig att ta sig igenom, och jag tänker att jag redan har tappat orienteringen. Ficklampans ljus äts upp av dimman, det är egentligen meningslöst att ha den tänd. Gör det nästan svårare att ta sig fram.

Men jag håller rytmen. Tjugo steg. Stanna, ropa, lyssna.

Jag vet inte hur länge jag har hållit på på detta vis när ficklampan plötsligt fladdrar till och slocknar. Det gör nu inte så mycket; jag bryr mig inte om att försöka få igång den igen. Kontrollerar bara att reservbatterierna ligger kvar i jackfickan.

Tjugo steg. Stanna, ropa, lyssna.

Det är i stunderna medan jag står och lyssnar som paniken kommer över mig, jag märker det. Det är bättre att hålla sig i rörelse, bättre att vara aktiv; när jag står stilla kan jag inte undgå att höra mitt hjärta och mitt blod som rusar runt i ådrorna med alldeles för hög fart.

Snart är jag också fullständigt desorienterad. Kan inte avgöra vad som är uppåt och nedåt, söder och norr. Jag befinner mig på ett ganska flackt parti, åtminstone är den allra närmaste omgivningen flack och mer går inte att bedöma. När jag trevar med händerna kan jag känna döda ormbunkar på bägge sidor. Jag följer något som möjligen är upptrampat men när jag tar mitt artonde steg går jag rakt in i en törnbuske. Den sticker mig i ansiktet, en kvist snuddar vid mitt öga.

Gode Gud, tänker jag. Hjälp mig. Var är du, Castor?

Du har aldrig jagat. Du kastar bara ett förstrött öga när det dyker upp en kanin. Vi kan gå igenom en fårskock utan att du höjer ett ögonbryn.

Jag står stilla invid törnesnåret och för första gången försöker jag förstå vad det är som har hänt. Inte bara låta paniken styra mig.

Varför i hela friden skulle min hund ge sig iväg rakt ut i natten?

Jag försöker hålla fatt i denna fråga. Varför?

Problemet är att jag inte hittar något svar. Kanske *vill* jag inte hitta ett svar. Istället står jag kvar intill denna anonyma törnbuske och ropar några gånger till. Blundar och lyssnar. Ens hörsel skärps när man blundar.

Men ingenting, hela tiden ingenting. Knappast ens vinden. Jo, kanske någonting ändå, någonting som känns som en långsam rörelse, som om… som om heden *andades*.

Någonting stelnar inom mig inför denna tanke. Jag förstår att jag måste tillbaka till huset. Naturligtvis… naturligtvis är Castor redan där. Säkert trampar han omkring ute på gården och kommer inte in eftersom jag stängt dörren. Och kanske ger han sig då iväg för att leta efter matte.

Ge dig aldrig ut och leta efter din hund. Stanna kvar där du är och låt hunden leta, de är mycket bättre på det än vad du är.

Vi hade inte särskilt stort utbyte av den där kursen, varken Castor eller jag, men dessa ord minns jag med plötslig tydlighet. *Ge dig aldrig ut och leta…*

Men det finns slukhål ute på heden. Det finns vattenfyllda svackor där marken inte bär. Där till och med en häst kan gå ner sig, det har jag läst om och vi har varit nära sådana områden.

Jag lämnar snåret och börjar ta mig tillbaka på måfå, långt ifrån säker på att det rör sig om ett *tillbaka*. Jag krockar in i ett nytt snår, hjärtat dunkar och blodet rusar, men snart följer jag en stig som i varje fall bitvis tycks bära nedåt. Jag kan inte se den, måste treva med händer och fötter för varje nytt steg, ljungen växer tovig och vass på bägge sidor. Jag har börjat gråta, det är när jag känner saltet på läpparna som jag märker det.

Och så är den där andningen tillbaka. Den är starkare nu och med ens förstår jag var den kommer ifrån: hästarna.

Hästarna. Ja, utan förvarning befinner jag mig mitt i en grupp av dem. Kanske sex, kanske tolv. De är så tätt inpå mig att jag känner lukten och värmen som utgår från deras tunga, trygga kroppar. Jag sträcker ut handen och rör vid den som står närmast, det bekymrar honom inte det minsta – och samtidigt som jag håller min handflata mot den varma länden kan jag känna hur en annan nosar mig i nacken. Med ögonen kan jag bara uppfatta konturerna av dem, mörka suddiga silhuetter, men deras närvaro är så stark att jag på ett ögonblick förstår hur det är att vara ett litet föl. Nyss kommen till världen men redan omfattad av gruppens starka band. Det är en märklig och stor tanke. Vi står där och andas i nattens och dimmans blindhet; ett par minuter bara, sedan frustar någon av dem till, en ledare, förstår jag, och hela gruppen sätter sig långsamt i rörelse.

De lämnar mig, deras frånvaro kommer lika plötsligt och lika självklart som deras närvaro gjorde det. Jag står ensam. All andning har upphört, tystnaden ligger som en kall svepning över heden.

Jag får igång ficklampan, det är en fåfäng åtgärd men jag kan åtminstone se mina fötter. Jag börjar gå utan att bry mig om någon riktning. Går, stannar, ropar, lyssnar. Efter en god stund, kanske en halvtimme, kommer jag ut på en väg. Jag bestämmer mig för att det måste vara Halse Lane och börjar följa den åt höger. Svagt uppåt, jag kan snart konstatera att det stämmer. Jag fortsätter att ropa med jämna mellanrum, står stilla och lyssnar. Ger inte upp. Det är så pass kallt att det här och var ligger en tunn isskorpa över asfalten.

Stanna. Ropa. Lyssna.

Ingenting.

Åter och återigen ingenting.

När jag går in genom grinden till Darne Lodge ser jag att klockan är tjugo minuter över ett. Jag har varit ute i nästan två timmar.

Ingen Castor.

Jag går flera varv runt huset innan jag är övertygad om detta.

Resten av natten står jag och ropar, ömsom genom fönstret, ömsom genom dörren. När jag somnar i soffan i den första bleka gryningen har jag druckit fem eller sex glas vin. Jag är nästan medvetslös men kanske har jag ändå överlevt min hund.

IV.

41

Alla barn försvinner.

I varje familj finns berättelsen om när Tomas eller Kalle eller lilla Belinda försvann och sedan höll sig borta i en hel timme. Eller två eller tre. Vi gjorde ett program till – utöver det där Alice Myrman blev berömd för sin make i vedboden – som handlade om den sortens försvinnanden. Med lyckliga slut, jag antar i varje fall att det var det som var tanken. Det sändes sedan aldrig av skilda orsaker, men tillsammans med en kollega träffade jag åtminstone tjugo föräldrar som berättade om sådana här erfarenheter.

Om skräcken handlar det. Om den oro utan dess like som en förälder känner när man inte vet var ens barn är. Man knäpper sina händer och ber till Gud, trots att man inte bett en bön eller varit i kyrkan sedan man konfirmerades på ett hästläger för hundra år sedan.

Och det händer alla, nästan alla. Dessa bleka minuter och timmar när Döden står som gäst ute i tamburen. Vi får alla denna påminnelse, det kan inte vara utan orsak.

I min familj var det Gunsan som försvann. Det var ett par år innan Döden kom på riktigt, så visst var det en försmak och jag minns det med nästan fotografisk tydlighet.

Fast det är bara min mor jag minns på det sättet, inte

särskilt mycket av de andra detaljerna. Vi var på semester i Danmark. Hade hyrt ett hus för en vecka eller kanske två i närheten av en plats som heter Tarm, vi skämtade lite om namnet. Ute vid Västerhavet var det men inte alldeles intill. Min bror Göran var inte med, han befann sig antagligen på något slags läger.

Jag och Gunsan, min mor och min far. Fyra personer. Och en eftermiddag kunde vi inte hitta Gunsan. Hon var bara fem år vid det här tillfället och möjligen var det så att jag skulle ha hållit ögonen på henne. Sett till att hon stannade på gården och inte sprang iväg någonstans. Det gick en ganska hårt trafikerad väg inte så långt från huset också.

Men det var enbart min far och jag som gick och letade. Min mor satt kvar vid köksbordet med förklaringen att hon inte förmådde resa sig. Hennes ben bar henne inte, lät hon oss förstå, men vi måste se till att få fatt i Gunsan, annars svarade hon inte för följderna.

Hon sa just så: Jag svarar inte för följderna om ni kommer tillbaka utan Gun.

Ja, jag ser henne sitta vid det där bordet i det ljusa köket, hon håller händerna under sig av någon anledning, sitter på dem och stirrar ut genom fönstret och jag har aldrig sett henne på det viset förr. Min far försöker förklara för henne att det säkert inte har hänt någonting allvarligt men att ingenting är vunnet med att hon inte hjälper till. Det är förstås bättre om vi går ut och letar alla tre, åt var sitt håll, det säger sig självt.

Då vrider min mor på huvudet och stirrar på oss, på min far och mig, det är den korta sekvensen jag minns allra tydligast. Hur hon går med blicken mellan oss och sedan säger det en gång till: Gå och leta reda på Gun. Jag svarar inte för följderna om ni kommer tillbaka utan henne.

Hennes röst låter som när man skrapar med en kniv på botten av en kastrull och både min far och jag förstår att det är något fel på henne. Vi har dock inte tid att ägna oss åt det nu. Vi skyndar ut, ger oss iväg för att få fatt i min lillasyster.

När jag hittar henne kommer hon gående på en stig som leder till och från ett område med sanddyner där vi varit och lekt några gånger. Hon är alldeles obekymrad om vad hon ställt till med, går och sjunger på en sång och har till och med plockat ett fång blommor, som jag är rädd för att hon hittat på en kyrkogård som också ligger i närheten. Allt som allt har hon inte varit försvunnen i mer än en timme, det är i varje fall den uppskattning jag gör efteråt.

Jag frågar min mor varför hon betedde sig på det där korkade viset. Jag är bara tretton år gammal, men jag har gått ett år på högstadiet och börjat få upp ögonen för världen. Jag vill ha svar på det mesta.

Det här får jag dock inte svar på, min mor ger mig bara en blick som antagligen ska betyda att allt inte går att förklara för en trettonåring. Jag minns att jag känner mig irriterad på henne i flera dagar. När jag tar upp saken med min far ser han sorgsen ut och säger bara: Det är som det är, Maria. Någon måste kanske alltid stanna hemma, och den som spelar den rollen vet om det på ett sätt som du och jag inte kan förstå.

Och om vi inte hade hittat Gunsan skulle min mor ha blivit tokig, det är den sanning som både han och jag försöker undvika att hala upp i ljuset.

När det sedan ändå händer är det som om hon haft tid att preparera sig. Gunsan håller sig ju vid liv i åtskilliga år till.

Jag följer min mors exempel två dagar före julafton fyrtiotvå år senare. Jag håller mig om inte inne i huset så i varje fall i närheten, hela dagen. Ute på gården och alldeles däromkring. Det är en kall dag, tidigt på eftermiddagen faller till och med en smula snö. Jag undersöker den lilla stallbyggnaden, något jag tidigare inte gjort, bortsett från att jag hämtat in ved från förrådet på gaveln. Men det är verkligen inte mycket att undersöka och här finns inga spår efter någon hund. Bara bråte och mera bråte, jag tänker att det måste ha varit många år sedan någon häst stod här. Det enda jag möjligen skulle kunna ha användning för är en stallykta, jag tror man ska elda den med någon sorts olja och trots att den är rostig och smutsig tar jag in den i huset för att titta närmare på den.

Hur jag kan intressera mig för någonting sådant är i efterhand, när mörkret åter lägrat sig, fullkomligt obegripligt för mig. Jag dras med en tilltagande huvudvärk och förstår att det beror på att jag varken ätit eller druckit något på hela dagen. Kanske finns gårdagens vinkonsumtion på plats i skallen också. Jag tar fram resterna av soppan men ställer in burken i kylskåpet eftersom den äcklar mig. Dricker ett glas äppeljuice och äter några torra kex istället, mer går inte att få ner. Jo, två huvudvärkstabletter med ytterligare en klunk juice. När klockan så småningom blir sju har Castor varit borta i tjugo timmar, jag minns att jag släppte ut honom alldeles efter att jag gjort mina lösenordsförsök föregående kväll.

Tjugo timmar på en hed. Temperaturen har legat runt noll hela tiden. Hur länge är det möjligt att...?

Ändå ropar jag och ropar. Ropar och ropar.

Varför skulle jag inte ropa?

Under någon timme senare på kvällen tar en sorts förnuft fatt i mig. Jag sitter med papper och penna och försöker få ett grepp om sammanhangen. Jag skriver ner följande fakta och letar efter den tråd som binder dem samman, jag tänker mig att det måste finnas en sådan:

De döda fasanerna
Den silverfärgade hyrbilen
Signaturen G
Samos
Taza
Kodordet
Professor Soblewskis mejl
Mark Britton
Jeremy Britton
Death
Castors försvinnande

Så småningom stryker jag över flera punkter. Kvar blir bara fasanerna, hyrbilen och Castor. Och Death, fast jag helst skulle vilja stryka det också. Jag bestämmer mig för att det andra är ovidkommande, åtminstone i det här läget. Efter en stund lägger jag till två frågor:

Är Martin verkligen död?

Hur vet jag det i så fall?

Och efter att ha suttit alldeles stilla och stirrat på mitt papper i flera minuter lyckas jag komma tillbaka till en tanke som jag minns att jag hade för några dagar sedan, innan jag läste det sista mejlet från Soblewski:

En medhjälpare?

Skulle det kunna vara så att …?

Vore det möjligt att …?

Det tar en god stund att göra de här tankebanorna begripliga, och själva tidsåtgången har säkert att göra med mitt tillstånd. Castor är försvunnen och jag står på randen till ett sammanbrott, det är ingen idé att inbilla sig något annat och det gör jag inte heller.

Men om jag backar tillbaka till den där frågan om en medhjälpare som jag ställde för en tid sedan – den enda möjliga vägen för Martin att hålla sig inkognito om han lyckades komma ut ur råttbunkern – vad är det då jag förstår? Jo, jag förstår äntligen att det i stort sett bara finns en tänkbar sådan medhjälpare.

Nämligen professor Soblewski.

Eller hur? frågar jag mig. Vilka andra scenarion skulle vara möjliga? På vilket annat vis skulle Martin ha kunnat agera utan att det blivit känt att… att hans hustru lämnat honom för att dö i en gammal bunker från andra världskriget? Vem skulle han välja till sin förtrogne om han bestämde sig för att ta saken i egna händer och genomföra sin egen hämnd?

När han går där på stranden och huttrar och hatar, för det är ju redan då han måste lösa problemet.

Soblewski naturligtvis. Professorns hus ligger i närheten, säkert inte mer än två timmars vandring bort. Han och Martin har suttit och pratat och planlagt halva natten, så även om han inte varit ute efter en vapenbroder måste det vara det första som dyker upp i Martins huvud, hans första åtgärd efter att han tagit sig ut: att återvända till Soblewski.

Vad skulle det alltså innebära? Vart ville jag komma med det här resonemanget?

Trots min belägenhet är det inte särskilt svårt att komma fram till svaret. Det skulle helt enkelt innebära att Martin och Soblewski är fullt införstådda med all mejlkommunikation som ägt rum sedan jag kom till Exmoor.

Vidare: att Soblewskis egna mejl till Martin är fiktiva, påhittade för att inte få mig att ana någonting. I synnerhet skall jag inte ana någonting när Soblewski så småningom, nästan som i förbigående, nämner att man hittat ett lik i närheten av hans hem.

Visst är det en möjlig sanning?

Ja, är jag tvungen att bekräfta, det är en möjlig sanning.

Som också gör att ett sammanhang – en tråd – mellan mina nerklottrade fakta framträder på ett ögonblick.

Hur många människor i världen skulle Castor frivilligt följa med om de kallade på honom?

Jag knycklar ihop mitt papper och kastar in det i elden. Mitt huvud dunkar. Finns det fler falska mejl än de från Soblewski? Hur är det med de mer eller mindre aggressiva meddelandena från G, de som på den sista tiden har upphört? Kan också de ha författats av min levande make och hans medhjälpare?

Jag inser att jag inte varit ute och kallat på Castor på länge och – för att demonstrera för mig själv att det finns ett gott och gångbart alternativ till de slutsatser jag är hotande nära att komma fram till – sätter jag på mig kläder och går ut och ropar efter honom i gott och väl en halvtimme.

I olika riktningar men utan att lämna gården.

Och för mitt inre öga ser jag hur han har sjunkit så djupt ner i ett dyhål ute på heden att bara hans huvud finns kvar ovan jord. Han försöker vrida på det för att se från vilket håll hans matte ska komma och rädda honom, men till slut förstår han att någon sådan lösning inte är att förvänta sig. Bättre att sluta ögonen och ge upp sitt nesliga hundliv. Bättre att släcka detta fåfänga hopp.

Eller också … eller också ligger han och slickar sig om nosen på en säng på ett värdshus i närheten. Dunster eller Minehead eller Lynmouth, varför inte? Ligger där och betraktar sin husse, han som sitter därborta i fåtöljen med ett glas öl och en tidning och som hux flux har dykt upp på ett högst oförutsägbart vis…

Och i ingetdera fallet tjänar det särskilt mycket till att hans matte står ute på en mörk gårdsplan och kraxar efter honom med en röst som påminner alltmer om just det svaga krafsandet med en kniv på bottnen av en kastrull.

Ändå ropar man. Man gör det. Så länge man har något att ägna sig åt, det må vara aldrig så betydelselöst, så gör man det, för på så vis håller man vansinnet stången.

Man ropar och ropar.

Och när jag ropat färdigt somnar jag även denna natt i soffan.

42

Det är en knackning på dörren som väcker mig.

Jag kastar av mig filten och sätter mig upp. Konstaterar att jag har kläder på mig och drar händerna genom håret. Det svirrar mellan mina tinningar och bultar bakom ögonen. Jag ser förmodligen ut som en häxa och vet inte om jag ska gå och öppna eller inte.

Erinrar mig läget och tänker att det inte spelar någon roll om jag ser ut som en häxa. Ingenting spelar längre roll, det har förmodligen varit så under lång tid men nu är det dags för mig att inse det. Ta det på allvar.

Det knackar igen. Jag kommer på fötter och går och öppnar.

Det är Lindsey, den nye servitören från The Royal Oak; det dröjer några sekunder innan jag lyckas identifiera honom. Det har snöat under natten, ett tunt lager bara som säkert är i färd med att smälta bort, men landskapet är fortfarande vitt och det kommer som en överraskning.

Vilket också Lindsey gör naturligtvis. Det har aldrig knackat på min dörr i Darne Lodge tidigare. Han trampar lite nervöst med sina lågskor i snön och ber om ursäkt.

”Tom bad mig åka upp. Jag måste tillbaka med en gång för vi ska snart öppna för lunch och det kommer ett större sällskap…”

”Vad gäller saken?”

”Er hund, madam”, säger han. ”Vi har er hund hos oss. Han satt utanför dörren när Rosie kom ner. Så nu har vi släppt in honom och gett honom lite mat, jag antar att han gett sig iväg härifrån på morgonen?”

Jag stirrar på honom utan att få fram ett ord. Han skruvar på sig och slår ut med händerna som om han fortfarande vill be om ursäkt för någonting.

”Måste åka tillbaka. Men ni kan komma ner och hämta honom när det passar. Jag skulle hälsa det från Rosie och Tom.”

”Tack, Lindsey”, får jag äntligen ur mig. ”Tusen tack för att du kommer och berättar det här för mig. Han har varit försvunnen ända sedan igår kväll, faktiskt. Man blir ju så orolig...”

Jag vet inte varför jag kortar ner frånvaron med ett helt dygn.

”Ja, det var bara det jag skulle hälsa... ni har en fin hund, madam.”

”Ja, han är fin. Hälsa Rosie och Tom att jag är nere inom en timme.”

”Tack så mycket, det ska jag göra”, säger Lindsey och återvänder till Landrovern som står och puttrar uppe på vägen.

Jag får av mig kläderna, ställer mig i duschen och rabblar hela den tjugotredje psalmen. Den här gången utan att bli avbruten.

Han kommer och möter mig redan i dörren. Jag faller på knä och slår armarna om honom; hade bestämt att hålla på min värdighet och inte göra det, men det fungerar inte. Han slickar mina öron, både det högra och det vänstra. Han luktar sisådär, inte alldeles rent men inte heller på det vis man borde lukta om man tillbringat två nätter och en dag ute på en lerig hed.

”Den förlorade sonen har återkommit, ser jag.”

Det är Robert, han sitter på sin vanliga plats med en pint Exmoor Ale framför sig.

”Hundar”, säger Rosie från baren. ”De är nästan som karlar.”

”Nu hänger jag inte med”, säger Robert.

Rosie fnyser åt honom. ”Om man inte hittar dem hemma så hittar man dem på puben. Men visst är det skönt när de kommer till rätta. Han har fått lite att äta och han har sovit en timme framför brasan. Lindsey säger att han varit borta ända sedan igår kväll?”

”Det stämmer”, säger jag och rätar på mig. ”Jag förstår inte vad som tog åt honom. Jag släppte ut honom för att han skulle uträtta sina saker och vips var han borta.”

”Han fick väl upp ett spår”, säger Tom som dyker upp bredvid sin hustru i baren.

”Det är ju det jag säger”, konstaterar Rosie. ”Precis som karlar.”

”Har jag inte stått här vid din sida i trettio år?” suckar Tom och blinkar åt mig. ”Förstår inte vad du pratar om. God jul, förresten. Och kanske blir det en vit, det är väl du van vid?”

”Jodå”, säger jag. ”Men det här kommer väl inte att stanna.”

”Huvudsaken är att du gör det”, säger Rosie.

Jag förstår inte vad hon menar och det syns på mig.

”För att äta lunch, det är det jag vill säga. Vi har faktiskt *carvery* idag, det kommer ett stort gäng om en halvtimme men du hinner få de bästa bitarna om du bara slår dig ner nu.”

”Du lovade just de bästa bitarna till mig, har du redan glömt det?” protesterar Robert och höjer sitt glas.

Jag tänker att världen består, trots allt, och sätter mig ner vid bordet närmast brasan. Castor vid mina fötter.

För den gör ju det. Världen. Består. Och ännu en liten tid kommer både Castor och jag att vandra omkring i den.

Jag sitter verkligen och vältrar mig i denna ömhudade och storvulna tanke medan vi kör till Dulverton efter köttfrosseriet på The Royal Oak. Som en tribut till detta bestående och fungerande ska vi nämligen handla julmat. Vad vi nu kan hitta, men det är den tjugotredje idag, så det är sannerligen hög tid. Vägen är en smula slirig och spårig efter snöandet men Castor sitter ändå fram utan säkerhetsbälte, för jag vill hålla en hand på honom.

Var har du varit? tänker jag. Om och om igen. Var har du varit? Var har du varit?

Men för tillfället struntar jag egentligen i det. Kanske vill jag inte veta och huvudsaken är att han är tillbaka. Jag kommer aldrig mer att låta honom gå ut ensam i mörkret. Inte så länge vi båda två är i livet.

Jag lyckas sedan hålla spekulationerna på armlängds avstånd, antagligen är det helgen som hjälper till. Julafton, juldag, annandag; vi åker ingenstans, vi stannar kvar i Darne Lodge, vi går våra långa promenader över heden, en om morgonen, en om eftermiddagen, nedåt byn men bara halvvägs, det är för lerigt för att ta sig ända fram, upp mot Wambarrows och i vida svänger i riktning mot Tarr Steps. Tarr Steps från den goda sidan, inte djävulens väg.

Och jag släpper honom inte med blicken för en sekund.

Jag läser om John Ridd och Lorna Doone, nästan till slutet. Jag var inne på antikvariatet och hämtade Bessie Hyatts bägge romaner när vi julhandlade, men de får ligga och vänta bredvid Dickens. Jag lagar mat och håller elden vid liv. Vi äter, vi tränger ihop i soffan och utbyter tankar; det går ingen nöd på oss. Ingen nöd alls.

Vädret är som det är. Nära noll men ingen mera snö, den som kom har smält bort. Castor får ändå ha en tröja på sig när vi är ute. Vi möter inga människor på heden, inte en enda under tre dagar. Hästarna ser inte ut att fira Jesu födelse, vi stöter på dem i grupper som vanligt, än här än där, det tycks som om de genomför sina förflyttningar under natten, man vet aldrig var de ämnar dyka upp på morgonen. Men det går inte en dag utan att vi ser dem någonstans, jag tänker att de på något sätt ser Darne Lodge som ett nav, ett centrum som de kan referera och förhålla sig till.

På samma vis som jag och Castor naturligtvis. I denna tvåhundra år gamla stenboning ute på heden har vi vårt hem på gott och ont. Ännu är det inte tid att tänka på vägen som leder bort. Ännu är det bara tid att stanna kvar och hålla sig i skinnet.

Skinnet och rutinerna.

Menelaos. Fel.

Agamemnon. Fel.

Akilles. Fel.

43

Under våra mer än trettio år tillsammans har vi umgåtts med en del människor, det har vi förstås.

Men det är ont om bestående vänner; jag känner ingen särskild sorg eller saknad när jag tänker på det, konstaterar bara att det är så det har varit. När vi suttit runt privata middagsbord eller på någon av Stockholms krogar har det nästan alltid rört sig om kolleger med sällskap. Mina kolleger eller Martins kolleger. Företrädesvis det senare, ja, jag vågar nog påstå att jag blivit presenterad för ungefär tre gånger så många akademiker som det omvända: tevefolk av den ena eller andra ordningen, som på min leende anmodan blivit nödgade att skaka hand med min make, litteraturprofessorn Martin Holinek.

Men naturligtvis kan kolleger också vara vänner och det fanns ett par som stod oss nära. Som jag oförbehållsamt betraktade som våra förtrogna, under hela åttiotalet och ett gott stycke in på nittiotalet. De hette Sune och Louise. Sune och Martin lärde känna varandra redan under gymnasietiden och de hade börjat studera litteraturvetenskap på samma gång på samma universitet. Sune är förresten identisk med den där docenten som hävdar att Jacqueline Kennedy suttit och druckit kaffe på ett fik i Uppsala.

Louise kom in i Sunes liv ungefär samtidigt som jag gjorde det i Martins och de flyttade ihop i en lägenhet på Åsögatan på söder ett halvår efter Gunvalds födelse. Louise arbetade på bank redan på den tiden och såvitt jag vet gör hon det fortfarande, i varje fall inom bank*världen*.

Sune kom ur extremt enkla förhållanden. Han växte upp som endabarn med en mamma som hankade sig fram som städerska i ett litet samhälle i Värmland. Tack vare en lärarinna som upptäckte hans begåvning fick han tillfälle att studera; hon stöttade både Sune och mamman ekonomiskt under gymnasietiden, då han bodde inackorderad och under de fortsatta akademiska studierna. Sune talade alltid om denna lärarinna, hon hette Ingegerd Fintling och var död sedan något år när vi träffades, som en ängel i människohamn. Både Sune och Martin stod naturligtvis långt till vänster under sjuttiotalet och jag tror att Sune på något vis var Martins politiska alibi. Själv kom han ju ur övre medelklass, men något mer proletärt än en städerskas son kunde man ju knappast tänka sig. Under några år fanns det nästan en avund här.

Med tiden rann förstås den röda färgen av Martin, även om han rätt länge tyckte om att framstå som socialdemokrat. I alla händelser umgicks vi flitigt med Sune och Louise under de där decennierna; vi bodde ju bara ett par kvarter ifrån varandra i början av åttiotalet och de fick sitt första och enda barn, Halldor, mitt emellan våra bägge.

Jag minns att jag tyckte mycket om Louise men att jag inte riktigt förstod varför. Hon var en ovanligt stillsam och vänlig människa, kanske var det just därför. Tycktes inte ha särskilt stora anspråk på livet, var alltid tillfreds med sig själv och sina omständigheter. När vi träffades lät hon Martin och Sune stå för de stora gesterna, för manifesten och det politiska grävandet, men inte på något undergivet vis. Hon skrattade ofta åt dem, ibland gjorde vi det tillsammans, men det fanns aldrig någon elakhet eller ironi hos Louise, bara ett slags milt och roat överseende. Pojkar är ju ändå pojkar.

Det dröjde ett par år innan jag förstod att hon var troende. Djupt och privat och utan åthävor. När jag insåg det frågade jag varför hon inte berättat det och hon svarade att det berodde på att jag aldrig hade frågat.

Hon hade heller inget behov av att skylta med det, lade hon till. Eller diskutera det. Hon gick inte i kyrkan och på den stora religionen trodde hon inte. Hon och Gud hade liksom sitt, det var en annan sak.

Jag ville veta hur hon kommit fram till det, om hon hade det från barnsben, men hon förklarade att hon haft en uppenbarelse när hon var i femtonårsåldern och på den vägen var det.

Hur går det ihop med all den här vänsternojan? undrade jag och tecknade ut mot vårt vardagsrum där Martin och Sune satt inbegripna i analysen av den ena eller andra spetsfundigheten. Louise och jag stod ute i vårt kök och gjorde i ordning efterrätten, eftersom herrarna svarat för varmrätten. Vi var båda nyktra eftersom jag var gravid med Synn och Louise ammade. Halldor och Gunvald måste ha legat och snusat i vårt sovrum.

Det är inga problem, svarade Louise. Nu har jag ju ingen lust att sätta mig och debattera Vår Herre och socialismen med Martin, men inne i mitt eget huvud är det inga konstigheter. Gud kommer först, om du förstår vad jag menar.

Och Sune? frågade jag förstås. Opium för folket och vad det nu heter?

Sune kommer som nummer tre, förklarade Louise och fnissade, hon kunde verkligen fnissa som en trettonåring. Halldor är tvåa, Sune vet om rangordningen och accepterar den.

Av någon anledning berättade jag aldrig för Martin om Louises tro, och långt senare, när vi inte längre umgicks, funderade jag då och då på varför. Som om det vore en hemlighet hon anförtrott mig, men det var det ju inte. Louise och jag pratade heller inte mycket om det sinsemellan, inte ens när hon satt och höll mig i handen under min svåra tid efter Synns födelse. Jag gissade ju att hon satt och bad för mig på sitt stillsamma vis, men jag frågade aldrig och kommenterade det inte.

Fast kanske höll jag inne med det för att jag inte ville höra Martins utläggning och analys av saken, ja, antagligen var det inte konstigare än så.

Så småningom fick Sune tjänst i Uppsala och de flyttade dit. Vi besökte dem flera gånger, de hade lyckats köpa ett hus i stadsdelen Kåbo, där akademiska dignitärer av hävd skulle bo – Martin brukade reta Sune för denna klassresa och sveket mot sina rötter och jag hade alltid känslan av att där fanns ett par korn av surt avund i kommentaren. Sune hade blivit klar med sin avhandling tidigare än Martin och låg i det här läget förmodligen ett eller ett par snäpp före i karriären. Jag minns att Martin då och då – i synnerhet i början medan vi bodde kvar på Söder – brukade delge mig avvägda synpunkter på Sunes så kallade forskning och att han i själva verket inte riktigt höll måttet.

Men även om det tunnade ut så umgicks vi under hela nittiotalet. De kom till oss i Nynäshamn och vi åkte till Uppsala. Våra barn kände varandra och jag tror de betraktade sig som ett slags kusiner. Halldor visade sig vara extremt begåvad, han läste in gymnasiets kurser i matematik, fysik och kemi medan han fortfarande gick på högstadiet. Såvitt jag vet är han forskare på ett universitet någonstans i USA, han försvann i varje fall dit på ett stipendium kort efter att han tagit studenten.

Men så sökte de alltså samma professur, Martin och Sune. Det var alldeles efter millennieskiftet, och av skäl som jag inte känner till drog processen ut på tiden. Såvitt jag uppfattade det hela stod det tidigt klart att en av dem skulle få tjänsten, det fanns inga andra pretendenter som kunde mäta sig med Sune och Martin meritmässigt.

Det var en underlig tid. Under några höstmånader var det som om ett krig var under uppsegling. Som att någonting stort och oåterkalleligt stod för dörren och att det inte fanns någon återvändo. Martin hade skickat in en del handlingar till de sakkunniga i efterhand, jag frågade aldrig vad det rörde sig om för jag ville inte veta, och ibland när jag tittade på honom över frukostbordet, eller där han satt frånvarande framför teven, tyckte jag att det vilade en sorts förlamning över honom. Som om han drabbats av en hjärnblödning men där det enda kvarvarande spåret efter den var just denna stumhet. Denna plötsliga tomhet... eller frånvaro, jag vet inte, jag visste inte, men jag förstod åtminstone att om det inte gick över skulle jag bli tvungen att kontakta läkare.

Men det gick över. En dag i början av november meddelades att Martin hade fått professuren och nästan per omgående var allt som vanligt igen. Förlamningen släppte, kriget var avblåst. Vi firade en smula naturligtvis, men inte till övermått. Gick på en krog i Vasastan tillsammans med ett par av hans kolleger och kostade på oss.

Några dagar in i december ringde Louise och ville träffa mig för ett kort samtal. Hon skulle vara i Stockholm följande dag och undrade om jag hade tid.

Det hade jag förstås. Vi träffades på Vetekatten på Kungsgatan, jag minns att hon hade en alldeles ny röd kappa och att hon såg yngre ut än när vi senast träffades, vilket nog i ärlighetens namn låg ett par år tillbaka i tiden. Jag tänkte också att det vilade ett slags skimmer över henne; det var verkligen en ovanlig tanke för att dyka upp i ett huvud som mitt, det är väl därför jag kommer ihåg den.

”Jo, det var en sak jag ville berätta för dig”, sa hon när vi hittat ett undangömt hörn och smuttat på vårt kaffe i samförstånd. ”Jag visste inte om jag skulle göra det, men Sune och jag pratade om det och han tyckte likadant. Att du borde känna till det.”

Hon log och ryckte på axlarna, kanske för att visa att det inte var den viktigaste saken i världen, trots allt. Åtminstone inte i hennes och Sunes värld. Jag skulle tro att jag höjde ögonbrynen, och så frågade jag förstås vad saken gällde.

”Han fuskade”, sa Louise. ”Martin fuskade. Han fick den där professuren för att han ljög om en sak. Sune skulle kunna anmäla honom, men vi bestämde oss för att inte göra det.”

Jag stirrade på henne.

”Det var bara det. Men jag tror att du ska veta om det. Ingen annan känner till det och Sune kommer att hålla tyst.”

Jag öppnade munnen men hittade inga ord.

”Vi har kommit överens om det. Du behöver inte vara orolig. Du vet ju att du kan lita på Sune.”

Jag skulle ha tagit upp saken med Martin, det skulle jag naturligtvis, men ännu en gång, som om det blivit ett slags gyllene regel i våra liv, så valde jag att tiga.

Eller kanske var det så att det var just vid det här tillfället som jag skrev den gyllene regeln. I varje fall förstod jag snart att min tystnad gjorde mig medskyldig. Jag visste inte riktigt till vad, men att tvivla på någonting som Louise anförtrott mig var helt enkelt inte möjligt.

Ja, jag blev en medbrottsling. Jag lade någonting under

lock och jag cementerade en skada som skulle ha behövt ljus och luft för att kunna läka. Jag tänker att det rimmar rätt väl med så mycket annat jag underlåtit under min vandring mellan vaggan och graven.

För på det viset har det verkligen varit.

44

Den andra historiska personen som knackar på dörren i Darne Lodge är inte Lindsey från The Royal Oak, utan Mark Britton som har kommit tillbaka från Scarborough.

Det är på förmiddagen den tjugonionde december. Jag ber honom stiga in, jag har faktiskt väntat på honom och huset är i så gott skick det går att få det. Det brinner en eld i öppna spisen och två stearinljus står tända på bordet. Castor snusar på sitt fårskinn, jag har duschat och påminner mindre om en häxa än på länge. För egen del ser han lite trött ut och jag anar att vistelsen i Scarborough inte varit alldeles problemfri.

”Kom tillbaka igår kväll”, meddelar han. ”Det var väl inte det mest idylliska julfirandet jag upplevt, men ingen behövde åka till sjukhus i alla fall.”

”Jeremy?” frågar jag.

”Var inte alldeles till sin fördel, nej.”

”Jag trodde det fungerade bra med din syster?”

”Det är inga problem med Janet. Men hon har en make och tre ungar också. Och Jeremy är vilsen så snart han är ute ur sitt rum. Eller borta från vårt hus åtminstone, men det visste jag redan. Nåja, nu är det gjort, det var ett experiment och jag hoppar gärna över detaljerna. Hur har du haft det?”

Jag har redan bestämt mig för att inte berätta för honom

att Castor varit försvunnen. Jag är inte säker på varför och om han får reda på det på puben tänker jag försöka bagatellisera på något vis. Jag säger bara att vi haft det bra om än en smula ensamt.

"Det är just det jag vill råda bot på", säger han och lyser upp en smula. "Jag har två förslag: en hedvandring imorgon och en nyårsaftonsupé hemma hos oss i övermorgon. Du har väl inte druckit ur bubblorna?"

Men en sorts kvinnlig automatik låtsas jag tveka och tackar sedan ja till bägge anbuden. Förklarar också att både Castor och jag har lyckats hålla oss borta från champagnen, men att vi ser fram emot att få smaka på den. Jag frågar om han vill ha te och det vill han naturligtvis – och sedan sitter vi lutade över min utbredda karta medan han i stora drag förklarar hur han tänker sig morgondagens rutt.

"Tre timmar, har ni krafter till det? Ryggsäck med kaffe, smörgås och hundgodis under vägen."

Jag bekräftar att både jag och min hund kommer att klara strapatserna. Det är inget fel på vår kondition. Men om det ser ut att bli hällregn eller blötsnö skjuter vi hellre upp till i januari.

"Självklart", säger Mark Britton. "Fast det har jag redan tänkt på. Vi kommer att få bra väder, lite blåsigt kanske men om jag inte tar fel finns det till och med solchanser."

"Det tror jag när vi är där", säger jag.

"Glöm inte att jag kan se det fördolda", säger han.

Han kramar mig hårt innan han går. Jag får för mig att jag inte är utan betydelse för honom.

"Jag kommer förbi den här tiden imorgon. Du behöver inte tänka på matsäck, jag fixar det. Passar det?"

"Det passar."

"Och du har ordentliga kläder?"

”Jag har bott här i två månader.”
”Då så. Ses imorgon.”
”Mark?”
”Ja?”
”Jag ser fram emot det. Båda delarna.”
”Tack. Jag vill läsa det du skriver en dag.”

Det kommer du aldrig att göra, tänker jag när jag har stängt dörren. Och det finns mycket annat du inte kommer att få reda på heller.

Mycket som inte hänger ihop. Mycket som måste vara fördolt, till och med för dig. Det känns plötsligt svårt, jag tänker att jag knappast kommer att få ordning på saker och ting. Men jag har ju redan bestämt att skjuta upp det till ett nytt år.

Det känns märkligt att vara en kvinna med man och hund – inte bara en kvinna med hund, Castor får ursäkta. Vi ger oss iväg från utkanten av Simonsbath strax efter halv tolv. Rakt upp över den vidsträckta heden i motvinden och efter tjugo minuter har vi kommit över en kam och befinner oss på en plats där det inte finns ett enda tecken på civilisation vart man än vänder blicken. Enbart detta karga böljande landskap åt alla håll. Ljung och gräs i mörka och ljusa fält, det är ljungen som är mörk, växer den för tätt är det nästan oframkomligt. Här och var enstaka skockar av bulliga törnbuskar som blåsten sliter i, här och var små grupper av får. Ett tunt molntäcke beslöjar himlen, kanske kommer solen att bryta igenom. Nedanför oss skär en bäckfåra från öster till väster, vrider åt norr och försvinner ner mellan två flacka sluttningar. Mark pekar i den riktningen med sin vandringsstav.

”Där vi står är Trout Hill. Därnere har vi Lanacombe och

där finns mrs Barretts håla. Dit ner tänkte jag vi skulle ta oss. Då får vi gå i lä till största delen. Och sedan runt och upp på andra sidan, bort mot Badgworthy. Vad tror du om det?"

Jag säger att det låter bra och att jag känner igen namnet Barrett någonstans ifrån.

"Javisst ja", säger Mark. "Du bor ju granne med hennes dotter kan man säga. Nej, förlåt, nu hoppar jag över en generation, hennes dotterdotter är det. Den där graven, den har du förstås sett?"

"Ja. Elizabeth Williford Barrett. 1911–1961. Jag går förbi den mest varje dag."

Han nickar. "Om jag inte tar fel föddes hon därnere." Han pekar med staven igen. "I Barretts håla, ja, det stämmer nog. Hennes mor, jag menar Elizabeths mor, födde sitt barn hemma hos sin egen mor eftersom det var en oäkting, och det var alltså Elizabeths mormor som var den riktiga, den ursprungliga kvinnan Barrett. Är du med?"

Jag nickar. Jag är med.

"Kunnig i diverse mörka konster, kan man väl sammanfatta. Spådom och trolldom och allt möjligt sådant; det var under andra delen av 1800-talet som hon höll till här och det är nog så att Exmoor släpat efter det övriga England i vissa hänseenden... i varje fall på vissa små platser ute på heden. I vissa små hålor och skrymslen."

Han skrattar till och jag tar honom under armen. Som den naturligaste rörelsen i världen känns det.

"Det finns många berättelser om häxan Barrett", fortsätter han, "men hon måste ha dött strax efter att hon blev mormor, och det var förvisso ingen som flyttade in i hennes håla när hon var borta. Jag brukade sitta där och tjuvröka femtio–sextio år senare, det ska erkännas, och då var det inte mycket kvar av stället."

Han tycker om att berätta på det här viset och jag tycker också om det.

”Dottern Barrett, jag tror hon hette Thelma, födde sin oäkta dotter i sin moders håla, antagligen för att hon inte hade någon annanstans att ta vägen. Hon hade blivit utkastad från gården där hon arbetade som piga, det var säkerligen herrn i huset som var far till barnet. Ingen särskilt ovanlig historia med andra ord.”

”Nej”, säger jag. ”Det mesta var inte bättre förr. Åtminstone inte om man var fattig och kvinna.”

Vi sätter oss i rörelse nerför slänten. Castor tar täten, tydligen har han lyssnat och uppfattat vart vi är på väg.

”Din stalker?” frågar Mark när vi kommit en bit nerför sluttningen. ”Har du sett till honom någonting mer på sistone?”

Jag skakar på huvudet. ”Nej, han har hållit sig borta.”

”Är inte det ovanligt? Jag menar, om han nu fått korn på dig, om han har lyckats spåra dig till världens ände, så borde han väl… ja, fortsätta att agera på något vis?”

”Jag vet inte”, säger jag. ”Jag har inte satt mig in i hans huvud riktigt. Har ingen aning om hur han tänker eller fungerar. Men du kanske har rätt, om han verkligen hittat mig borde jag märka av honom.”

”Men du är inte säker?”

”Nej, jag kan förstås ha inbillat mig. Det är lätt att bli en smula paranoid när man tror att man är förföljd.”

”Kan jag livligt föreställa mig”, säger Mark. ”Men jag vill att du kontaktar mig om det händer någonting mer, kan vi inte komma överens om det? Om du slår en signal kan jag ju vara hos dig på tio minuter.”

Jag skrattar till. ”Telefon?” säger jag. ”Är det det du menar? Jag har ingen mobil som fungerar häruppe, det trodde jag att jag hade berättat. Dessutom vill jag inte ha någon… poängen med att sitta på Exmoor och skriva är att jag inte behöver ha någon kontakt med yttervärlden."

"Mer än när du själv vill?"

"Mer än när jag själv vill."

Jag tycker själv att jag låter hur trovärdig som helst när jag säger det, och vad skulle han ha för anledning att tvivla? Han går tyst och funderar en stund.

"Jag vet hur vi gör", säger han sedan. "Du får låna mobil av mig. Jag har en gammal Nokia liggande som jag aldrig använder. Kontantkort och det är ingen som har numret. Den fungerar häruppe. Du kan ha den som... ja, som en säkerhetsåtgärd."

Jag kan inte komma på någon vettig invändning och tackar ja.

Vi dricker kaffe och äter tekakor i Barretts håla. Det är verkligen en håla, man kan se de överväxta lämningarna av en sorts byggnad, förmodligen bara tre väggar, den fjärde måste ha utgjorts av den branta sluttningen där bostaden liksom grävts in. Några meter nedanför strömmar en smal vattenfåra, Mark säger att den heter Hoccombe och att den förenar sig med Badgworthy Water lite längre bort. Han brukade fånga fisk här när han var grabb. Jag säger att jag tycker det låter litegrann som Huckleberry Finn. Sitta i häxan Barretts håla, röka och vänta på att det ska nappa.

"Det var så jag kände mig också", intygar Mark. "Fast jag hade ingen Tom Sawyer, det var väl det som fattades. Men visst saknar jag det, det är konstigt att det ska vara så svårt att hitta tillbaka till... ja, till det ursprungliga. Jag blir ju filosof bara jag kommer hit, det märker du väl?"

"Jadå", säger jag. "Men jag märker att himlen är blå också. Fast hit ner kommer det ingen sol."

”Alldeles riktigt”, säger Mark. ”Ner till Barretts håla når aldrig solen. Men vi ska ta oss uppför den där lilla stigningen”, han tecknar med staven igen, ”sedan kommer vi att gå i solsken hela vägen tillbaka, det lovar jag dig.”

”Det tror jag när vi är där”, upprepar jag. ”Så det var härnere Elizabeth Barrett föddes, alltså?”

”Enligt legenden i alla fall”, säger Mark och ser tankfull ut. ”Kanske inte den säkraste platsen att börja sin livsvandring på, men låt oss anta att det var på sommaren. Jag vet varifrån hon tog sitt mellannamn i alla fall. Williford, står det inte så på hennes grav?”

Jag intygar att det stämmer.

”Det var ett namn hon började använda efter sin död. Hon skrev tydligen i sitt testamente att det skulle stå så på hennes grav. Och att hon skulle ligga just i den där lilla trädlunden, där många ändå passerar förbi... för att alla skulle se det, det var väl det som var tanken.”

”Vad då för tanke?”

”Namnet Williford. Det var namnet på hennes far, bonden som gjorde hennes mor med barn och kastade ut henne. En ganska effektiv hämnd, eller vad säger du? Det finns fortfarande folk som heter Williford på Exmoor, och de är nog inte särskilt roade av den där graven.”

Han skrattar.

Revenge is a dish best served cold, tänker jag. Som sagt. Men det är ingen tanke jag tycker om att umgås med.

Väderförutsägelsen visar sig vara alldeles korrekt. Två timmar senare sitter vi på The Forest Inn i Simonsbath och äter lunch. Jag känner mig både utpumpad och varm. Castor ligger som död på golvet, och jag tänker att jag inte vet hur jag ska få det här att gå ihop.

Skulle jag kunna berätta allt för denne Mark Britton? Bokstavligen allt?

Vad skulle hända i så fall?

Jag dricker en klunk bubbelvatten och tänker att jag måste ha fått solsting. Bara att jag ställer frågorna tyder ju på det.

Solsting den trettionde december? Antagligen ganska unikt i så fall, åtminstone på de här breddgraderna. Jag ler ett teveleende mot Mark och tackar honom för en väl använd dag. Han tillhör det närvarande, inte det förflutna, det är det som är hela poängen. Jag insisterar på att få betala notan och hugger i sten. Nåväl, tänker jag, jag hinner ta en tur till Dulverton imorgon och köpa ett par dyra viner åtminstone.

Men när vi sedan sitter i hans bil på väg tillbaka till Winsford inser jag att det nog kommer att vara stängt, eftersom det är en söndag, så även denna plan går om intet.

”Klockan sju imorgon, då?” säger han när han släpper av mig och Castor. ”Du hittar ju, och kom ihåg att ta med lite hundmat, för jag tror inte jag kommer att skjutsa hem dig. Jag ska leta fram den där gamla mobiltelefonen också och se till att den fungerar.”

För ett ögonblick vill jag protestera, både mot det ena och det andra, men det finns inga sådana ord att få fatt i. Jag nickar och försöker se gåtfull ut istället.

45

Och så kommer det sig att jag vaknar i den där sängen igen.

Den första januari. För andra gången inom loppet av två veckor har jag älskat med en man. En främmande man, som jag träffat på en pub i en by vid världens ände.

Skulle det vara något fel i det? frågar jag mig. Jag kan inte se det; jag förutsätter att min förre man är död, jag förutsätter att om han mot all förmodan skulle vara i livet, så vill han ändå inte ha mig. Alltså är jag en fri kvinna.

Min nye älskare ligger inte bredvid mig i sängen, men jag kan höra honom rumstera om nere i köket. Vi har ett nytt år, vi har ett nytt läge.

Jeremy fick smaka på champagnen vid tolvslaget, men tyckte inte om den. Han spottade ut den och sköljde bort den obehagliga smaken med ett stort glas Fanta. Medan jag ligger här i sängen tänker jag att han kanske tycker om mig. Han tycks i varje fall acceptera att jag umgås med hans far på det här viset, och om jag har tolkat Mark rätt så är det ingen självklarhet. Igår erkände han att det var en chansning när han bjöd mig på middag förra gången; han visste inte om det skulle fungera med Jeremy men beslöt att ta risken. När han hade en kvinna på besök förra gången, för två och ett halvt år sedan, höll det på att gå alldeles galet, mer än så har han inte velat anförtro mig.

Jag tittar ut mot det täta grenverket utanför fönstret. Det är inte mycket ljus som strömmar in; huset ligger verkligen undangömt från världen och det känns som om man är både skyddad och oåtkomlig här. Mark berättade igår att det hade stått tomt i nästan tio år när han köpte det och att få ordning på det höll på att göra honom galen. Mellanvåningen, där jag just nu ligger och sträcker på mig, innehåller Marks sovrum och arbetsrum; jag har inte mer än gluttat in i det senare, eftersom han inte velat visa hur stökigt det är. Papper och pärmar och datorer högt och lågt i varje fall, samt en uppstoppad papegoja i en gul träbur som han påstår har magiska krafter. Fågeln, alltså, inte buren; i varje fall kan den lösa svårartade dataproblem om man bara vet hur man ska ta den. Jag var på vippen att fråga honom, Mark i första hand, inte fågeln, om mitt lilla lösenordsproblem, men lyckades hejda mig. Det vore inte särskilt lyckat om han fick klart för sig att det var fråga om en annan dator än min egen, och om han sedan verkligen lyckades öppna dokumentet vet jag inte vad han skulle tro.

När jag nu tänker på det slår det mig att jag skulle kunna påstå att det bara är någonting jag skriver om, till exempel en kvinnlig huvudperson som har det där lilla problemet, men jag beslutar mig ändå för att skjuta på det. Kanske en annan dag, men inte idag. Kanske vill jag, trots allt, inte veta vad som hände när sex män gick ut med var sin revolver i gryningen en dag för trettiotvå år sedan.

Jag känner att han steker bacon därnere. Möjligen har han en tanke om att ge mig frukost på sängen; jag är dock inte särskilt förtjust i att ligga och äta i sängen, så jag slänger av mig täcket och går ut i badrummet.

Nytt år, nytt läge, tänker jag igen.

Jag tittar efter Castor men förstår att han befinner sig därnere med Mark. Fattas bara, ett kök är ändå ett kök. Han har aldrig haft samma problem med prioriteringar som sin matte.

Vi bestämmer oss för att gå till fots tillbaka upp till Darne Lodge och lämnar Mark och Jeremy vid tolvtiden. Sedan kan vi vandra tillbaka imorgon och hämta bilen, vi har ingen användning för den resten av den här dagen.

I fickan har jag en fungerande mobiltelefon. Orange istället för Vodafone, det är det som är skillnaden. Mark ringer och kontrollerar redan efter några hundra meter. Jag svarar och säger att det verkar funka, sedan lägger vi på. Det känns märkligt; jag inser att jag skulle kunna höra Synns eller Gunvalds röst inom några sekunder om jag bara tryckte på några knappar. Eller Christas? Eller Eugen Bergmans?

Jag stoppar tillbaka mobilen i fickan och lovar mig själv att inte trycka på sådana knappar. Inte på några villkor. Bestämmer mig istället för att sätta mig ner vid mitt bord så snart vi är tillbaka uppe i Darne Lodge och försöka ta itu med det där jag skjutit framför mig under så lång tid.

Planera. Äntligen acceptera att det ligger ett hav av dagar, veckor och månader framför mig. Kanske år. Det är hög tid att jag får upp ögonen för det. Nytt läge?

Saken är ju att jag har en idé och det är den jag sedan sitter och vrider och vänder på hela kvällen. Det är inte mer än en mycket outvecklad fundering egentligen, ett tankefoster som jag medvetet låtit vara just så outvecklat, eftersom det mått bästa av att stanna kvar i sitt skal i väntan på ett nytt år.

Ja, jag tycker om att föreställa mig det hela på det här

viset – i december avslutar man, i januari börjar man på nytt – det känns alltmer som en hang-up, men om det nu bara handlar om magiskt tänkande, så är det ingenting som stör mig. Inte det minsta.

Ekvationen har ju bara en obekant – här dyker för ett ögonblick bilden av min gamle matematiklärare Bennmann upp, han var allt annat än magisk och brukade fnysa åt problem som inte hade åtminstone två obekanta. Knycka på nacken och rätta till flugan som alltid satt snett under hans spetsiga, bockskäggsprydda haka och antingen var röd med vita prickar eller blå med vita prickar – men jag vill inte bli störd av honom nu och jag förflyttar honom tillbaka till den kyrkogård i Mellansverige där han med all säkerhet vilar vid det här laget.

En obekant, således, och det är detta frågetecken jag måste räta ut med både tålamod och precision. Noga taget är det kanske så att... att om sanningen skulle vara att mina farhågor är riktiga, det vill säga att min make på något mirakulöst vis lyckades kravla sig ut ur den där förbannade bunkern, den som jag nästan inte tål att tänka på längre... om han alltså mot alla odds klarade sig undan både kylan och råttorna, ja, då är det väl så att spelet är förlorat. Mer eller mindre i varje fall och naturligtvis beroende på vad man lägger för betydelse i begreppet *förlorat*.

Men bort med detta. Låt mig istället gå vidare. Om således de resonemang som jag har fört med anledning av vissa erfarenheter: fasaner, hyrbilar, försvunna hundar, textade meddelanden på skitiga bildörrar, falska mejl och det ena med det andra, om dessa resonemang verkligen stämmer, så kan jag konstatera att... ja, vad då? Vad är det jag kan konstatera? Magister Bennmann rör sig här en smula i sin grav och försöker spänna blicken i mig tvärs igenom sex fot jord, det kan du ju roa dig med, din dönicke, tänker jag och minns nu att jag hade honom i filosofi också: logik och argumentationsanalys, fy satan.

Bort med Bennmann för sista gången. Hursomhelst så finns det... ja, det stämmer faktiskt, och jag känner hur någonting positivt och hoppfullt börjar pirra i skallen på mig när jag kommer fram till detta enkla och uppenbara: det finns bara... det kan bara finnas två varelser som känner till sanningen, ekvationens lösning – förutom Martin själv naturligtvis: min hund och professor Soblewski utanför Międzyzdroje i Polen.

Castor och Soblewski.

Eller hur? frågar jag mig. Visst ligger det till på det viset? Visst är det dessa två vägar till klarhet som står mig till buds. En hund och en litteraturprofessor.

Jag börjar med hunden och ett acceptabelt mått av magiskt tänkande. Sätter mig på knä framför honom på golvet, tittar honom djupt in i ögonen och säger: Husse?

Han lägger huvudet på sned.

Har du varit tillsammans med husse på sista tiden? frågar jag. Husse? Du vet vem jag menar.

Han lutar huvudet åt andra hållet.

Om du har träffat husse, räck då fram din högertass. Detta är förvisso magiskt tänkande av en kaliber jag aldrig tidigare ägnat mig åt.

Han funderar en stund, räcker sedan fram vänster tass.

Jag kan inte avgöra vad det betyder. Försöker vända på steken.

Vad skulle min odöde make se för mening med att stjäla Castor ifrån mig, behålla honom ett par dygn och sedan lämna tillbaka honom? Vad finns det för logik i det?

Vad finns det för logik i silverfärgade hyrbilar och döda fasaner och att stryka omkring i mina utkanter under denna långa tid? Vad finns det för logik i någonting överhuvudtaget?

Men jag skjuter undan även detta. Ner med det i Bennmanns massgrav och tillbaka till ruta ett. Försök hitta någon sorts poäng med stölden av Castor.

Det tar en stund, men så förstår jag.

Ett meddelande.

Någon sorts tecken på min hund som får mig att förstå var han har varit.

Exakt, tänker jag och känner hur pirrandet byter tonart. Exakt så skulle Martin Emmanuel Holinek kunna resonera. Jag stirrar på Castor. Varför har jag inte tänkt på det här förut? Det har gått mer än en vecka sedan han var borta och kom tillbaka.

Var lämnar man tecken på en hund? Vad skulle jag själv göra?

Det tar inte många sekunder att komma fram till det. Halsbandet. Det är den enda möjligheten. Man sätter fast någonting litet på halsbandet, kanske ett ihoprullat papper under en tejpremsa... eller man skriver något.

Jag tar av honom halsbandet. Undersöker det noggrant. Kan inte upptäcka några nytillkomna små arrangemang på det. Ingenting tejpat eller fastsatt på annat vis. Jag vänder på det och tittar efter på insidan, går noga igenom centimeter för centimeter, det är så här jag skulle bära mig åt, tänker jag, precis så här. Skriva *Death* eller vad jag nu vill få nedtecknat och överbringat, och det är så Martin också skulle bära sig åt. Jag känner honom, vi har levt ett liv ihop.

Ingenting.

Inte en bokstav och inte minsta tecken.

Jag kränger halsbandet över huvudet på Castor igen och tackar honom. Säger åt honom att gå och lägga sig framför brasan och tänka på någonting annat. Glöm husse.

Övergår till professor Soblewski.

Inuti mig har pirrandet avtagit, istället sticker en trist liten varelse upp huvudet och talar om för mig att jag är galen. Att jag ska vara tacksam för att jag inte behöver genomgå den där sinnesundersökningen just idag.

Jag säger åt varelsen att den ska vara tyst och att jag behöver koncentrera mig.

Mark Britton? säger den ändå. Och hur tänker du ta hand om det lilla problemet i fortsättningen?

Håll truten, säger jag åt den. Kryp tillbaka dit där du kom ifrån. Mark Britton har inte det minsta med det här att göra. Han är bara ett tidsfördriv.

Jo, kyss mig, säger varelsen. Men sedan tystnar den visligen. Jag önskar att jag hade en cigarrett, det är förstås inget bra tecken och det går över.

Sedan kommer jag inte längre. Inte en millimeter längre.

Betydligt senare på kvällen:

Bach. Fel.

Händel. Fel.

Brahms. Fel.

46

Det är Alfred Biggs som har vakten. Det är på förmiddagen och inga andra besökare sitter och häckar på centret. Han skiner upp när jag kommer in och önskar mig god fortsättning på det nya året. Jag önskar honom detsamma. Han går ut i pentryt för att göra i ordning te utan att fråga om jag vill ha. Jag har glömt ta med kex idag också.

Jag börjar med Martins box och konstaterar att jag har tur. Det finns verkligen ett nytt meddelande från Soblewski precis som jag hoppats på. Han önskar gott nytt år och passar på att bifoga den där novellen som han nämnde i sitt förra mejl. ”Vindkantring” av Anna Słupka. Han påpekar att översättningen kanske måste ses över en gång till, men han vill att Martin ska läsa och uttrycka sin mening.

Ber om sin hälsning till fru Holinek.

Jag läser den tio rader långa texten två gånger mycket noggrant, klickar upp den bifogade vindkantringen och tänker att detta med att skicka en novell ändå tyder på att min medhjälparteori varit överdriven. Varför skulle de behöva garnera spelet med sådana detaljer?

Vindkantring? Jag släpper tanken. Åtminstone tills jag har läst fröken Słupkas text ordentligt. Minns också att den där omtalade svenska novellen hade skrivits av en viss ung

Anderson, Anderson med bara ett *s*, men jag bestämmer mig för att inte övertolka. Världen är full av möjliga budskap, ett sätt att bli galen är att börja försöka läsa dem.

Ändå måste jag naturligtvis vara ytterst försiktig när det gäller mitt (Martins) svar till Soblewski, och det tar en hel kopp te och tjugo minuter innan jag är nöjd med mina ord. Jag önskar gott nytt år och tackar för novellen. Lovar att läsa den snarast möjligt och komma tillbaka med ett omdöme inom en vecka (jag får hjälp av Alfred Biggs med att printa ut de tolv sidorna), samt berättar att vi firat jul och nyår härnere i Marocko i all enkelhet. Till sist skriver jag:

And I sincerely hope no new bodies have turned up in your village. Have they identified the last one yet? Best, Martin

Jag höll på att skriva ”on your beach” men bytte ut det mot ”in your village”. Det stod ingenting om någon strand i det förra mejlet, i och för sig ingenting om någon by heller, men jag hittar inget bättre uttryck. Jag tycker också att mitt (Martins) tonfall ligger precis rätt; lite skämtsamt men ändå så pass allvarligt att det borde få honom att besvara undringen i sitt nästa mejl.

Att ingen identifikation ägt rum är förstås det ena möjliga svaret.

Vad gäller Martins övriga mejl är det bara en kort hälsning från Bergman som jag bryr mig om att besvara. I enlighet med min plan skriver jag att det har gått en smula trögt med skrivandet, men att jag (Martin) hoppas att det ska bli lite bättre fart på det under det nya året. ”Det har dykt upp vissa problem, som jag ännu inte kan se någon bra lösning på”, lägger jag till.

Det är precis så mycket som behövs på det här stadiet. Jag tänker att planen ligger fast.

I min egen mejlbox, som jag inte öppnar förrän jag är helt färdig med Martins, uppenbarar sig en oväntad omständighet, mycket oväntad. Det är Violetta di Parma som skriver och berättar att hennes mor i Argentina blivit svårt sjuk och att hennes familj vill att hon kommer hem så snart som möjligt. Man påstår att det kan vara en fråga om månader, i värsta fall veckor, och Violetta skriver att hon har bestämt sig. Hennes kontrakt med Operabaletten löper visserligen fram till mitten av april, men det mesta av arbetet kommer att vara avslutat i januari. Premiären ligger i mitten av februari och hon har redan fått klartecken från ledningen att resa.

Så därför, skriver Violetta, skulle hon vilja lämna vårt hus redan till den första februari, tre månader tidigare än tänkt, och det är den saken hon vill resonera med oss om. Hur gör vi? Vill vi att hon ser till att någon annan flyttar in och är husvakt för den tid som återstår? Hur gör vi med de pengar hon redan betalt i hyra? Om vi inte hittar någon annan lösning inser hon att hon får stå för kontraktet tiden ut som överenskommet.

Det är ett långt och lite känslosamt mejl, hon ber om ursäkt för att hon ställer till med problem för oss på det här viset, men hon vet sig ingen annan råd än att resa hem till Córdoba.

Min första reaktion är också att cirklarna har rubbats på ett alldeles otillständigt sätt. Jag behöver verkligen de här månaderna, den här våren, för att ro allting i land. Jag har som så ofta på sistone ingen aning om vad jag avser med detta ilandroende, men när jag suttit och funderat över mejlet – och fått en andra kopp te serverad av Alfred Biggs – börjar jag se det hela i ett nytt ljus.

Vad är det som hindrar att jag skyndar på utvecklingen en smula?

Varför skulle jag inte kunna genomföra planen på en månad istället för fyra?

Skulle det inte rentav kunna förbättra utfallet?

Jag använder hela eftermiddagens vandring runt Selworthy Combe och Bossington åt att fundera över denna nya frågeställning, och när vi stänger in oss i Darne Lodge i skymningen har jag också svaret klart för mig.

Vi kommer att lämna Marocko om en månad. Det kommer att fungera, till och med öka trovärdigheten om jag bara sköter det på rätt sätt. Det kräver förstås en ökad aktivitet från min sida, men om det är något jag saknat under min vistelse på denna hed, så är det väl just aktivitet.

Som en bekräftelse på att denna slutsats är alldeles korrekt inträffar sent på kvällen följande:

Signe. Fel.

Vivianne. Fel.

Ingrid.

Två blinkningar på skärmen, sedan öppnas dokumentet ”I gryningen”.

Signe är hans mor. Vivianne, som jag redan berättat om, är hans döda syster. Hans mor är förresten också död.

Ingrid, däremot, är den kvinna han var otrogen med i mitten av nittiotalet. Hon är med stor sannolikhet i livet och tydligen har han inte glömt henne.

Jag kommer heller inte att glömma lösenordet.

47

I gryningen

Men redan här går jag fel. Avståndet mellan mörker och ljus är kort, det finns nästan ingen gryning. Solen stiger över bergkammen i öster som en gigantisk röd ballong, medan vi ännu står utanför muren och väntar på H och Gusov. Jag vet inte vad det är vi ger oss in på, men det finns någonting jag inte kan förklara som driver på.

Jag och Soblewski. Grass och Megal. Fransmannen ser ut att vara på väg att falla ihop, det finns ingenting av hans vanliga överlägsenhet kvar. Han är äldre än oss andra tre, betydligt äldre, kanske anar han också vad den här teatern går ut på. Kanske har han varit med förr, jag får nästan det intrycket. Ingen av oss säger något, jag känner allt tydligare baksidan av den där drogen vi rökte. Pupillerna hos både Grass och Soblewski är tydligt förstorade. Megal bär solglasögon.

När vi stått där och väntat i kanske fem minuter kommer H ut genom porten. Han är ensam, någon av oss frågar efter Gusov och H förklarar att Gusov kommer att ansluta senare.

Innan vi ger oss iväg dricker vi någonting. Det är en mörkröd, stark, nästan brännande dryck med många smaker: anis, mynta och bittermandel kan jag identifiera. H serverar från en flaska i plastmuggar som vi sedan lämnar i en hög invid muren. H delar ut våra revolvrar, förklarar att de är säkrade men laddade och ber oss att inte samtala under den korta vandring som ligger framför oss.

Tjugo minuter, säger han. Om tjugo minuter är vi där. Jag tackar er för er medverkan redan nu.

Så ger vi oss av längs en upptrampad stig. Den bär sakta uppför, vi går ut i det ökenartade landskapet, rakt mot solen. Ödlor pilar kors och tvärs framför våra fötter, på långt avstånd skriar en åsna. Det blir hastigt varmare.

Vi kommer fram till en liten grupp träd, vi är halvvägs uppe i bergsluttningen och söker oss in i skuggan och den relativa svalkan. Jag ser på klockan, den är fortfarande inte mer än halv sju. Vi gör en kort paus, H förklarar att vi snart är framme vid målet och ber oss ha våra skjutvapen beredda. Vi dricker ytterligare av den röda drycken, den här gången direkt ur buteljen. Det markerar utan tvivel vår samhörighet att dricka på det viset. Jag har inte fått en blund i ögonen på hela natten och känner att jag helst av allt skulle vilja lägga mig här i skuggan och sova. Jag ser på de andra att det är likadant för dem. Bara ligga ner och sluta ögonen, ja, det skulle vara det bästa. När vi sätter oss i rörelse igen måste Grass stödja Megal för att han ska orka fortsätta.

Men drycken bränner i strupen, och i hjärnan också, den talar ett annat språk. Samma språk som H antagligen: fortsätt, fortsätt!

Vi följer en stig som tycks löpa runt berget nu och efter en stund har vi solen snett i ryggen istället för framifrån, vilket gör det lite lättare. Så bär det plötsligt nedåt, en uttorkad ravin ser det ut som och när vi kommer fram till en liten platå gör vi halt. Jag ser på klockan att vi allt som allt varit på väg i tjugofem minuter. Det känns längre. H serverar ytterligare röd dryck men tar också fram vatten ur sin ryggsäck och ger oss att dricka. Mitt huvud svirrar, jag känner att jag inte har en aning om vad det är som försiggår.

Så pekar han mot ett buskage lite längre fram på platån.

"Monstret", säger han. "Där bor monstret. Gör er beredda att döda monstret."

Soblewski skrattar till, uppenbarligen tycker han att det låter alltför absurt. H går fram till honom och ger honom ett slag i bröstet. Soblewski tystnar och ber om ursäkt. Jag betraktar Grass och ser att han höjt sin revolver men att han står och darrar. Jag får en impuls att springa härifrån, men en annan impuls skriker åt mig att jag kommer att få tio kulor i ryggen i så fall. Jag förstår verkligen inte vad det är som händer.

Vi ställer upp oss på ett led ungefär tio meter ifrån buskaget. Det är uttorkat och grånat av sanddamm men man kan inte se tvärsigenom det. Jag tycker mig skönja någonting svart inuti det, men kan inte avgöra vad det är.

"Monstret är våldtäktsmannen", säger H. "Han måste dö. Vi tar alla ansvar för att våldtäktsmannen dör. Det är därför vi har kommit hit."

Han gör en paus. Ingen annan säger något.

"Osäkra era vapen", säger han. "Gör er beredda."

Vi höjer våra revolvrar, siktar in i buskaget. Det är inte mer än fyra meter brett, det svarta skymtar exakt i mitten.

"Eld!" ropar H.

Och vi tömmer våra vapen till sista kulan. Trettio skott inalles, ljudet hänger kvar i landskapet i flera minuter.

Tillsammans går vi fram till buskaget och drar fram det där svarta. Det är ett par stora tygskynken, numera genomskjutna och blodiga. Inuti en kropp. Det är Gusov.

Vi har dödat monstret.

Vi har dödat våldtäktsmannen.

48

Det finns ett tillägg, uppenbarligen författat vid ett senare tillfälle. Jag vet i och för sig inte när han skrev "I gryningen", men i tillägget resonerar han om vad det var som hände. Det är bara två sidor långt och han försöker egentligen inte rättfärdiga sig – eller någon av de andra. Det han framförallt skriver om är huruvida han redan innan man begav sig ut i gryningen visste vad som var avsikten med utflykten. Och om han inte *visste*, borde han inte ändå ha *förstått*? Borde han inte ha kunnat räkna ut att Bessie Hyatt och Gusov haft ett förhållande, ett förhållande som kanske hade pågått under lång tid? Under flera somrar? Han frågar sig vidare hur Herold burit sig åt för att forsla Gusov till avrättningsplatsen och kommer fram till att han måste ha drogat ner honom och kört ut honom i sin jeep i mörkret. Han bör ha haft en medhjälpare i så fall, och när han diskuterar saken med Soblewski och Grass kommer de fram till att medhjälparen har varit Bessie. Att hon varit med på det. Det är Grass, framförallt Grass, som hävdar den ståndpunkten, och tydligen gör han det i kraft av att han talat med henne om saken. Martin påpekar för sig själv att de ju känt varandra sedan de var barn, och att det inte förefaller otroligt att hon anförtrott sig åt honom.

I tillägget står också att såväl han själv och Soblewski som

Grass och paret Megal lämnar Taza följande dag. Doris Guttmann tycks dock ha blivit kvar. Martin skriver att Bessie Hyatt gjorde abort lite senare samma sommar, något som också kommer till hans kännedom via Grass några månader senare, och att historien tar slut i och med att hon tar sitt eget liv i april 1981. Han skriver just så: ”Historien tar slut i och med att…”

När jag läst hela dokumentet är klockan några minuter över midnatt. Jag stänger ner det och lägger mera ved på elden som nästan har falnat under tiden. Jag tänker att jag har många frågor och ändå inte.

Hyatt är död. Herold är död. Martin är antagligen också död men jag undrar vad det var han tänkte göra av det här. Soblewski och Grass är i livet, men det skulle förvåna om Megal är det. Möjligen hans yngre hustru – hypnotisörskan, men hon är ju inte inblandad i själva finalen. Eller är hon det?

Finalen? tänker jag, och sedan får jag åter den där obehagliga förnimmelsen av att alltihop bara är uppdiktat. Men så kan det ju inte vara. Mejlen från G (Grass, det kan inte finnas några tvivel på den punkten), liksom Martins möte och nattliga samtal med Soblewski pekar ju tydligt på att här finns en sanning. En mörk hemlighet. Bessie Hyatts självmord 1981 är också oomtvistligt.

Och detta hade alltså Martin tänkt skriva en bok om? Jag sitter verkligen en god stund och försöker vrida och vända på allting, försöker förstå hur jag ska få det att växa samman med mina egna planer, och så småningom, när jag återvänder till den där tanken om ett skådespel – *Kvällarna i Taza*, nej, det är ingen riktigt bra titel, trots allt – tycker jag att jag börjar komma någonvart. Jag går också till sängs med denna kreativa tanke; fem akter naturligtvis, två eller tre på Samos, slutet i Marocko... men samma middagsbord, samma gäster, samma historia... ja, jag bestämmer mig för att sova på saken och ta fram idén till beskådande i klart morgonljus.

Den tredje januari. Jag väcks av telefonen, det känns som en signal från en annan värld. Jag svarar eftersom jag anar att han kommer att sätta sig i bilen och köra hit annars.

”Hur har du det?”

Jag säger att vi har det bra, både jag och Castor, och frågar hur det står till för hans del. Och Jeremys, lägger jag till.

”Utmärkt”, säger Mark Britton. ”När kan vi träffas?”

Jag tänker att det ännu inte gått två dygn sedan jag kravlade mig ur hans säng och att jag antagligen betyder mer för honom än han för mig. Plötsligt och utan förvarning, hur har det gått till?

Det är torsdag idag. ”Lördag?” föreslår jag. ”Jag behöver ett par arbetsdagar.”

”Har det hänt nåt?”

Jag hör oro i hans röst. Oro över att jag är på defensiven.

”Nejdå”, försäkrar jag men ångrar mig genast. Lika bra att skicka ut en varning. ”Jag kanske måste ändra mina planer en smula, bara”, lägger jag till.

”Vad då för planer?” undrar han. ”Du har aldrig pratat om några planer.”

”Vi tar det på lördag”, avvärjer jag. ”Ska vi ses på puben, eller?”

”Nej, absolut inte. Jag vill att du kommer hit förstås. Håll nu inte på och tveka och gör dig till. Vi är för gamla för sånt.”

Han försöker få det att låta lite ironiskt och skämtsamt, men det fungerar inte riktigt.

Ja, så är det verkligen, tänker jag när jag lagt på. Jag betyder alldeles för mycket för honom redan.

Men jag får ta itu med den saken på lördag. Idag har jag annat som måste övervägas och handskas med på rätt sätt. Möjligen har jag också en hel pjäs att skriva, men jag tillbringar större delen av förmiddagen med att författa meddelanden. Efter lunch går vi en ganska kort vandring upp till Punch Bowl och tillbaka och åker sedan ner till datorcentret. Idag är det Margaret Allen som har tjänsten. Vi önskar varandra gott nytt år och pratar lite kort om väder och vind och drottningens tal. Det är naturligtvis bara Margaret som har någonting att säga om drottningtalet, eftersom jag i motsats till alla riktiga engelsmän inte tagit del av det.

Så slår jag mig ner på min vanliga plats. Jag är den ende besökaren idag, centret känns mer förlegat än någonsin men jag är tacksam för att det finns. Tacksam för den tekopp som Margaret kommer med också, och för en kort sekund får jag för mig att jag skulle kunna bo här.

På riktigt. I byn Winsford, fjärran från allt. På denna hed där himlen och jorden kysser varandra. Under nästa korta sekund funderar jag på om det vore förenligt med resten av planen, men bestämmer mig för att inte försjunka i den frågan också. Det är nog med annat.

Till Eugen Bergman från Martin skriver jag:

Käre vän, det bär mig emot att komma med dåliga nyheter så här i början på ett nytt år, men det kan inte hjälpas. Saken är den att jag har stora problem med materialet, jag kommer inget vart med det, jag vet inte vad jag egentligen vill och det gör mig nedslagen.

Jag har tänkt att det skulle lösa sig med tiden, men nu börjar jag förstå att det kanske inte kommer att göra det. Det lär i varje fall inte bli den tjocka dokumentärroman om Herold och Hyatt som jag möjligen förespeglat dig. Om det överhuvudtaget blir något alls, blir det någonting i det mindre formatet.

Lika oroande, i varje fall för mig själv, är att jag känner mig djupt nedstämd. Det har varit så i mer än en månad nu, Maria gör vad hon kan för att få mig på fötter, men det räcker inte riktigt till. Nåväl, jag skriver det här bara för att jag vill att du ska veta om läget och inte blåsa upp några stora förväntningar på förlaget och annorstädes. Jag är ledsen över den här utvecklingen, men jag kan inte göra något åt det, tro mig.

Med varmaste hälsningar, M

Det är i stort sett ordagrant som jag skrivit det i mitt anteckningsblock under förmiddagen. Jag läser igenom det två gånger och klickar iväg det.

Det har ännu inte kommit något svar från Soblewski, så jag lägger undan den förlagan och går över till min egen mejl.

Till Synn skriver jag:

Kära Synn. Hoppas året börjat bra i New York. Vi har haft det lugnt och skönt härnere i den relativa värmen, men jag måste berätta att pappa inte mår särskilt väl. Han har varit tungsint sedan långt före jul och säger att han inte kan arbeta, jag tror att han håller på att sjunka in i en depression mer eller mindre. Det gör det ju inte lättare när vi är så långt hemifrån heller, och jag har börjat fundera på om vi kanske borde avbryta vistelsen här. Jag ville bara att du skulle veta, än så länge har vi inte bestämt någonting, vi tar en dag i taget och så får vi se.

Varmaste, mamma

Och till Gunvald:

Gott nytt år Gunvald. Hoppas allt är väl i Köpenhamn – eller är du kvar i Sydney, jag har glömt vad det var pappa sa. Hursomhelst har vi det lugnt och skönt i Marocko, men jag måste berätta att pappa har det lite svårt. Jag vet att han aldrig skulle erkänna det för dig, men hans arbete fungerar inte alls och jag tror att han möjligen är deprimerad, kliniskt deprimerad menar jag. Om du skriver till honom behöver du väl inte nämna att jag berättat det, men jag vet att han skulle uppskatta några vänliga rader ifrån dig. Sköt om dig och varma hälsningar var du än befinner dig. Mamma

Jag skickar iväg båda två och sedan skriver jag ett kort meddelande till Violetta, där jag förklarar att hon naturligtvis inte behöver betala någon hyra för de månader hon inte bor i huset. Jag beklagar att hennes mor blivit sjuk och skriver att jag har full förståelse för att hon vill hem. Det är inte nödvändigt att hon gör någonting åt huset, i själva verket kanske vi bestämmer oss för att komma hem lite tidigare, Martin har faktiskt varit en smula dålig den sista tiden.

Nöjd med dessa noggrant avvägda kommunikationer önskar jag Margaret Allen en trevlig weekend och förklarar att jag antagligen kommer att titta in igen på måndag.

49

Fredag den fjärde januari. En solig dag med åtskilliga plusgrader, i varje fall när vi lämnar Darne Lodge ett stycke in på förmiddagen. Jag har konsulterat kartan och bestämt mig för Rockford. Castor har inte haft något att invända.

Det är en by om ett femtontal hus, utspridda på kanten av East Lyn River. Vi kommer dit efter att ha vandrat längs floden uppifrån Brendon och det har känts som en vårdag från första steget; småfåglarna yr i buskarna och marken sväller. Klockan är några minuter över ett, puben är öppen så vi går in för att äta lunch.

Här pågår en konstutställning, det hänger ett tjugotal små oljor på väggarna, alla med motiv från heden. Hästar i dimma. Grindar. Ärttörne. Konstnären själv är också på plats, hon sitter vid ett bord med sina penslar och tuber och duttar försiktigt färg på en liten duk som står uppställd på ett staffli framför henne.

”Jane Barrett”, förklarar innehavarinnan när jag beställer i baren. ”Hon bor här i byn. Riktigt duktig, det hon inte säljer brukar vi köpa in till puben. Fast hon säljer i stort sett allting. Om ni är intresserad av en hedtavla ska ni passa på. Hon är inte dyr heller.”

Castor och jag tar plats vid bordet intill konstnärinnans.

Vi hälsar och jag säger att jag känner igen hennes namn.

”Verkligen?” säger hon. ”Ja, då har du antagligen en viss kännedom om Exmoor.”

”Jag är inte så säker på det”, säger jag. ”Men det finns en liten gravplats alldeles intill där jag bor. Hon som ligger där heter Elizabeth Williford Barrett.”

”Nämen…?” Hennes ansikte lyser upp och hon lägger ifrån sig penseln på en tygtrasa. ”Då bor du i Darne Lodge, alltså? Det är min mormor som ligger där. Vilket sammanträffande.”

Hon fyrar av ett brett leende. Hon är en kraftfull kvinna i fyrtiofemårsåldern, av en sort som min far förmodligen skulle ha sagt att det var ruter i. Stort rött hår, uppknutet med en ännu rödare schal. Färgfläckad ylletröja som räcker henne till knäna. Energisk blick, hon ser verkligen ut som en fri konstnär.

”Ja, vi bor där”, erkänner jag. ”Min hund och jag. Sedan ett par månader… men det blir nog bara januari ut.”

”Det är ett bra ställe att bo på”, säger Jane Barrett och klappar Castor. ”Du kunde inte ha hittat något bättre. Vad det än är du sysslar med, så vill jag påstå att ni har… ja, beskydd.”

”Beskydd?”

”Javisst. Dels har du min mormor på andra sidan vägen, dels har hon nog sett till att huset är impregnerat.”

Jag ler osäkert. ”Menar du att…?”

Jag har ingen fortsättning men det spelar ingen roll. Jane Barrett tycker om att prata. ”Du kanske inte känner till vad vi är för sort, kvinnorna i min släkt? Det ska alltid finnas en häxa på heden och i våra dagar är det jag. Det är min mormors mormor som är den mest ryktbara, häxan i Barretts håla… jag vet inte om du har hört talas om henne?”

Jag säger att jag faktiskt gjort det. Till och med besökt själva hålan.

”Verkligen?” utbrister Jane Barrett, på nytt glatt överraskad. ”Men de har väl inte satt ut stället i turistbroschyrerna i alla fall? Fast det skulle inte förvåna.”

”Jag vandrade i de trakterna tillsammans med en vän som är född i Simonsbath”, förklarar jag. ”Det var han som kände till det och visade mig.”

Hon nickar och dricker en klunk te från koppen på bordet. ”Jag ska säga dig en sak, jag tror faktiskt att min mamma är tillverkad i ditt hus.”

”Din mamma... Elizabeth?”

Hon skrattar. ”Nej, Elizabeth är min mormor, men det var hon som stod för själva tillverkningen. Halva åtminstone. Hon bodde i Darne Lodge tillsammans med en ung man i slutet av trettiotalet, sedan kallades han ut i kriget. Mormor var gravid med min mamma och födde henne på våren 1941. Ungefär samtidigt dog mannen någonstans i Afrika. Stupade för en tysk kula. Mor och dotter Barrett bodde kvar ett par år till innan de blev utkastade av ägaren, eller hur det nu var...”

Jag tänker att Margaret Allen måste ha missat ett och annat kapitel i berättelsen om Darne Lodge, eller också hörde jag inte på ordentligt.

”Hursomhelst”, återtar Jane Barrett, ”så såg mormor Elizabeth till att göra huset säkert. Inget fanskap ska göra sig besvär med att komma till Darne Lodge. Ja, jag vet att folk dött där och att det förkommit saker, men det är någonting annat. Har du inte känt dig trygg däruppe, kanske?”

Jag tänker efter och säger att det har jag nog.

”Vad sysslar du med?”

”Skriver böcker. Jag är författare.”

Då tar hon mig i hand. ”Jag tänkte väl att du var en fri själ.

Sånt känner man, vet du... speciellt om man är häxa."

Hon lutar sig tillbaka, sätter tummarna i armhålorna och skrattar. "Det går i arv och allting kommer tillbaka", konstaterar hon en smula gåtfullt. "Vi Barretts föder bara flickor. En i varje generation. Och vi behåller namnet Barrett. Men du har väl sett att det står Williford på mormors grav?"

Jag säger att jag har sett det och att jag tror att jag vet varför också.

"Precis", säger Jane Barrett. "Den där rika bondjäveln som våldtog hennes mor. Min mormorsmor. Och vet du, jag har också en dotter... en flicka på sjutton år, bara. Vacker som en soluppgång och strax före jul kom hon hem och presenterade en pojkvän. Han heter James Williford... urvalet på heden är en smula begränsat, kan man säga. Snudd på inavel, eller vad säger du?"

Hon skrattar igen. Jag tänker efter ett par sekunder, sedan berättar jag för henne om fasanerna.

"Lyckliga du", säger hon när jag är färdig. "Det var ju det jag sa, bättre beskydd än så kan du inte få. Det är ingen som lagt fåglarna framför din dörr. De har självmant kommit dit när deras tid är inne. De har lagt sig där för att Döden inte ska komma in. Vi häxor har ett ovanligt gott handlag med fåglar, ska du veta. Men det tyder kanske på... ja, det betyder kanske att du varit i behov av beskydd också. Kan det stämma?"

Hon ser på mig med spelat allvar.

"Vem är inte i behov av beskydd?"

"Det har du rätt i. Men var kommer du ifrån? Jag hör att du inte är född i Oxford om du ursäktar."

"Sverige. Och som sagt, jag åker nog hem igen i slutet på månaden. Men tack... tack för beskyddet. Jag tror jag skulle vilja köpa en tavla."

”Om jag får en av dina böcker kan vi byta... fast du kanske inte skriver på engelska?”

”Tyvärr.”

”Skitsamma. Du får en tavla i alla fall. Häxor behöver inte pengar.”

Jag väljer en tavla med några hästar som står och dricker vatten ur en bäck. Inte stor, tjugo gånger trettio centimeter ungefär; jag tycker mycket om den och insisterar på att få betala.

”Aldrig i livet”, säger Jane Barrett. ”Ett avtal är ett avtal. Hälsa mormor, förresten.”

Det lovar jag att göra.

Som om jag verkligen vore författarinna sitter jag sedan hela kvällen och skriver. Hela första akten och de första scenerna av akt två. Jag får lust att stoppa in en häxa i handlingen men det låter sig naturligtvis inte göras. Det får räcka med madame Megal. Arbetet flyter på nästan motståndslöst; jag vet ju att Bergman kommer att bli förvånad över resultatet, men när han väl läst alltihop kommer han att förstå. Jag tänker att jag ju har tid att preparera honom en smula först också, och jag känner mig tillfredsställd över att saker och ting har tagit den utveckling de gjort. Inför akt tre och fyra måste jag se till att läsa Bessie Hyatts bägge böcker, hon är ännu så länge inte riktigt huvudpersonen i dramat, men i och med att vi förflyttar oss från Samos till Taza kommer hon otvivelaktigt att bli det.

Medan jag sitter och skriver ringer det ett par gånger i mobiltelefonen. Det finns bara en person som har numret och jag låter bli att svara. Mark Britton är ett problem som jag inte har tid med nu. Vi ska ju träffas imorgon kväll, varför måste han ringa nu?

Å andra sidan kanske han inte uppfattar ett telefonsamtal som en allvarlig händelse, vilket jag kommit att göra på grund av omständigheterna. Han kanske bara vill veta om jag tycker om koriander?

Men jag svarar ändå inte. Den där tanken om att jag skulle kunna återvända hit dyker dock upp igen.

När planen är i hamn. Om ett halvår eller så. Bo på heden på riktigt? Under häxors beskydd och det ena med det andra. Inte Darne Lodge förvisso, men här finns gott om hus att hyra eller köpa. I varenda by ser man skyltar från mäklare.

Vad är alternativet? Tio år till på Aphuset?

Jag börjar fundera på vad huset i Nynäshamn kan vara värt. Ett par miljoner åtminstone... kanske tre? Jag skulle kunna klara mig.

Jag skulle faktiskt kunna klara mig.

50

Söndag den sjätte januari. Molnigt, inte mycket vind, lite kallare.

Mark Britton är verkligen en komplikation och jag behöver inga komplikationer för tillfället. Eller också är det just det jag behöver?

För tredje gången har jag ätit middag och sovit över i Heathercombe Cottage, för tredje gången har vi älskat. När jag skriver komplikation menar jag inte riktigt samma sak som jag tänkte häromdagen. Att jag betyder för mycket för honom redan och att han inte är lika viktig för mig.

Jag känner att jag måste revidera en smula. Jag är femtiofem år gammal, jag är visserligen i välbevarat skick men var i världen skulle jag hitta en bättre man? Om jag nu inte bestämmer mig för att leva ensam när jag... när jag väl har överlevt min hund?

Den där hunden visar för övrigt inga tecken på ålderdomssvaghet, kanske borde jag hitta en annan måttstock? Revidera där också. Jag förklarade för Mark igår kväll att jag nog kommer att lämna Darne Lodge i slutet av månaden, och en del av komplikationen ligger ju i att jag måste sy ihop en trovärdig historia. Det har jag också försökt göra; jag berättade att jag måste hoppa in och ersätta en väninna som gått in i väggen i samband med en dramaproduktion. Hon har jobbat för hårt, helt enkelt, och jag har halvt om halvt lovat att vara regissörsassistent och en del annat under sex veckor från och med februari.

”Och sedan?”

Jag svarade att jag inte visste. Att jag verkligen inte visste, den sanningen har jag i varje fall inte undanhållit honom.

Men det räcker förstås inte. Castor och jag är åter i Darne Lodge; det är eftermiddag, jag sitter på min vanliga plats vid bordet och umgås med en viss känsla av skam. Eller skamsenhet åtminstone.

Som om jag utnyttjar honom. Han bjuder mig på den ena fantastiska måltiden efter den andra, vi dricker goda viner, vi älskar på ett alldeles självklart vis och utan hämningar och Jeremy tar mig i hand med allt större frimodighet.

Martin hade en litterär käpphäst när det gällde kärlekshistorier, jag trodde länge att han avsåg andras kärlekshistorier: Antingen är det en jävligt bra novell eller också är det ett lovande förstakapitel i en roman som kan hålla eller gå över styr. Det gäller att veta vilket. Kanske gäller det att *bestämma sig för* vilket.

Om jag inte hade hört det till leda skulle jag möjligen hålla med om det. Och det vilar någonting lite sorgligt över novellformatet, är det inte så? Den korta berättelsen som inte orkar växa upp.

Jag skjuter frågorna ifrån mig och bestämmer mig för att komma vidare med min pjäs. Akt två; jag har valt att låta Maurice Megal spela en lite annan roll än den som framskymtar i Martins anteckningar – något av en iakttagare och berättare, även i de scener som utspelar sig i Grekland – och jag märker överhuvudtaget att jag är road av det här arbetet. Det hade jag sannerligen inte trott. Min fiktiva författarroll får alltmer fotfäste i verkligheten.

Under tre timmar knyter jag verkligen ihop akten; naturligtvis kommer jag att vara tvungen att gå tillbaka och skriva om, lägga till och ta bort repliker, men det ligger i processen. Det viktiga är att jag skymtar helheten inne i mitt huvud – både helheten och vägen dit – och eftersom det nu är dags för Bessie Hyatt att ikläda sig rollen som den tragiska hjältinnan, börjar jag under kvällen att läsa *Innan jag störtar*. Det dröjer inte länge förrän jag är helt absorberad av boken och jag förstår inte varför jag inte läste den under de där åren då hela världen gjorde det.

Mark Britton ringer strax före elva för att önska mig god natt.

Jag saknar dig redan, säger han, och jag säger att jag faktiskt saknar honom också.

Vi måste få ordning på det här, säger han.

Ja, säger jag. Vi kanske måste få det.

När vi lagt på erinrar jag mig att jag borde läsa den där novellen av Anna Słupka också – ”Vindkantring” – fast det bär emot.

Någonting lite sorgligt över själva formatet, var det inte det jag kom fram till för en stund sedan? Som Bessie Hyatts liv ungefär. Som min systers. Jag lovar mig själv att ta mig an fröken Słupka under morgondagen. Jag får inte slarva när det gäller kontakten med Soblewski.

Mejl från Eugen Bergman till Martin den sjunde januari:

Käre vän, det gör mig ont att höra att du har det motigt. Men skrivkramp är nu ett fenomen som du knappast är ensam om att drabbas av, kom ihåg det. Kom också ihåg att det finns botemedel, vilket som passar bäst är förstås individuellt, men det viktigaste är att inte gå och grubbla över det. Ingen mår bra av att sitta och stirra på ett vitt papper eller in i en datorskärm medan orden ligger i träda eller slår knut på sig själva. Käre Martin, låt saken vila ett tag och försök njuta av annat istället. Res till Casablanca och Marrakesh, bara jag skriver namnen på de platserna får jag en smula gåshud. Stockholm är för jävligt den här tiden på året, var glad att du inte är här.

Säg till om du vill ha något att läsa så skickar jag ner.

Jag hoppas verkligen att du kan fiska upp ditt goda humör vad det lider, men det är ingen brådska med det heller. Man ska inte förakta långsamheten. Varmaste hälsning till Maria också, och skriv till mig närhelst du känner att du behöver. Jag vet att jag är din förläggare, men jag är också din vän, glöm inte det. Eugen

Från Gunvald till Martin:

Hej! Sitter på flygplatsen utanför Sydney och väntar på ett försenat plan. Har haft en utomordentligt trevlig tid härnere, både konferensen och mina lediga dagar har varit ytterst givande. Har till och med försökt surfa, men det var en engångsföreteelse. Operahuset. Manly Beach. Ostron och chardonnay i The Rocks, Blue Mountains… you name it. Hoppas ni har det åtminstone en bråkdel så drägligt i Marocko. Hur länge blir ni kvar förresten? Varma hälsningar till mamma. Gunvald

Från Synn till mig:

Jaså minsann. Jag måste väl säga att jag har lite svårt att tycka synd om honom. Det får du ta hand om, det är trots allt du som är gift med honom, inte jag. Och jag kan inte hjälpa om du tycker jag låter kallsinnig, du vet att jag avskyr konvenanser och falska toner. Hursomhelst har vi haft en mycket framgångsrik säsong häröver, det lär bli mycket jobb under våren så det torde dröja innan jag flyger över Atlanten nästa gång. Hoppas i alla fall att han inte ställer till med några nya skandaler, det räckte så bra med den förra. Du kan väl hälsa honom någonting vänligt som du själv får hitta på. Hälsningar från ett svinkallt Manhattan, det blåser småspik över Hudson. Synn

Från Violetta di Parma till mig:

Kära Maria. Tusen tack för din förståelse. Jag har bokat en flygbiljett till den 31 januari. Kommer att se till att huset är välstädat och allt. Jag betalar gärna lite mer än bara januarihyran, men det kan vi kanske komma överens om så småningom? Kallt i Stockholmstrakten, riktigt kallt, jag antar att ni har det lite bättre i Marocko. Och hemma i Argentina lär jag förstås hamna mitt i sommaren. Varma hälsningar till Martin, säg honom att jag verkligen har trivts bra i ert vackra hus och att jag är ledsen över att behöva avbryta på det här viset. Kram, Violetta

Ingenting från Soblewski. Jag antar att han väntar på mitt (Martins) omdöme om Anna Słupka, men hoppas ändå att han ska höra av sig innan han får det. Jag kan knappast ta upp det oidentifierade liket igen, men om han glömmer bort min (Martins) fråga kan det väl bara tyda på att jag inte behöver känna någon oro. Jag bestämmer mig för att se saken från den sidan i varje fall, och jag bestämmer mig också för att inte besvara ett enda mejl ur dagens skörd; det kan lika gärna vänta några dagar, och vid det laget tänker jag mig också att det kan vara dags att kontakta Eugen Bergman personligen. Från mig själv, menar jag.

Jag lämnar centret och slår in på Ash Lane. När jag står framför mr Tawkings flagnande blå dörr inser jag att jag inte hört ett pip ifrån honom på hela den här tiden. Jag har bott i hans hus i över två månader, nog är det en smula märkligt.

Jag tänker att han möjligen är död och att man glömt bort att informera mig, men knackar ändå på.

Han öppnar efter en stund och ser för all del inte särskilt levande ut, men det gjorde han inte förra gången heller. Jag får för mig att han inte känner igen mig, så jag börjar förklara att jag faktiskt har hyrt hans hus uppe på Winsford Hill sedan i november.

”Jag vet”, avbryter han. ”Jag ser lite illa bara. Kom in.”

Jag får inget te den här gången och det tar en god stund att komma fram till en överenskommelse. Ett ingånget avtal är ett ingånget avtal, menar mr Tawking, och om jag är så dum att jag betalar ett halvårs hyra i förskott får jag stå mitt kast.

Jag påpekar att det var hans villkor för att jag överhuvudtaget skulle få flytta in i huset, och så sitter vi där och ackorderar en stund i hans sorgliga vardagsrum. Jag tänker att jag ju egentligen struntar i hur det går, så nödställd är jag faktiskt inte, men till slut går han med på att dra av 200 pund om jag är ute till den första februari. Det går bra att komma in och hämta dem om några dagar, så ska vi skriva på ett nytt papper då. Jag tänker att han är den enda genuint otrevliga människa jag stött på sedan jag kom och bosatte mig på heden.

Då så, tänker jag när jag lämnat honom och vandrar tillbaka ner till monumentet med Castor i hälarna. Det betyder att jag har tre veckor på mig. Det kommer att räcka.

51

”Din stalker”, säger Mark Britton. ”Hur har det gått med honom? Du har inte nämnt honom på ett tag.”

Vi är på vandring i Barle Valley. Det unika är att Jeremy är med; han går tio meter bakom oss med stora hörlurar om huvudet och händerna nerkörda i fickorna. Mark påstår att han nästan aldrig får med honom utomhus. Castor håller sig strax bakom Jeremy, för övrigt, men när vi vänder hemåt om en stund kommer han att ta täten.

”Nej”, säger jag. ”Jag har inte märkt av honom på flera veckor. Inte sedan jag berättade om honom för dig, tror jag.”

Det är den femtonde januari. Jag tänker att det stämmer. Det måste ha gått nästan en månad sedan jag såg till den där silverfärgade Renaulten.

”Hm”, säger Mark Britton och sparkar till en sten. Jag märker att han har mer att säga i ärendet.

”Varför frågar du?”

Han tvekar. Vänder sig om och kontrollerar att Jeremy hänger med. Rättar till sin halsduk.

”Jag kanske såg honom”, säger han till slut.

Jag stannar upp. ”Vad menar du? Såg du honom… var då?”

”Det var ett par dagar sedan”, säger Mark och försöker se urskuldande ut av någon anledning. ”I Dulverton, hans bil stod parkerad alldeles utanför slaktaren, ja, han kom faktiskt ut därifrån också. Satte sig i bilen och körde iväg."

"Han?"

"Ja. En man i... ja, inte vet jag... sextioårsåldern kanske? Jag fick ingen vidare uppfattning om hans utseende, jag stod på andra sidan vägen. Han hade hatt också. Men det var alltså en hyrbil från Sixt och jag tog registreringsnumret."

"Jaha?" Jag känner mig plötsligt alldeles darrig. Som om jag inte skulle kunna ta ett steg till. Han ser det på mig.

"Mår du inte bra?"

"Jodå, jovisst. Fick lite yrsel bara."

"Yrsel? Du brukar väl inte få yrsel?"

"Det är över nu. Och vad gjorde du med bilnumret?"

För jag hör ju på honom att han inte nöjde sig med det här. Det är därför han måste urskulda sig.

Han harklar sig. "Jag kollade upp det", säger han kort.

"Jaha?" säger jag. "Hur då?"

"Ringde upp hyrfirman och drog en historia. Om att jag trodde att föraren till den där bilen hade backat in i min bil och att jag ville kontakta honom. De var lite tveksamma men när jag förklarade att jag arbetade som polis i Taunton och att de inte skulle tramsa gav de med sig. De tog fram hyreshandlingarna och det visade sig att bilen är långtidsuthyrd till en person med polsk härkomst."

"Till en person med polsk...?"

Mitt synfält krymper till en tunnel. Jag knyter händerna och drar ett djupt andetag.

"Ja. Men han har väl inga polska försänkningar, din stalker? Hette han inte Simmel? Faktum var..."

"Vad då?"

Han skrattar till. "Faktum var att de inte kunde läsa ut hans namn. Det var långt och polskt och krångligt. Men om jag nu gjorde anspråk på ersättning så var det bara att skicka in en skadeanmälan. I så fall skulle de leta upp honom via körkortsnumret, det är rutin, tydligen. Jag tackade och förklarade att jag skulle tänka på saken. Vad tror du?”

”Vad jag tror?”

”Ja. Det här måste väl ändå tyda på att det inte är han?”

Jag ser på honom och försöker samla mig. ”Det har du förstås rätt i. Jag blev så överraskad, bara… har faktiskt inte tänkt på honom på länge.”

Men just nu är det inte mycket annat som får plats i min skalle. Det är så det blir, tänker jag: när locket öppnas väller alldeles för mycket ut. Vad skulle Gudrun Ewerts säga om det här?

Jag skjuter tillbaka locket och vi börjar gå igen. Vandrar vidare ett stycke längs floden, men hejdar oss när vi märker att Jeremy inte längre går bakom oss. Vi vänder tillbaka och snart upptäcker vi honom. Han har stannat mitt på stigen utan synbarlig anledning. Står där med händerna i jeansfickorna och tittar ut i tomma luften. Castor sitter bredvid honom, en meter ifrån bara.

”Herregud”, säger Mark. ”Jag måste skaffa mig en hund, det måste jag verkligen.”

Jag umgås för mycket med Mark Britton. Det är inte för min skull jag säger det, utan för hans. Jag har tappat räkningen på hur många gånger jag vaknat upp i Heathercombe Cottage, men snart åker jag härifrån. Jag vet att han hoppas på en fortsättning även om vi inte pratar om det. Och en fortsättning måste ju innebära att jag återvänder till Exmoor. Att han skulle flytta någon annanstans med Jeremy är naturligtvis uteslutet. Han har gjort det valet en gång för alla.

Men jag vill inte ge näring åt tanken. Inte än. Min känsla

för magiskt tänkande förbjuder det; man får inte ha för bråttom, inte hoppa till ruta sju när du befinner dig på ruta tre. Möjligen är det så att Mark förstår det här; inte detaljerna naturligtvis och inte uttryckt på det viset, men han tycks ha en instinkt som talar om för honom att han inte ska pressa på. Inte göra överenskommelser och tvinga mig att komma med utfästelser, det tjänar ingenting till. Jag är tacksam för det, om jag behövde snickra ihop fler detaljerade lögner skulle det bli besvärligt. Det outtalade är så mycket livskraftigare, jag har bara två veckor kvar i Darne Lodge och efter att jag haft all tid i världen under hela senhösten och vintern börjar dagarna plötsligt att fyllas med allehanda nödvändiga göromål.

Jag måste bli klar med pjäsen. Jag måste skicka iväg en rad väl avvägda mejl till en rad personer: Bergman, Gunvald, Synn, Christa och sist men inte minst – Soblewski. Jag har inte hört ifrån honom på länge men i övermorgon kommer jag att skicka mina (Martins) kommentarer till Anna Słupkas novell (som jag äntligen kommer att läsa ikväll) – tillsammans med en ganska dyster rapport om mitt (Martins) skrivande och en hoper depressiva tankar. Jag kan naturligtvis inte ta upp den oidentifierade kroppen igen, men jag hoppas att han kommer ihåg min fråga och att han inte blir mig svaret skyldig.

Om han inte svarar överhuvudtaget måste jag på allvar ta med i beräkningen att någonting inte är som det ska. Eller tänker jag fel här?

Det är tisdag idag, Mark och jag har kommit överens om att inte höras av förrän på lördag och då är det min tur att bjuda på middag på The Royal Oak. Att vi sedan avslutar kvällen hemma hos honom tror jag vi förutsätter bägge två. Castor också, kanske till och med Jeremy.

Jeremy är ju för övrigt en tacksam ursäkt för att jag inte kan stå för en middag i Darne Lodge. Mark har inte mer än satt sin fot härinne, och vid det tänker jag låta det förbli. Jag har en del herrkläder och annat svårförklarligt som jag av vissa skäl inte kan göra mig av med, det är ju överhuvudtaget nödvändigt att jag kommer hem med alla Martins tillhörigheter i behåll.

Denna tanke – att jag faktiskt kommer att sätta mig i bilen tillsammans med Castor och köra härifrån – fyller mig med till lika delar upprymdhet och bävan. Nej, fel, ännu så länge är bävansdelen större, betydligt större, men jag hoppas att balansen skall vara utjämnad när vi väl är där.

Mejl från mig till Christa den sjuttonde januari:

Kära Christa, hoppas allt är väl med dig och Paolo. Härnere i Marocko står det dock inte så vidare väl till är jag rädd. Kanske var det ett idiotiskt tilltag att åka hit överhuvudtaget, jag börjar förstå att Martin och jag skulle ha tagit vårt förnuft till fånga och åkt åt var sitt håll efter allt som hände. Inte så att vi bråkar men Martin har drabbats av en fruktansvärd nedstämdhet, han vill inte prata om det eftersom han är en tjurskallig man, men jag börjar nästan frukta att han kommer att hitta på nånting dumt. Jag vill ju inte tynga dig med det här, men jag har ingen att prata med härnere. Måste bara få säga att det är förbannat jobbigt och be att du håller tummarna för oss. Som tur är har en öppning dykt upp: kvinnan som hyr vårt hus hemma i Nynäshamn måste avbryta kontraktet eftersom hennes mor blivit sjuk i Argentina, så det är ingenting som hindrar att vi beger oss hemåt. Jag håller på att försöka övertala Martin, i Marocko finns nog ingen vettig vård att få och jag bedömer det faktiskt som att han borde lägga in sig, eller åtminstone få professionell psykiatrisk hjälp. Det arbete han tänkt utföra under vår vistelse här har inte blivit vad han hoppades på, det är förstås en bidragande orsak. Men som sagt, håll gärna dina tummar för mig, kära Christa. Och för att jag ska kunna övertala Martin att följa med hem. Kram, Maria

Mejl från Martin till Soblewski:

Dear Sob. Let's go ahead with miss Słupka. No doubt a real talent. As for myself, though, I have huge misgivings regarding my talent. My work is going to pieces and so am I. Fuck Herold and Hyatt. I will give it a last push by trying to write a play about it, but not sure it will work. Sorry to have to tell you this but it is unfortunately the truth. I drink too much, have taken up smoking again and Maria is very worried about me. So am I. M

Mejl från Martin till Eugen Bergman:

Käre Eugen. Tack för din omtanke. Är helt under isen, har till och med börjat röka igen. Tror vi måste åka hem, det här går snart inte längre. M

Det får räcka för idag. Men om jag inte fått svar från Soblewski på måndag måste jag vidta andra åtgärder än jag tänkt. Jag sitter kvar en stund på centret och begrundar detta, medan jag utan större intresse läser nyheter från stora världen. Om det nu faktiskt är så att jag tänker krypa ur mitt gömsle, är det kanske bäst att jag ser till att jag är en smula informerad. Men det är en mycket andefattig tanke.

Jag försöker också – för tjugonde gången sedan han berättade om det – göra en bedömning av Marks iakttagelse utanför slaktaren i Dulverton, och kommer bara fram till vad jag gjort nitton gånger tidigare.

Jag har aldrig någonsin sett Martin bära hatt.

Sextioårsåldern var Marks bedömning. Professor Soblewski måste vara åtminstone sjuttio.

Att det är en polack som hyr den där bilen visste jag redan om – med tanke på den där tidningen som låg på instrumentpanelen. Att där också låg en svensk Dagens Nyheter... ja, jag bestämmer mig för att lämna den frågan därhän.

Att det är just de här slutsatserna jag *vill* komma fram till är ingenting jag har lust att älta. Tiden för tvekan och tvivel är över.

Och i den där trista Słupkanovellen fanns det bara en rad – en enda – som skorrade: Att kvinnor har kallare blod än män är ingenting de blir medvetna om förrän efter klimakteriet.

Skrivet av en ung kvinna. Hur vet hon det?

Jag lämnar också Winsford Community Computer Centre därhän, rundar kyrkan och börjar gå längs Ash Lane upp mot mr Tawking för att inkassera mina 200 pund. Det har börjat mörkna och ett tunt regn faller. Jag bedömer att det är min näst sista torsdagskväll i Winsford, och byn sveper in sig i sin allra dystraste skepnad.

Jag knackar på dörren men ingen kommer och öppnar. Jag ser att det lyser ur två fönster, så jag tycker det är en smula egendomligt. Dessutom står Castor bredvid mig och morrar och det brukar han sannerligen inte göra. Jag knackar ytterligare ett par gånger och tycker mig uppfatta ett ljud därinifrån. Funderar några sekunder innan jag trycker ner handtaget.

Det är öppet och vi kliver in.

”Mr Tawking?”

Han ligger på mage på golvet med armarna under sig. Jag ser hans vänstra öga eftersom huvudet är vridet åt sidan. Han betraktar mig skräckslaget, det är uppenbart att han är vid liv. Castor morrar och håller sig på avstånd.

”Mr Tawking?”

Huvudet rör sig en aning och ögat blinkar.

Stroke? tänker jag. Hjärnblödning? Slaganfall?

Eller är det bara tre namn för samma sak?

Jag inser att det inte är en fråga jag behöver ta ställning till och skyndar ut. Ringer på hos grannen, en kvinna i fyrtioårsåldern öppnar. Jag pekar och förklarar.

”Very well”, säger hon. ”Ja, det var väl bara en tidsfråga. Men jag är sjuksköterska, jag tar hand om det här. Bill, ta ut den där jävla kycklingen ur ugnen, vi får äta senare!”

Hon nickar åt mig och är redan i färd med att ringa efter en ambulans. Jag förstår att chansen att jag ska få tillbaka mina 200 pund är liten.

52

”De sa på puben att Castor varit försvunnen. Det har du inte berättat.”

Jag tänker efter. ”Nej, jag nämnde kanske inte det.”

”Varför då?”

”Jag vet faktiskt inte. Det var under julhelgen när du och Jeremy var i Scarborough.”

”Det är ändå konstigt att du inte berättat det.”

”Tycker du? Ja, jag trodde faktiskt att jag hade sagt något.”

Vad är nu det här? tänker jag och för första gången känner jag ett sting av irritation gentemot Mark Britton. Eller kanske är det mot mig själv jag känner stinget. Jag borde ha talat med honom om de förfärliga dygnen när Castor var borta; jag tiger och ljuger och håller inne med saker i onödan och till slut blir det ohållbart.

”Man kan i varje fall inte anklaga dig för att vara en öppen bok”, säger han. ”Men det gör inget, jag är inte bortskämd med mystik och förr eller senare kommer jag att få läsa alla sidorna ändå. Eller hur?”

Han skrattar och jag väljer att göra detsamma. Det är ju ändå en av de sista gångerna vi ses. Åtminstone för överskådlig tid. Jag tar en bit ost och en klunk vin, han gör detsamma. Vi sitter i hans kök och det gör lite ont i mig när jag tänker den tanken: att jag inte kommer att sitta här mer.

”Det går ju inte ens att googla dig”, lägger han till. ”Snillrikt det där med pseudonym.”

Jag nickar. ”Snillrikt är ordet.”

”Och du vill fortfarande inte säga vad du använder för namn?”

”Inte riktigt ännu. Du får ursäkta.”

Anar han någonting? Börjar Mark Britton förstå att det finns dolda och oroande motiv bakom mitt hemlighetsmakeri? Kanske, jag kan inte avgöra det. Han tycker om att kasta ut sådana här små krokar, och så var det inte för en månad sedan. Men jag kan inte säga att jag inte förstår honom. Särskilt inte om jag betyder så mycket för honom som jag inbillar mig.

Fast det är inte allra sista gången. Vi har en helg kvar, om jag nu åker den tjugonionde som jag har planerat. Jag har tittat i almanackan och satt ett kryss där, sedan måste jag komma ihåg att göra mig av med almanackan, men det är en del annat som ska gå samma väg.

”Jag är förälskad i dig Maria, du förstår väl det?”

Det borde inte komma oväntat, men jag håller ändå på att tappa mitt glas. Jag tänker att jag inte har hört sådana ord på... och så försöker jag minnas om Martin någonsin sagt så. Sannerligen om jag vet. Skulle ha varit Rolf, då.

Hur många människor är det egentligen som aldrig i sitt liv får höra detta: att någon älskar dem?

”Tack”, säger jag. ”Tack för att du säger det. Jag tycker väldigt mycket om dig, Mark. Mitt liv på heden har blivit så mycket mer meningsfullt sen jag träffade dig. Jag kan bara inte ge några löften... om det är det du är ute efter?”

Han sitter och väger mina ord en god stund, det skulle jag också göra om jag vore han. Sedan nickar han och säger: ”Vet du, jag känner en ganska stor förtröstan när det gäller det här. Det måste ju vara någon mening med att du hamnade i just den här byn.”

”Jo”, säger jag. ”Någon mening var det säkert.”

”Vi är ju vuxna människor”, säger han.

”Ja, vi är ju det”, säger jag.

”Vi vet vad det innebär att avstå.”

”Det är vi experter på.”

Han böjer sig fram över bordet och håller om mitt huvud med bägge händerna. ”Förälskad, sa jag det?”

Mejl från Martin till Gunvald:

Hej Gunvald, tack för ditt mejl och kul att höra att du haft det gott down under. Läget i Marocko är väl inte riktigt lika kul, måste jag tyvärr erkänna. Mitt skrivande har låst sig totalt och jag känner mig ärligt talat ganska uppgiven. Kanske reser vi hem till Sverige tidigare än beräknat, jag vet att det är en jävla årstid och allt, men vad gör man inte? Sköt om dig hursomhelst, vi håller kontakten. Pappa

Från Eugen Bergman till Martin:

Käre vän! Kom genast hem om det nu har låst sig. Finns ingen anledning att gå i främmande land och våndas. Och en pjäs kanske är alldeles rätt lösning när allt kommer omkring? Du har ju aldrig skrivit något för teatern tidigare. Men det får bli som det blir med den saken, huvudsaken är att du får upp näsan över vattenytan. Varmaste hälsningar – till Maria också förstås. Eugen

Från Soblewski till Martin:

My dear friend! You are far too young for depressions! But I can imagine how sitting in that very country with that very story could make anybody go crazy. I suggest you leave it and try to find other distractions – and if you are really on your way home, you are more than welcome to spend a few days in my house, which might enable us to talk things through properly. Your lovely wife and your dog are welcome too, of course. No new bodies have been reported and whether they managed to identify the old one I have no idea. I have heard nothing more about it. All the best, Sob

Jag läser Soblewskis mejl mycket noggrant och översätter för säkerhets skull det sista i huvudet: *Inga nya kroppar rapporterade och har inte hört om de lyckats identifiera den gamla.*

Jag funderar på det. Är inte detta, tänker jag, är inte detta i själva verket det mest positiva besked jag kunnat önska mig? Jag sitter och vänder och vrider på det under någon minut, och kommer inte fram till annat än just det.

Vad övrigt är ligger i mina egna händer, således.

Mejl från Martin till Eugen Bergman:

Vi får se, käre Eugen. Tungt är det, men kanske gör vi som du säger, vänder näsan norrut. Gör dig inga förhoppningar om pjäsen, bara. Mvh M

Från Martin till Soblewski:

Thank you for your concern. We shall see what happens. M

Från Christa till mig:

Fan också! Jag visste att det var någonting med de där drömmarna! Och det är förstås du som går därnere och måste ta hand om sammanbrottet? Ja, jag kan tyvärr inte säga att jag är förvånad. Som du vet har jag haft min beskärda del av deprimerade karlar. Värre än treåringar med öroninflammation om du frågar mig, ursäkta att jag säger det. Se för tusan till att komma hem så får vi träffas och prata om allt. Jag är kvar i Stockholm till mitten av februari, så det finns tid. Sedan en månad i Florida gudskelov. Håll kontakten och kom hem! Christa

Från mig till Christa:

Ja, det ser inte bättre ut. Skulle tro att vi sticker härifrån om en vecka ungefär. Så om du är kvar i stan kanske vi kan ses i början av februari. Skulle vilja skicka hem Martin med flyg och köra själv hela vägen, men det går förstås inte. Hursomhelst, tacksam för att du bryr dig. Kram, Maria

Från mig till Gunvald och Synn:

Kära Gunvald och Synn, vill bara att ni ska veta att pappa inte alls mår bra. Vi planerar att börja vår långa hemresa om några dagar. Vet inte om han hört av sig till någon av er, men det är väl inte så troligt. Han är djupt nedstämd och pratar knappt med mig, ens. Håll gärna tummarna för att vi kommer lyckligt hem och att vi hittar hjälp. Mvh mamma

Därmed, tänker jag mig, är den omsorgsfulla grunden färdigmurad, och det är med en känsla av lätthet och försiktig optimism som jag lämnar Winsford Community Computer Centre för sista gången.

53

De sista dagarna upprepar vi allting.

Vi går våra favoritvandringar en gång till: Doone Valley, Culbone, Selworthy Combe, Glenthorne Beach. Vi hittar tillbaka till Barretts håla och till puben i Rockford, där Jane Barretts utställning fortfarande pågår men där själva konstnärinnan är tillfälligt utgången. Det grämer mig lite att hon inte är där, jag skulle ha velat fråga henne om ett par saker men det får klara sig ändå. Jag tänker att det viktigaste är att våga känna förtröstan: lita på att beskyddet består. Vi besöker antikvariatet i Dulverton en sista gång och tar farväl av den hundraåriga maskrosen. Tar också farväl av Rosie, Tom och Robert på The Royal Oak Inn. Det känns egendomligt att det bara gått tre månader sedan jag satte min fot här för första gången. Jag minns plötsligt den där soffan som katten hade pissat i så länge. Hur gick det med den och med mrs Simmons?

Och så skriver jag. Det är förvånansvärt hur enkelt jag tar mig fram genom ”I soluppgången” – det är det som har blivit arbetsnamnet. Jag skriver på Martins dator förstås och kanske är det bara detta, att jag inte riktigt behöver ta ansvar för det hela, som gör att replikerna flyter så lätt. Parallellt läser jag Bessie Hyatts bägge böcker och med Martins redogörelse i bagaget är det inte svårt att hitta nycklar.

Samma scenrum hela tiden, det stora bordet ute på terrassen; det förklaras att vi befinner oss i Grekland under de två första akterna, i Marocko under de tre avslutande. Det är viktigt att publiken förstår att det har gått tid. Elva roller, varav två är tjänare. Jag använder Megal – och på ett par ställen hans hypnotiska hustru – som berättare. De får tala direkt till publiken och beskriva de utomsceniska händelserna, precis som i det klassiska dramat. Deras roll blir särskilt viktig i slutscenerna, då de tillsammans med Bessie på avstånd inifrån huset står och betraktar vad som sker med Gusov. Hur man faktiskt mördar honom.

Men det är Herold och Hyatt det handlar om naturligtvis, jag har bytt namn på alla de övriga karaktärerna, och jag svartmålar Herold så mycket jag vågar utan att göra karikatyr av honom. Hyatt är den oskyldiga, men inte helt och hållet; alla övriga är medlöpare som gör att Herolds maktposition kan fungera. Som gör det möjligt för honom att krossa både Gusov och Bessie Hyatt. Jag låter till exempel Bessies abort utspelas i ett rum intill terrassen, teaterpubliken ska veta om vad det är som sker. De andra aktörerna kommenterar det dock inte, de sitter och äter och hör hennes skrik genom det öppna fönstret utan att bry sig om dem. Om hennes självmord berättas redan i en sorts prolog innan ridån går upp. Jag vet att min pjäs är rå och svart, utan nåd och försoning, men jag tänker att det går att mildra och sofistikera en smula vid en omskrivning. Om det skulle finnas anledning. Jag leker också med tanken på att jag i en avlägsen framtid kommer att förklara för Eugen Bergman att jag har arbetat tillsammans med Martin med texten och att jag kanske kan åta mig att titta över den ordentligt och göra en omarbetning. I en ännu avlägsnare framtid ser jag för mig hur pjäsen går upp på Dramaten, och hur jag säger några korta ord om

Martin från scenkanten innan spelet kan börja. Det är ingen hejd på mina fantasier.

Två dagar innan vi ska ge oss av sätter jag punkt. Fem akter, etthundratjugo sidor dialog. Tom Herold och Bessie Hyatt lagda under lupp; jag förvånas över den milda eufori som bultar i mig. Det måste vara så här det känns att vara författare på riktigt, tänker jag. När man äntligen kommer fram till det där ögonblicket då man tror att man rott någonting i land.

Avskedet från Mark Britton blir mindre känslosamt än jag fruktat och jag tänker att jag har underskattat honom. Castor och jag tillbringar som vanligt en kväll, en natt och en förmiddag i Heathercombe Cottage; när vi skils åt på söndagen har vi noggrant kontrollerat varandras telefonnummer och mejladresser och jag är säker på att vi kommer att träffas igen. Ingenting, inte ens den uslaste novell, kan sluta på det här sättet.

”Vi ses”, säger Mark. ”Jag vet det.”

”Du ser det genom mitt pannben?”

”Jag ser det på alla möjliga vis. Och om jag inte hört av dig inom en vecka kommer jag efter dig. Men det är naturligtvis bäst om du ordnar med det du måste göra och sedan flyttar tillbaka hit. Har du några frågor?”

Jag skrattar. ”Är det så plan A ser ut?”

”Exakt”, säger Mark. ”Och du vill inte veta av någon plan B, det kan jag lova dig. Jag är förälskad, har jag sagt det?”

Jag kramar honom och säger att det nog står ungefär likadant till för min del. Han ska inte vara orolig.

”Jag är inte orolig”, säger Mark Britton.

Jag tar Jeremy i hand, han har en gul Harlequintröja idag, med blå och röd text, och så lämnar Castor och jag Heathercombe Cottage. I bilen på väg upp mot Winsford Hill börjar jag gråta och jag låter det hålla på tills det tar slut av sig självt.

Tidigt på morgonen den tjugonionde januari stänger jag grinden till Darne Lodge. Kör nerför Halse Lane en sista gång och parkerar vid krigsmonumentet. Det är en dimmig morgon, grå och tungsint. Jag tar med Castor på en kort promenad uppför Ash Lane och knackar på hos mr Tawkings granne. Det är samma sjuksköterska som öppnar, hon förklarar att gubben Tawking ligger på sjukhuset i Minehead och att det nog inte är så värst lång tid kvar. Jag tackar henne och lämnar över nyckeln.

"Så du åker nu?"

"Ja", säger jag. "Jag åker nu."

"Du borde komma hit en annan årstid", säger hon. "Vintern är för jävlig."

Jag nickar och säger att jag alldeles säkert kommer att återvända.

Vi går förbi datorcentret men det är så tidigt på morgonen att man inte öppnat än. Jag knackar på hos Alfred Biggs, men får inget svar. För en gångs skull är han inte hemma, men jag tänker att jag redan har sagt tack och adjö till både honom och Margaret Allen.

Och jag har ju för avsikt att återvända, som sagt.

Det har jag väl?

Så vandrar vi tillbaka till bilen och kör iväg.

A396 över Wheddon Cross, samma väg vi kom. Går inte in på The Rest and Be Thankful Inn för att dricka ett glas rött vin. Det är förresten inte öppet.

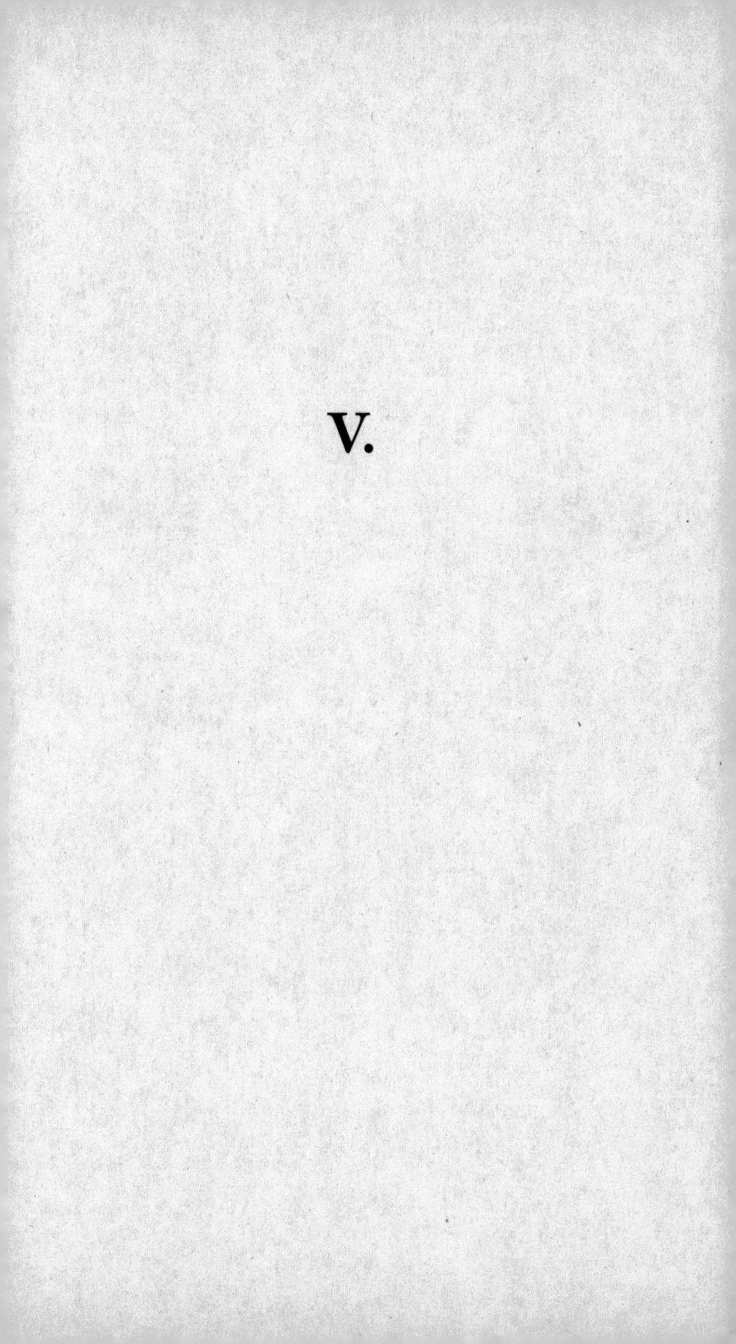

V.

54

Jag sitter vid ett runt bord dukat för sex gäster. De övriga platserna står tomma och det gäller för övrigt hela restaurangen. En äldre, skallig kypare i röd kavaj kommer in med min huvudrätt: wienerschnitzel med potatiskaka och kantarellsås. Fyller på mitt rödvinsglas utan att fråga.

Klockan är nio på kvällen. Hotellet heter Duisburger Hof, staden Duisburg. Castor ligger uppe i sängen i vårt rum och snusar, vi har gått en ordentlig kvällspromenad. Det är ett stort hotell och i ett angränsande rum till restaurangen håller ett Rotarysällskap möte; då och då hör jag skratt och rop därinifrån, det understryker på ett ganska tydligt sätt min ensamhet. Jag tror kyparen tänker samma tanke för han kommer då och då fram till mig och frågar om allt är till belåtenhet. Jag säger varje gång att det är det. O ja, alles gut.

Färden har gått planenligt och smärtfritt så här långt, men det har känts allt egendomligare ju längre bort från Exmoor vi kommit. Ju längre bort från England. Jag fick visa mitt pass innan vi körde ombord på tunneltåget i Folkestone, men det var bara en sömnig polis som kastade en blick i det. Jag behövde inte ens gömma undan Castor, det är när man åker åt andra hållet som kontrollen är hård. När man ska in i det förenade kungariket.

Under eftermiddagen for vi så genom Frankrike, Belgien och Holland. Så småningom in i Tyskland. Svårigheter att ta sig runt Antwerpen, svårigheter att köpa kaffe ur automat på bensinstation utanför Gent, annars inga problem.

Mer än en viss känsla av overklighet således; av någonting kvardröjande som inte vill släppa taget och av att inte ha riktig kontakt med det omgivande.

I kölvattnet till detta också en bräcklighet som jag inte har upplevt sedan de första dagarna på heden. Men jag tänker att det är en svaghet som kan förvandlas till en styrka, med tanke på den roll jag har att spela de närmaste dagarna. Ett nervöst sammanbrott skulle inte innebära något minus, tvärtom. Jag måste bara skjuta upp det ett dygn: det får inte drabba mig för tidigt och så illa är det heller inte. Inte alls så illa.

När jag lyckats få ut det där kaffet ur automaten i Gent ägnade jag en halvtimme åt att söka nattlogi – eftersom det fanns internetuppkoppling på stationen – och hittade det här hotellet. Ringde från mobilen jag fått av Mark Britton och förklarade att jag reste tillsammans med en väluppfostrad hund, att jag hade blivit bestulen på mina kontokort och att jag ville betala kontant. Det mötte inga hinder, varken det ena eller det andra; jag tänker med lättnad på att det är sista gången jag behöver använda mig av detta billiga trick. Från och med ankomsten till Danmark kommer jag att återta min rätta identitet och kliva in i ett autentiskt sammanhang, ett faktum som jag också känner mig starkt kluven inför. Det finns en tilltalande sötma i tanken på att ta in inkognito på bekväma hotell, med eller utan rotarianer, med eller utan wienerschnitzel, men med rött vin och röda kypare under resten av livet.

Jag inser ju också, att om någon skulle få för sig att börja kontrollera allting, vår adress i Marocko, vår resväg, våra stopp och övernattningar på vägen och allt möjligt annat, så skulle förstås allt rasa samman som ett korthus. Men varför skulle någon börja kontrollera? Varför?

Just detta är faktiskt en genial detalj i min plan, jag kan inte låta bli att berömma mig av det när jag sitter här i denna trygga, tyska hotellrestaurang och tuggar i mig min välförtjänta schnitzel. Allt fokus kommer att ligga på vad som har hänt med Martin, ingen kommer att ifrågasätta vår nordafrikanska vistelse. Genom alla mejl hit och dit är den alltför väldokumenterad. Jag har bara medömkan och förståelse att vänta mig, inga oförskämda frågor. Inga kontroller.

Jag dricker en klunk vin. Tänker återigen att jag kan tillåta mig ett litet – eller stort – sammanbrott, det skulle bara uppfattas som alldeles naturligt.

Ja, mycket naturligt med tanke på allt. Stackars människa vad hon har fått stå ut med.

Jag ler, jag kan plötsligt inte låta bli att le i min ensamhet. Jag tänker att det ju bara är morgondagens lilla scenario som måste gå i lås, och inte heller den rollen kommer att vara särskilt svår att spela. Jag kommer att klara det.

Jag dricker ur vinet långsamt, och eftersom min kypare föreslår det tar jag en kaffe och en konjak också. Känner en lätt berusning och genom denna tunna slöja kan jag verkligen betrakta allting från en behändig och behaglig distans. Jag tänker att livet består av så många komponenter; kanske är hela min vistelse på Exmoor ett avslutat kapitel – och Mark Britton en novell, trots allt – kanske kommer jag att se tillbaka på det på det viset i framtiden. Om något år uppfatta dessa tre månader som en ingrediens, en serie av omständigheter, som hade med Martins död att göra… kanske också med saknad erinra mig hur vitalt och betydelsefullt det föreföll medan det ägde rum, men hur det sedan falnade hastigt.

Eller också kommer jag att återvända. Jag snurrar konjakskupan i min hand och försöker föreställa mig en sådan utveckling. Kanske blir det så som jag halvt om halvt förespeglade Mark; kanske kommer jag faktiskt att sälja huset i Nynäshamn och lämna Sverige. Berätta för det fåtal goda vänner jag har att jag funderar på att bosätta mig i England ett par år; det behövs någonting nytt efter att jag blivit änka. Vad kunde vara naturligare? Vem skulle tycka det vore konstigt? Man kan inte köra vidare i gamla hjulspår när det ena hjulet inte längre rullar. Här ler jag igen, den här gången åt formuleringen; jag undrar om jag just uppfann den eller om det är någonting jag läst. *När det ena hjulet inte längre rullar?*

Av någon anledning, medan jag fortfarande sitter kvar i denna solida inramning och medan det fortfarande finns en skvätt konjak i glaset, börjar jag fundera över alla människor jag mött som numera är döda. Tänk om de faktiskt ser mig och kan följa mina tankar, när jag nu tar igen mig i mild berusning mitt emellan två kapitel. Mitt emellan fjärde och femte akten: Rolf. Gudrun Ewerts. Min far och min mor. Gunsan förstås, hon var ju den första i raden. Vivianne, den galenpannan. Elizabeth Williford Barrett, henne har jag förstås aldrig mött men jag har passerat hennes grav minst hundra gånger under de senaste tre månaderna, vad ligger hon där och tänker på? Och Martin? Vad ligger han i sin bunker och grubblar över? Eller i ett polskt fryshus måhända? Eller sitter han på en molnkudde och betraktar mina förehavanden med en rynka i pannan, en djup och mycket välbekant rynka?

Här känner jag plötsligt ett stråk av obehag och tömmer i mig konjaken. Vinkar åt min rödklädde vän och förklarar att jag vill betala. Han frågar om han ska sätta upp det på min hotellräkning och jag säger att det är väl lika bra. Lämnar en tioeurosedel som dricks på bordet eftersom jag inte har mindre, och tar hissen upp till min sängkamrat.

Uppe på rummet gör jag misstaget att sätta på teven. Frånsett en och annan skimrande bild på avstånd i någon pub har jag inte sett på teve på tre månader, och när jag nu ser någon sorts välsminkad panel sitta uppradad framför en förtjust publik drabbas jag av ett våldsamt äckel. En programledare, som har kammat sig med fläskkotletter och bär en glittrande kavaj, svassar omkring framför och bakom panelen och ropar ut obegripliga påståenden som de sedan skall reagera på genom att kasta sig över röda eller gröna knappar. Sedan säger den som kommit först till knappen någonting skojigt och publiken vrider sig av skratt. Om och om igen, jag tittar på eländet i fem minuter innan jag stänger av. Åt detta har jag vigt mitt liv, tänker jag.

Och jag förstår att jag i vart fall inte kommer att kunna fortsätta i det hjulspåret. Detta ensliga hjulspår.

När jag väl kommit i säng somnar jag praktiskt taget omedelbart och drömmer om ett stort antal människor – levande och döda – som inte alls vill inordna sig i begripliga mönster: Mark Britton och Jeremy. Jane Barrett, Alfred Biggs och Margaret Allen. Tom Herold och Bessie Hyatt. Professor Soblewski. Samt kyrkoherden i Selworthy, han som målade sin kyrka vit för att han skulle hitta hem i fyllan och villan, ja, de vandrar ut och in genom mitt medvetande utan att redogöra för sina ärenden, dessa gestalter, men ändå på ett påträngande vis, som om de ville hålla mig räkning för någonting, och när jag vaknar vid sjutiden på morgonen känns det som om jag inte fått en blund i kroppen. Eller i ögonen eller var det nu är man brukar få den.

Men det är på många sätt den sista dagen, och jag tänker att bara jag inte råkar ut för en krock på Autobahn så kommer saker och ting att ordna sig till det bästa. Med tålamod och finess har jag klarat av alla hinder så här långt, jag kommer att lösa det återstående lilla kruxet också. Jag måste bara se till att dricka ordentligt med kaffe.

Jag duschar och tar ut Castor på en promenad i kvarteret, det småregnar och han uträttar sina behov på första bästa gräsplätt. Får sedan sin mat på rummet medan jag själv sitter vid samma bord som under gårdagskvällen och äter frukost. Kyparen är dock en annan, trettio år yngre men röd han också.

Klockan halv tio lämnar vi Duisburger Hof och ger oss av på vår fortsatta färd norrut.

55

Kaffet och rädslan för att krocka håller mig vaken. Det är en blåsig och regnig dag och Autobahn norrut genom Tyskland – A2, sedan A43, sedan A1, via Münster, Osnabrück, Bremen och Hamburg – är packad av tung trafik. Jag tror aldrig jag har kört så långsamt och försiktigt i hela mitt liv, men tanken på att råka ut för någonting – någonting som på bara några sekunder skulle kunna spoliera allting – känns emellanåt som en snara runt halsen. Efter några timmar tjocknar regnet till snöblandat också, det finns all anledning att vara på sin vakt.

Klockan sex har vi dock tagit oss förbi Hamburg och nederbörden har upphört; jag tänker att det är bäst att inte nå fram till färjan för tidigt och vi unnar oss ett timslångt stopp på ett Autohof. Går en kort promenad, delar vänskapligt på en bratwurst i bilen; matte dricker sedan kaffe inne i baren och efter att ha tankat fortsätter vi upp mot Fehmarn och Puttgarden.

Det står ungefär femtio bilar och väntar, jag tänker att det är bra att det är så pass många som ska resa över. Den aktuella färjan avgår 21.00, de går med lite glesare mellanrum så här dags på dygnet. Vi börjar rulla ombord ungefär tio minuter i. Jag hamnar allra längst bak i en kö invid en vägg, det är utmärkt.

Vi tar oss upp till det kommersiella däcket. Här finns ett par restauranger och caféer, parfym, sprit- och cigarrettbutik, och det är gott om folk som myllrar hit och dit och verkar veta hur de ska tillbringa den knappa timme som överfarten tar. Castor och jag strövar runt lite planlöst innan vi tar en trappa upp och slår oss ner i en banansvängd soffa i ett slags sittsalong. Här befinner sig ett tjugotal människor och hela tiden kommer det och går folk. Jag tittar på klockan och konstaterar att det gått tjugofem minuter.

Och nu, bestämmer jag, just medan vi sitter här på den anonymaste av platser, jag i soffan, Castor på golvet, återtar jag min rätta identitet. Från och med nu är allt autentiskt. Jag får en smula hjärtklappning när jag inser det, men det är naturligtvis ingen av mina medresenärer som lägger märke till det.

En kort stund senare meddelas i högtalarna att bilburna passagerare ska återvända till sina fordon men inte starta motorerna förrän tecken ges. Jag ser mig lite oroligt omkring och tittar på klockan igen. Tar med mig Castor och går nerför trappan, gör en tur bort till en av restaurangerna, kastar en blick in i den och skakar på huvudet.

Ser på klockan igen. Rycker på axlarna och hittar rätt dörr ner till bildäck.

Jag släpper in Castor i skuffen men sätter mig inte bakom ratten. Står istället bredvid bilen och spanar. Inom några minuter har portarna öppnats och bilarna börjar köra iland. Dock inte vår kö ännu så länge. Jag står kvar och spanar. Tittar oroligt på klockan.

Sätter mig på förarsätet, men ångrar mig och kliver ur igen.

Bilen framför mig, en stor tyskregistrerad van, rullar iväg. Jag står kvar. Kön intill börjar röra sig. Efter en stund är jag ensam kvar på hela däcket. En besättningsman med orange väst kommer fram till mig och frågar om det är något fel. Kan jag inte starta bilen?

Jag säger att det inte är något fel på bilen, men att jag väntar på min man. Jag förstår inte vart han tagit vägen.

Han ser villrådig ut.

”Ni skulle mötas vid bilen, alltså?”

Han talar högst begriplig danska.

”Ja, jag förstår bara inte…?”

Ingen rädsla i min röst ännu. Det är för tidigt. En mild oro kanske, blandat med en viss irritation.

”Ett ögonblick. Jag ska hämta min chef.”

En halv minut senare dyker en äldre myndighetsperson upp. Han har en rödbrun mustasch som ser ut att väga ett halvt kilo.

”Ni saknar er man?”

”Ja.”

”Och han vet var er bil står?”

”Ja… javisst.”

”Han kan inte ha gått iland med de som inte har bil?”

Mustaschen guppar. Jag säger att jag inte vet.

”Ni får lov att köra av färjan, jag följer med er, så ska ni se att vi hittar honom.”

Han hoppar in på passagerarplatsen, jag startar bilen och vi rullar iland. Han pekar mot en låg byggnad till höger.

”Kör in där. Stanna ett ögonblick.”

Han tar upp sin mobiltelefon och pratar med en kollega. Instruerar mig att köra en annan väg och så är vi framme vid den port där de icke bilburna håller på att komma ut och ta plats i en väntande grön buss. De är inte särskilt många, lägger jag märke till. Kommer inte att fylla mer än halva bussen. Chauffören står utanför och röker.

Mustaschmannen ber mig stanna kvar i bilen, själv hoppar han ur.

”Sitt här och se om ni får syn på er man. Ni kan förresten ta en titt därinne också.”

Han pekar, jag nickar. Jag går ut och kikar i bussen. Martin sitter inte där. Jag går tillbaka till bilen och väntar.

Efter ungefär tio minuter är terminalen tom på människor. Bussen har kört iväg. Mustaschmannen kommer tillbaka i sällskap med en uniformerad man, jag förstår att han är polis.

”Ni har inte sett till honom?”

”Nej...”

Knappt hörbart. Jag är ordentligt skakad nu.

”Får vi be att ni följer med, så vi kan titta på det här.”

Det är polismannen som säger det. Han pratar nästan svenska lägger jag märke till.

”Kan jag ta med min hund?”

Han nickar. ”Självfallet.”

Vi sitter i ett litet, starkt upplyst rum inne på terminalen. Det är jag och Castor, polismannen som nästan talar svenska och en ung kvinnlig polis med en hästsvans som ser så dansk ut att hon skulle passa i en rekryteringskampanj. Jag är djupt skakad och jag behöver nästan inte förställa mig. Jag måste lyfta min kaffemugg med båda händerna eftersom jag darrar så.

”Nu ska vi bare ta det lidt roligt”, säger den kvinnliga polisen. ”Jag heter Lene.”

Hon försöker prata något slags skandinaviska hon också.

”Knud”, säger kollegan. ”Om du undrar varför jag nästan talar svenska så beror det på att jag arbetat i Göteborg i tio år. Kan du berätta vad det är som har hänt?”

Jag drar några djupa andetag och försöker lugna ner mig. ”Min man”, säger jag. ”Jag vet inte vart han tagit vägen.”

Knud nickar. ”Vad heter ni? Både du och din man? Ni är på väg hem till Sverige, alltså?”

Jag säger att det stämmer. Vi har varit i Marocko några månader och nu ska vi tillbaka till Stockholm.

”Era namn?” säger Lene. Hon sitter med ett anteckningsblock och penna, beredd att teckna ner allt jag säger.

”Jag heter Maria Holinek. Min man heter Martin Holinek. Vi...”

”Du råkar inte ha era pass?”

Jag slår ut med händerna. ”Martin... min man har dem. Han tog dem bägge två eftersom... ja, det blev så.”

Knud nickar, Lene antecknar.

”Någon sorts legitimation i alla fall?”

Jag tar fram mitt körkort. Lene antecknar en del uppgifter från det och lämnar tillbaka det.

”Vad hände på färjan?” säger Knud.

”Jag vet inte. Vi skulle skiljas åt en stund. Han gick till restaurangen för att äta, men jag var inte hungrig, så jag stannade kvar hos Castor... vår hund. Han sa att han kanske skulle ta en cigarrett också. Och så... så kom han aldrig tillbaka.”

Här genomfars jag av en kraftig hulkning. Lene ställer fram en ask med pappersnäsdukar. Jag tar en och snyter mig omsorgsfullt. Ingen av dem säger något.

”Förlåt mig. Jag satt och väntade tills man sa att det var dags att gå tillbaka till bildäck, och när Martin inte kom så trodde jag... ja, jag trodde väl att han skulle komma direkt till bilen.”

Knud harklar sig. ”Vi kanske måste försöka vinna lite tid här. Ni förefaller väldigt orolig, fru Holinek?”

”Ja… ?”

Jag vet inte vad jag ska svara. Vi sitter tysta alla tre några sekunder.

”Vad är det ni tror kan ha hänt?”

Jag skakar på huvudet. Känner hur en alldeles naturlig panik skjuter upp i mig.

”Hur stod det till med honom?” frågar Lene. ”Det är viktigt att vi får reda på hur det ligger till och att det går lidt hurtigt. Vad är det ni tror, fru Holinek?”

Jag svarar inte. Stirrar ner i bordet.

”Var er man deprimerad?” frågar Knud. ”Hade ni grälat?”

Jag skakar på huvudet, sedan nickar jag. Utan att betrakta någon av dem. Jag knäpper mina händer.

”Ja, han var deprimerad. Men vi hade inte grälat.”

De byter en blick med varandra.

”Skulle det kunna vara så”, säger Knud långsamt medan han skrapar med pekfingernageln på en fläck på sin skjortärm. ”Skulle det kunna vara så att er man har hoppat överbord?”

Jag stirrar på dem bägge två, en i taget. Känner att jag skakar i hela kroppen. Sedan nickar jag.

Knud reser sig och lämnar rummet med sin mobiltelefon i högsta hugg. Lene stannar kvar med mig och Castor.

”Nu ska vi bare ta det lidt roligt”, upprepar hon.

Vi får ett rum på Danhotel i Rödbyhamn. Klockan är över tolv när vi går och lägger oss. Polisen Lene sover i rummet intill om det är något jag behöver. Vi har suttit och pratat i ett hörn av restaurangen i mer än en timme. Jag har berättat allt om Martins depression, hur han inte kunnat arbeta, hur han druckit för mycket och börjat röka igen efter mer än femton års uppehåll. Att jag varit orolig för honom, och att… ja, att det faktiskt inte är omöjligt att han valt att hoppa överbord istället för att komma tillbaka till Sverige med ett tungt misslyckande om halsen.

Lene har förklarat att man letar både med hjälp av båtar och med helikopter, men att det naturligtvis är ett näst intill omöjligt uppdrag i mörkret. Man kommer att förstärka insatserna så snart det blir lite ljusare, men jag måste nog förbereda mig på det värsta. Man klarar sig inte länge i vattnet så här års.

Jag har brutit ihop och gråtit vid flera tillfällen och jag har inte behövt göra mig till. Gudrun Ewerts skulle vara stolt över mig. Lene har frågat vem hon vill att vi ska underrätta – barn till exempel – men jag har sagt att jag inte vill att någon blir underrättad förrän det gått lite mera tid. Kanske imorgon.

När vi skils åt utanför rummen ger hon mig en kram.

”Bara knacka om det är nåt”, säger hon. ”Jag kan sova hos dig, vet du.”

”Jag har min hund”, säger jag. ”Det ska nog gå bra. Men tack.”

56

Vi vandrar en timme före frukost. Det är en grå morgon med tunna regnskyar som kommer och går. Ute över havet kan vi då och då se och höra en helikopter, jag antar att den är ute på spaning efter Martins kropp.

Vi går längs övergivna stadsgator och kommer så småningom ner mot vattnet. Når fram till ett stycke sandstrand och här tar jag upp plastpåsen med våra sönderklippta pass ur fickan. Jag har tillbringat en god stund med det innan vi gav oss av, ingen bit är större än ett par kvadratcentimeter, och nu sprider jag ut konfettin på ett tiotal olika platser. Gräver ner ordentligt och fördelar så gott det går, jag tänker att detta är den sista försiktighetsåtgärden. Hans mobiltelefon och plånbok kastar jag däremot i havet, tänker att jag borde ha gjort det från färjan men jag hade helt enkelt inte nerver till det.

När vi kommer tillbaka till Danhotel sitter Lene och väntar på oss i frukostmatsalen. Hon har en äldre kollega vid sin sida. Knud har jobbat hela natten och ligger hemma och sover, förklarar hon.

Kollegan hälsar och säger att han heter Palle, jag undrar helt hastigt om danska poliser bara har förnamn. Han förklarar att han och Lene behöver samtala en stund med mig men att jag gott kan få äta morgonmat först.

Morgenmad, jag kommer ihåg att frukost betyder lunch på danska.

”Fin hund”, lägger han till. ”Rhodesian ridgeback. Jag har en granne som har två stycken.”

Han klappar Castor på rätt sätt och jag känner ett omedelbart förtroende för honom.

Vi tillbringar hela förmiddagen på Danhotel i Rödby. Palle förklarar för mig att nattens och morgonens spaningar över havet har varit resultatlösa och jag får berätta exakt vad som hände under färjeturen en gång till. De vill också ha lite bakgrund och jag får redogöra för vår vistelse nere i Marocko och för Martins nedstämdhet.

”Talade han om att ta livet av sig?” frågar Palle.

”Nej”, säger jag osäkert. ”Jag kan inte komma ihåg att han nämnde det öppet.”

”Är du förvånad? Eller kan du se att det hänger ihop med hans tillstånd nu när vi tycks stå inför det?”

Jag säger att jag inte vet. Nämner att hans syster tog livet av sig. Palle nickar och Lene antecknar.

”Kan han ha sett det som ett nederlag att komma hem för tidigt och inte ha åstadkommit det han hade tänkt sig? Med skrivandet, vill säga.”

”Ja, jag antar det.”

Jag får gråtattacker vid flera tillfällen och de kommer verkligen utan att jag behöver konstruera dem. Gudrun Ewerts dyker upp igen, som vanligt när jag gråter. Det är överhuvudtaget många förvirrade tankar och impulser som ansätter mig medan jag sitter och pratar med de bägge danska poliserna. Jag tänker till exempel att jag simmat lång tid under vattnet, och att det som nu har hänt är att jag äntligen fått upp huvudet ovanför vattenytan. Det är förstås en konstig bild med tanke på att det egentligen handlar om Martins kropp som gått den motsatta vägen. Det är i varje fall vad poliserna inbillar sig.

När de inte har mer att fråga om det som varit undrar de hur jag vill göra. Vill jag stanna kvar här i Rödby ytterligare en tid – det kan ju trots allt hända ett mirakel – eller vill jag komma hem till Stockholm?

Jag säger att jag vill komma hem.

”Har du kontaktat några närstående?”

Jag skakar på huvudet.

”Vilka vill du kontakta?”

Jag säger att jag vill kontakta våra båda barn, och lite senare sitter jag och formulerar ett mejl som jag skickar till dem bägge två. Bara några rader, men det är inte lätt att få ihop det. Jag förklarar att jag är på väg upp till Stockholm och att jag kommer att ha mobilen på hela eftermiddagen.

”Klarar du av att köra ända till Stockholm?” frågar Lene.

Jag säger att jag gör det. Jag är en van bilförare och det är bättre än att sitta stilla.

”Har du någon som kan ta emot dig när du är framme?”

”Jadå”, säger jag. ”Det är inga problem med det.”

”Och du är säker på att du orkar köra?”

”Ja, det går bra.”

Klockan tolv tar jag adjö av de bägge poliserna. De har underrättat sina svenska kolleger, får jag veta, och jag får också veta att de inte tänker släppa ut någonting av vad som har hänt till media. Varken danska eller svenska, det blir min sak att avgöra på vilket sätt jag vill göra olyckan offentlig.

Det verkar som om de fått reda på av poliserna på andra sidan sundet att Martin och jag inte är några alldeles okända namn.

”Ta hand om dig”, säger Lene. ”Du får ringa mig när du vill.”

Jag tackar henne. Jag har hennes kort i plånboken.

Så sätter vi oss i bilen och fortsätter norrut genom Danmark. När vi halvannan timme senare befinner oss mitt på Öresundsbron börjar snön att falla.

Det är Gunvald som ringer först. Jag har stannat på en bensinstation strax ovanför Helsingborg; ska just kliva ur bilen för att tanka men när jag ser att det är han kör jag över till en parkeringsplats istället.

"Hej", säger han. "Är det sant?"

"Ja", säger jag. "Det är tyvärr sant."

"Herregud."

"Ja."

"Var är du?"

"E4:an norr om Helsingborg. Jag är på väg hem."

"När hände det?"

"Igår kväll. Vi kom med färjan från Puttgarden."

"Och han…?"

"Ja."

"Såg du det?"

"Nej. Men han kom inte till bilen när vi skulle köra av."

"Jag visste inte… jag menar, han skrev ju… ja, du skrev ju också."

"Jag hade ingen aning, Gunvald. Jag förstod inte att det var så illa. Jag trodde det var rätt att åka hem, men…"

"Det går inte att veta."

"Nej."

"Men man har inte hittat honom?"

"Nej."

"Finns det någon chans att…?"

"Nej. Det är för kallt."

"Herregud."

Sedan har vi inte fler ord att ta till, varken jag eller Gunvald. Vi lägger ändå inte på. Jag sitter och stirrar ut mot de yrande snöflingorna en stund och lyssnar till Gunvalds andning. Jag minns att jag brukade ligga på nätterna och lyssna till den när han var nyfödd. Nu sitter jag på en bensinstation och hans pappa är död.

”Jag försöker komma upp till Stockholm imorgon”, säger han. ”Vet Synn om det?”

Jag säger att jag har mejlat henne också, men de ligger ju flera timmar efter oss i New York.

”Du behöver inte komma imorgon”, lägger jag till. ”Vänta några dagar, låt mig få komma i ordning först. Vi håller kontakten på telefon.”

”Okej”, säger Gunvald. ”Vi gör så. Mamma…?”

”Ja?”

”Jag är så ledsen…”

”Jag också Gunvald. Vi får försöka klara det här.”

”Ja”, säger han. ”Vi får försöka.”

Sedan lägger vi på. Jag kör tillbaka till pumparna och börjar tanka.

Snöfallet fortsätter. Jag köper en kvällstidning där det står att det kommer att pågå hela kvällen och natten. Trafikanter varnas.

Någonstans uppe på småländska höglandet ringer Synn. Hon har just kommit in från en joggingrunda i Central Park och hon gråter högljutt. Det förvånar mig.

”Jag är så ledsen att jag skrev så där, mamma”, hulkar hon. ”Jag visste inte att han mådde så dåligt.”

”Nej, men det gjorde han alltså”, säger jag. ”Och jag berättade aldrig för honom vad du skrev, så du behöver inte vara orolig för den sakens skull.”

Sedan säger vi ungefär samma saker som Gunvald och jag sagt en timme tidigare, och så bryts förbindelsen utan förvarning. Kanske är det snön, kanske är det något annat. Hon ringer inte tillbaka förrän vi har passerat Gränna, och hon meddelar att hon håller på att leta efter flighter för att komma hem.

Jag säger åt henne att vänta lite. Det är bättre att ta det lugnt några dagar och försöka smälta vad som hänt. Det finns ju ingen kropp heller, och utan den är det ingen brådska med begravningen.

”Jag förstod inte”, säger Synn och börjar gråta igen. Vi lägger på just som jag kör förbi avfarten till Ödeshög.

Klockan är halv tio på kvällen när jag parkerar utanför vårt hus i Nynäshamn. Det är åtta grader kallt enligt termometern i bilen och snöfallet har tunnat ut något. Att döma av snötäcket på vår gata har man plogat för inte så länge sedan.

Jag sitter kvar en stund innan jag förmår mig att öppna dörren och kliva ur bilen. Castor ligger kvar på passagerarsätet och rör inte en fena.

57

Den sextonde februari.

Tolv grader kallt. Klockan är halv sex på kvällen, jag står i köket och lagar helstekt oxfilé. Jag har brynt den runt om, nu lägger jag den i folie, sedan ska den in i ugnen en timme på låg värme. Från vardagsrummet hörs Chet Baker.

Bara en sallad och en sås på svamp och rosmarin som tillbehör, jag har lagat den här rätten hundra gånger, den går aldrig fel.

Blinier med gräddfil, löjrom och schalottenlök som förrätt, det är en nordisk klassiker och jag vill ju ändå ge honom något som jag inte tror att han smakat på tidigare.

Fast först försökte jag stoppa honom. Givetvis; att blanda in honom i min svenska existens, att röra ihop det ena med det andra på det här viset utan försiktighetsåtgärder föreföll både omotiverat och riskabelt. Men så förklarade han att han bara ville träffa mig som vanligt. En kväll, en natt och en morgon. Precis som i Heathercombe Cottage. När jag ändå protesterade svarade han att han redan hade bokat flighten, från Heathrow på lördag eftermiddag, tillbaka från Arlanda söndag eftermiddag. Han ville inte bli guidad i Stockholm och Sverige. Inte träffa mina vänner. Inte åka ut i den berömda skärgården och inte se Stadshuset. Bara umgås ett halvt dygn som vi brukade göra.

Jag föll till föga. Han gav mig ingen betänketid; det var i torsdags han ringde, idag är det lördag. Jag frågade om jag skulle komma och möta honom på Arlanda, han sa att jag skulle stanna hemma och laga mat. Han var mycket spänd på att få stifta bekantskap med min kokkonst.

Han skrattade. Jag skrattade.

”Och sedan tänker du ta en ny taxi tillbaka på söndag förmiddag?”

”Exakt”, sa Mark Britton. ”Du behöver inte ens gå ut.”

”Jeremy?” frågade jag.

”Min syster kommer hit”, förklarade han. ”Och hon kunde inte vara hemifrån längre än så här. Annars kanske jag hade stannat några dagar. Ärligt talat.”

”Jag förstår”, sa jag. ”Jamen, då är du välkommen då.”

”Hur lång tid tar det från flyget hem till dig?”

”En och en halv timme ungefär. Går snabbast om du tar Arlanda Express in till stan först.”

”Jag fixar det. Då är jag hos dig vid sjutiden. Jag ringer om det blir försenat. Men du kan lita på att jag kommer. Om jag så ska simma.”

”Ring när du har landat.”

”Naturligtvis.”

När vi lagt på gick jag förbi hallspegeln och såg mitt ansikte. Jag log.

Jag kommer att köra Mark tillbaka till Arlanda. Självklart gör jag det. Jag måste ändå hålla mig hemifrån imorgon eftermiddag, det kommer några och tittar på huset då. Den riktiga visningen är inte förrän nästa helg, men mäklaren sa att han hade ett par riktigt bra spekulanter, så det vore dumt att inte ge dem förtur.

Alla säger att jag har för bråttom och jag låter dem säga det. De tycker att jag ska bo kvar i ett halvår åtminstone och känna efter hur det känns. Ni känner inte till historien, tänker jag medan jag lyssnar till deras argument. Ni förstår inte. Man ska inte fatta viktiga beslut när man är i en kris, påstår de. Man ska åtminstone sörja färdigt först.

Jag är inte i kris, tänker jag. Jag sörjer inte.

Bara för Christa har jag förklarat att jag nästan inte står ut i huset. Inte en vecka till, knappt en dag. Jag tror hon förstår mig. Eller förstår den fiktion jag presenterar för henne åtminstone.

Gunvald och Synn har varit här och åkt igen. Hela förra veckoslutet umgicks vi, jag upplevde det som ett slags stelnad och förfelad teater. Jag vet att bägge två är tagna av Martins död, men vi når inte fram till varandra. Vi är tre vilsna och ostämda instrument som försöker låtsas att vi är en trio fast vi aldrig varit det och har dåliga utsikter att bli det. Jag tänkte ändå att jag kanske – så småningom – kommer att få ett bättre förhållande till Synn. Jag kunde ana det, i korta sekunder och ögonkast mellan oss, men Gunvalds närvaro och själva situationen stängde alla dörrar den här gången.

Gunvald återvände till Köpenhamn i måndags. Synn flög tillbaka till New York dagen därpå. Det är ju ännu inte aktuellt med någon begravning men vi enades om att hålla ett slags minnesstund till påsk. Jag har talat med en präst och han förklarade att det är vanligt att man gör så i sådana här lägen.

Om inget nytt inträffar innan dess, vill säga. Om man inte fiskar upp en kropp därnere vid Fehmarn. En polis jag pratat med har berättat att havsströmmarna på platsen är en smula oberäkneliga. Vissa drar uppåt Danmark, vissa in i Östersjön, det är nästan omöjligt att förutsäga vart saker och ting som fallit överbord tar vägen.

Dagen efter att jag kom hem författade jag ett kort meddelande som jag mejlade till alla möjliga berörda: Bergman, Soblewski, Christa, Martins närmaste kolleger på institutionen, mina närmaste på Aphuset, samt en del andra. Min bror förstås. Folk hörde av sig de första två dagarna, sedan blev det märkvärdigt tyst. Jag tror de flesta kopplar samman Martins självmord med vad som hände på det där hotellet i Göteborg för snart ett år sedan. Det vore närmast konstigt om de inte gjorde det.

Jo, Bergman har hört av sig flera gånger. Igår ringde han och berättade att han hade läst Martins pjäs. Oerhört stark, sa han. Det här har alla förutsättningar att bli en klassiker. Jag hoppas det kan kännas som en liten tröst för dig, om... ja, om det nu blev det sista han skrev?

Jag svarade att jag skulle försöka se det på det viset.

Hade jag någonting emot att han kontaktade en del teaterfolk redan nu?

Jag sa att han hade fria händer.

Jag börjar hacka schalottenlök och tänker att det ska bli skönt att lämna Sverige. Jag trodde verkligen inte att det skulle vara så lätt att fatta beslutet, men jag var klar över det efter bara någon dag i huset. Jag vet också att det inte bara hänger på Mark, det är allt det andra också. Landskapet. Hästarna. Att skjuta upp dörren till en bypub man inte besökt tidigare efter en lång vandring. Det ständigt blommande ärttörnet som tillåter kärlek året om. Dunster Beach. Simonsbath. Häxorna Barrett?

När jag vägde allt detta mot tio år på Aphuset kände jag plötsligt ingen tvekan alls, och jag kontaktade mäklaren redan på tredje dagen efter min återkomst.

Ja, jag längtar till heden, så enkelt är det. Det är en nästan fysisk förnimmelse och jag drömmer om det på nätterna:

vinden, regnet och dimmorna. Jag förstår inte hur det har gått till, men det är heller inte sådant man behöver förstå.

Jag ser på klockan. Mark borde ringa från Arlanda vilken minut som helst och säga att han har landat. Jag sätter på ugnen och tänker att det blir lagom att hiva in köttet så snart jag hör ifrån honom. Kontrollerar att den vita vinflaskan står i kylen och öppnar den röda.

Då ringer det på dörren.

Vad nu då? tänker jag.

Men sedan förstår jag. Han har lurat mig. Han har tagit ett tidigare plan och vill överraska mig. Jag känner att jag blir varm i kroppen som en tonåring och när jag går förbi hallspegeln kan jag konstatera att jag ler igen.

Jag ser bra ut och jag ler. Kanske så där som man bara kan se ut när man är förälskad, jag blir lite generad över den tanken, den borde inte rymmas inuti en kvinna i min ålder. Jag skyndar mig för att öppna dörren.

Vem är det som ringer på dörren?

Jag skriver detta tillägg en tid senare. Inte särskilt lång tid, men heller inte särskilt kort. Jag har gott om den varan: tid. Noga taget är det det enda jag har. Mitt rum är femton kvadratmeter, genom mitt fönster har jag utsikt över en skogsrand och en himmel. Jag kan se en del stjärnor om natten och jag ligger ofta vaken och gör just detta: betraktar stjärnorna. Det sägs ju att det ljus som man kan iaktta härnere på jorden är det ljus de skickade ut för tusentals år sedan, det kan mycket väl vara så att de slocknat. Att de är döda. Jag tycker det är intressant, det påminner om livet. Det har redan ägt rum, för länge sedan har allt väsentligt redan hänt. Om det nu verkligen var så väsentligt, men vi har ju fått ett medvetande som gör att vi kan inbilla oss saker och ting. Jag håller med den där litteraturprofessorn om att hjärnan behöver sina många vindlingar för att vi ska kunna känna oss olyckliga, det är en alldeles riktig iakttagelse – men det är också en poäng att kunna göra sig föreställningar överhuvudtaget. Om sådant som icke är. Sådant som aldrig varit, eller som ändå varit men försvunnit. It was. It will never be again. Remember – se där, en väl så pregnant livsekvation på bara åtta ord.

Dessutom är jag säker på att vi fått våra hjärnor för att kunna hantera tiden. Det har skrivits många djupsinniga saker om vad tid egentligen är för något, oftast är det väl desperata män som ägnat sig åt det, som försökt komma undan den på något vis. För egen del, sedan jag hamnade här, har jag helt enkelt släppt den fri. Den får komma och gå som den vill. Sekunder får växa och år får krympa, det är ju ändå på det viset det är. Jag menar att det är så våra hjärnor borde hantera saken. Det finns små gyllene sekunder och minuter som verkligen väger så mycket tyngre än en massa bortkastade skitår, och sedan... kanske är det hit jag vill komma, den här understrykningen jag ändå vill göra medan jag sitter här och tittar ut mot de slocknade eller möjligen ännu inte slocknade stjärnorna... sedan finns alltså dessa förtätade ögonblick som är så innehållsdigra att de knappt förmår härbärgera det de bär på. I mitt eget fall tänker jag främst och helst på just de där sekunderna, det kan ju verkligen inte ha varit fråga om särskilt många, när jag går för att öppna dörren den där kvällen i februari. Det där korta tidsintervallet från det att jag ser mig i spegeln, upptäcker att jag ler och att jag är vacker – fram till det ögonblick då jag lägger handen på dörrhandtaget och skjuter upp dörren. Det kan ju inte ha rört sig om mer än tre sekunder. Fyra på sin höjd, längre avstånd mellan spegeln och ytterdörren är det faktiskt inte. Men här släpps tiden fri, den gör det alldeles av sig själv, den skapar sin egen frihet, eller återtar den kanske, det är inte förenat med någon vilja eller någon ansträngning från min sida och det som händer i mitt huvud, de tankar som ansätter mig borde normalt... jag hittar inget bättre ord än "normalt" men jag kommer nog att göra det om jag skriver rent den här anteckningen imorgon... borde normalt inte rymmas inom detta intervall.

Det börjar alltså med min glada förväntan över att få se Mark Britton stå därutanför, jag är övertygad om att han bär på ett fång rosor, kanske en flaska champagne, kanske båda delarna – men sedan skuggas denna förväntan av ett moln, den förirrar sig skamset från den rätta vägen, går alldeles bort sig och rasar slutligen utför ett stup. Det hela påminner om en liten flicka som gått vilse i en skog, jag ser henne alldeles tydligt för mitt inre öga; oskuld, rågblonda flätor och det ena med det andra, jag behöver inte gå in på vem hon föreställer.

Det kommer inte att vara Mark som står därutanför, tänker jag nämligen i min vänstra hjärnhalva, den som inte ägnar sig åt sagor och slikt, min glädje och min höga livskänsla har varit fullkomligt bortkastade. Falska som ögon är de, det är någon annan som kommer att stå där.

Är det någon annan? Vad betyder den frågan? Ja, vad den betyder kan väl en idiot klara ut, men har den mer än ett svar? Finns det mer än en person som skulle kunna ikläda sig rollen av "någon annan" i det här läget? Hur har jag... hur har jag lyckats skrapa ihop all denna fabulösa framtidstro och fruktlösa optimism på bara några veckor, en optimism som nu rinner av mig som vattnet på den gås jag enkannerligen är.

Öppna inte dörren! skriker en röst inuti mig. Den nästan vrålar, ty den är verkligen stark, så stark att jag för bråkdelen av en av de där sekunderna hinner få för mig att det faktiskt är någon annan som ropat åt mig. Ännu en någon annan, som befinner sig bakom mig tydligtvis, som står någonstans inne i huset och förgäves försöker varna mig – hindra mig, rädda mig, jag vet inte vad, men jag gör mig kvickt och behändigt föreställningen av en frälsande ängel. Ja, nu efteråt vet jag med bestämdhet att det måste ha varit fråga om en ängel. En vrålande ängel, finns det sådana? Det tjänar hursomhelst inte mycket till att varken varna eller vråla, inte så här dags i livet, inte i den femtionionde sekunden av den sextionde minuten av den tolfte timmen.

Men innan jag hinner ge efter för detta mörka ras som sker så plötsligt och så oväntat inom mig, så lyfts jag upp ur mörkret. Jag återvinner mig, skräcken släpper sitt grepp, alltihop upprepas och går åt andra hållet, från dödsångest till glädje och förtröstan med världens snabbaste hiss, eller kanske den där ängeln ändå, och när jag faktiskt trycker ner handtaget, som jag nu äntligen tagit mig fram till, är hela mitt jag fyllt av en nästan barnslig nyfikenhet: vem är det som står därutanför?

För innan man har tittat efter, innan man har lyft på locket, kan man ju inte veta någonting om innehållet. Innan vi är framme vid den allra sista sekunden är allt fortfarande möjligt.

Förväntan, det ges ingen sötare sötma i livet.

Vem är det som ringer på dörren?

58

Det står en man i sextioårsåldern där. Lite ihopsjunken, lite överviktig.

”Ja…?”

”Fru Holinek?”

”Ja… javisst. Vad gäller saken?”

Han tar fram något ur innerfickan och visar upp det. Jag förstår inte vad det är.

”Kommissarie Simonsson. Får jag komma in?”

Jag ser att en mörk bil står parkerad utanför grinden. Den är igång och det sitter en annan man bakom ratten och pratar i en mobiltelefon.

”Javisst. Varsågod… förlåt, jag håller på att laga middag.”

Han kliver in i hallen och sniffar i luften. ”Jag känner det.”

Han hänger av sig sin rock. ”Finns det någonstans där vi kan sitta ner och prata? Jag har ett par frågor.”

”Gäller det…?”

”Ja, det gäller er man, fru Holinek.”

Jag visar in honom i vardagsrummet och vi slår oss ner i var sin fåtölj.

”Vill ni ha någonting?”

”Nej tack.”

Han tar fram ett litet anteckningsblock och bläddrar ett ögonblick.

”Er man, Martin Holinek, försvann alltså från färjan mellan Puttgarden och Rödby på kvällen den trettionde januari. Det är vad ni uppgivit, stämmer det?”

”Ja... ja, det stämmer. Varför frågar ni om det här? Jag har redan pratat både med danska och svenska poliser flera gånger...”

Han höjer en hand och jag avbryter mig.

”Det är så att man möjligen har hittat hans kropp, fru Holinek.”

”Man har...?”

För ett ögonblick får jag ett slags kortslutning i hjärnan. Jag stirrar på honom och försöker komma ihåg vad han sa att han hette.

”Det är en möjlighet i alla fall”, tillägger han. ”Det finns en del förbryllande omständigheter.”

”Förlåt, vad var det ni sa att ni hette?”

”Simonsson. Kommissarie Simonsson.”

”Tack. Jag förstår inte riktigt... förbryllande omständigheter?”

Han harklar sig och tittar i sitt block.

”Jag kan inte hitta något bättre uttryck. Men ni kanske kan hjälpa mig på traven. Er man ska alltså ha hoppat överbord från färjan ungefär mitt emellan Puttgarden och Rödby för... ja, för lite drygt två veckor sedan. Och nu har man hittat en kropp som möjligen skulle kunna vara han.”

”Vad menar ni med ’möjligen’?”

Han nickar några gånger och tittar runt i rummet innan han säger något mer. Som om han letar efter ett svar i bokhyllan eller uppe under taket.

”För det första funderar vi över platsen där han hittades.

Det är ganska långt ifrån där han ska ha hoppat...”

”Jag... jag har förstått att det råder starka havsströmmar därnere. Det påstod i varje fall den danska polisen.”

Han nickar. ”Det är riktigt. Men den här kroppen hittades faktiskt rätt så långt öster om Fehmarn... Polen närmare bestämt.”

”Polen?”

”Ja. Det är den ena omständigheten. Den andra omständigheten är tidsaspekten. Den manskropp det gäller har tydligen varit död i flera månader... den är mycket illa tilltygad och dessutom hittades den inuti en bunker.”

”En bunker?”

”Ja. En gammal övergiven historia från kriget...”

”Ja, men då är det naturligtvis inte min man. Hur... hur skulle han ha hamnat inuti en bunker?”

Jag förstår inte varifrån jag hämtar det neutrala, nästan en smula irriterade tonfallet i min röst.

Kommissarie Simonsson rätar på sig en smula i fåtöljen och lutar sig lite närmare mig. ”Det är en fråga som vi också ställer oss, fru Holinek. Den här kroppen har legat hos den polska polisen en tid, de har inte lyckats identifiera den... eftersom den är tilltygad. Mannen har av allt att döma dött inuti den där bunkern, men innan han dog har han möjligen skrivit någonting på väggen.”

”Han har skrivit... nu sa ni 'möjligen' igen...?”

”Ja. Det finns en del klottrat på de där väggarna tydligen. Namn och sådant. Men när den polska polisen gått bet på att identifiera offret skickade de ut en lista internationellt. Det var för en månad sedan ungefär... elva namn inalles, och ett av dem kan ha ristats in av den här mannen innan han dog, det är i varje fall vad de påstår.”

”Jaha? Jag tror inte jag...”

”Ett av namnen är alltså Holinek. Hrrm. En av mina yngre kolleger råkade få syn på det och kände igen det från er rapport från Rödby. Det är han som sitter ute i bilen, förresten. Stensson, lovande kriminalare, från det ena till det andra.”

Jag sväljer och försöker säga något men där finns inga ord att få fatt i. Istället betraktar jag kommissarien med ett lugnt och överseende teveleende.

”Det är förstås ingenting annat än ett hugskott”, fortsätter han och stänger igen anteckningsblocket. ”Men man vill ju gärna vända på alla stenar, det är så vi arbetar...”

”Jag förstår ändå inte. Det är naturligtvis inte han. Hur skulle det kunna vara...?”

Han höjer sin hand igen. ”Jag håller med om att det låter otänkbart. Men vi tänkte ändå undersöka saken. Det finns trots allt inte så många med namnet Holinek. Bara för att komma till klarhet och utesluta, det är ni väl med på?”

”Naturligtvis. Jag vill naturligtvis ingenting hellre än att Martins kropp blir hittad, så... ja, så att man vet. Tänker...?”

”Ja?”

”Tänker ni på dna och sådant?”

Han stoppar tillbaka anteckningsblocket i kavajfickan och nickar. ”Det är ju en metod. Men kanske finns det en liten genväg i det här fallet.”

”En genväg?”

Han reser sig upp. Ser sig lite värderande om i rummet igen. ”Det finns inte så mycket kvar av det där liket i bunkern, tydligen. Varken av kroppen eller av kläderna. Men en liten sak har ändå bevarats intakt. Jag fick den på mitt skrivbord för ett par timmar sedan.”

”Vad då för någonting?”

”En bilnyckel. Han hade en bilnyckel med sig och den hade tydligen inte fallit råttorna i smaken... ja, förlåt mig.

Han har nog använt den för att rista på väggen också. Säg, visst är det er Audi som står parkerad härute på garageuppfarten?”

Han har gått fram till fönstret och jag ser att han ger något slags tecken till sin kollega. Stensson.

”Kom här ska vi se.”

Jag går fram till fönstret och ställer mig bredvid honom. Ser hur unge Stensson, en lång och välbyggd man i trettioårsåldern, har klivit ur den bil han suttit och väntat i under min och kommissarie Simonssons pratstund.

Jag inser... ja, jag inser plötsligt och faktiskt att jag står på precis den plats där jag stod den där vinterkvällen för så länge sedan. Lika kall eller kallare än den här; jag står här bredvid Martin och tittar på hans syster som kommer gående upp mot huset med sin hemlige älskare. Våra barn är fortfarande små och vi har hela livet framför oss, det finns så många underbara möjligheter öppna för oss, så många dagar, men det tänker vi inte på; vi står bara här, på samma ställe som kommissarie Simonsson och jag tjugosju år senare, Martin och jag, och försöker föreställa oss vem den där mannen med lågskorna och tröjan över huvudet kan vara – och så fort går livet, tänker jag, att man kan stå kvar på samma fläck och inte märka att allt redan är för sent. Man kan segla förutan vind i åratal och hela tiden tro att man är på väg någonstans.

Och sedan är jag tillbaka, jag ser hur den unge polismannen öppnar framdörren till min bil, jag har som vanligt inte låst den, jag ser hur han sätter sig bakom ratten och vinkar åt oss, nästan en smula generat får jag för mig – innan han böjer sig fram och sätter en nyckel i tändningslåset.

Hästarna, tänker jag. Fasanerna. *Beskyddet...*

Strålkastarna slås på, den startar på första försöket.

”Ser man på”, säger kommissarie Simonsson och vänder sig mot mig. ”Den startade. Hur vill ni förklara det?”

Jag svarar inte.

”Vet ni, jag tror jag måste be er att följa med oss, fru Holinek, så får vi fortsätta vårt samtal på en annan plats.”

Jag säger ingenting. Står stilla och betraktar min bil som fortfarande är igång därute i kylan. Castor kommer och sätter sig intill mig. Min mobiltelefon ringer, jag vet vem det är, behöver inte titta efter.

”Jag måste bara stänga av ugnen först”, säger jag.

Anmärkning

Denna roman bygger på författarens fria fantasier. Detta gäller svenska professorer och spensliga ministrar, det gäller engelska och amerikanska författare och det gäller människor i och runt byn Winsford i grevskapet Somerset, England. Miljön på Exmoor har dock i hög grad skildrats i överensstämmelse med verkligheten.